南方軍政関係史料㊺

南洋協会発行雑誌（『会報』・『南洋協会々報』・『南洋協会雑誌』・『南洋』1915～44年）

解説・総目録・索引〔執筆者・人名・地名・事項〕

早瀬晋三 編

第 2 巻
〔索引編〕

龍渓書舎

目　　次

Ⅲ．索引 ……………………………………………………………… 1
　概要 ……………………………………………………………… 1
　　1．執筆者 ……………………………………………………… 5
　　2．人名 ………………………………………………………… 51
　　3．地名 ………………………………………………………… 57
　　4．事項 ……………………………………………………… 105

Ⅲ．索　　引

> 　別紙の通り、索引で「執筆者」「事項」は５回以上、「地名」は10回以上出てきたものを整理して一覧表にした（42-49、98-103、294-321頁）。ここでは、その一覧表をもとにして南洋協会発行雑誌の特徴を探ってみる。ただし、項目の選定自体簡単ではなく、整理にも困難がともなうため、ここであげた回数はひとつの目安として参考にしていただきたい。

＝　概　　要　＝

１．執筆者

　執筆者は、南洋協会役員、本部、支部、施設、調査員、通信員などの関係者が大半を占める。1918年５月に設立された新嘉坡（シンガポール）商品陳列館は、1927年に新嘉坡商品陳列所、1938年に新嘉坡産業館に改称し、それぞれ80、192、59、合計331回出てきた。スラバヤ商品陳列所は1926-37年に192、スラバヤ商品陳列所スマトラ出張員事務所は1930-34年に29、同バタビア出張員事務所は1931-37年に32の記事があり、商品情報などを流した。

　本部調査部ははじめ1918年に２、1919年に５と少ないが、1936年以降８、４、５、21、32、20、36と多くなる。調査編纂部は1929年４、1937年３、1938年12、1942年３の後、1943年37、1944年29と記事数が急増する。開戦後、本部の役割が大きくなったことがわかる。

　支部では、爪哇（ジャワ）が1922年から1942年まで数年を除いて合計103あり、とくに1940年に22、1923年、1924年それぞれ16と多い。つぎがマニラの７、西貢（サイゴン）の４でそれほど多くない。

　個人の執筆でもっとも多い三吉香馬170・同訳31（1933-35年、イヴァン・エフ・チアムピオン述）は、1923年３月からはじまった「南洋奇聞」が1939年４月まで184回連載されたことによる。三吉香馬の肩書きはまったく記されていない。つぎに多い井上雅二は1917年から1931-32年の２年間を除き、1943年まで毎年執筆している。1938年まで専務理事を務め、39年から相談役に退いた南洋協会の中心人物である。ほかの肩書きとして、1919年に南亜公司常務取締役、1929-30年の海外興業株式会社社長がある。近衛［文麿］は首相（1937-39年および1940-41年）で、1937-41年南洋協会会頭、1941年から同総裁である。内田嘉吉は、第６代台湾総督府民政長官（1910-15年）、第９代台湾総督（1923-24年）を

務め、南洋協会副会頭で貴族院議員（勅撰、1918-33年）である。飯島良三は1930年から幹事、1938年から常務理事である。小谷淡雲は爪哇支部常任幹事として1924-28年に毎号のように執筆している。渡辺薫は、1931年からマニラ支部幹事、常任幹事の肩書きで執筆しているが、肩書きのないものも半数ある。『比律賓年鑑（昭和十六年度版）』（大谷純一編、1940年）によると、渡辺の肩書きは、「商工省貿易局駐在員、日本商業会議所、自転車輸入組合、バリンタワク麦酒醸造株式会社、イロイロ商友会顧問、府立東京商工奨励館、日本綿糸布輸出組合、日本比律賓メリヤス輸出組合、日本綿織物工業組合聯合会嘱託、南洋協会マニラ支部評議員、天狗クラブ、軟式野球聯盟理事」となっている。江川俊治は、はじめ日蘭通交調査会嘱託、後に香料群島調査嘱託として、1919年から1934年まで現地の調査報告を執筆している。三吉朋十は1915-18年スラバヤ通信員、1919-20年に大文洋行参事、1920-23年に極東護謨株式会社社員、1928-29、35年に南洋協会嘱託の肩書きで執筆している。このほか、池田覚次郎はスマトラ、榎本信一は比律賓群島、塩田啓人と横山正脩は仏領印度支那、山澤宇兵衛は暹羅、和田儀太郎はニューギニアの調査嘱託である。このほか、佐藤惣三郎は新嘉坡日本人栽培協会幹事でゴムの専門家である。水木紳一画伯は、1937-38年に表紙やカットを描いている。

　日本の領事や官僚、大学の研究者、民間会社の技術者など、官民取りあわせた豊富な執筆陣のもとで、雑誌が発行されたことがわかる。

2．人名

　人名については、1918-22年に17回にわたって連載された「ラヂヤ・ブルーク伝」のサラワクの白人王、ラジャ・ブルックのほかは、井上雅二専務理事、内田嘉吉副会頭、蜂須賀正韶会頭、藤山雷太副会頭が10回以上出てくるが、そのほかでは「ダバオの父」とよばれた太田恭三郎の4回が最高である。

3．地名

　地名で圧倒的に多いのが、現在のインドネシアで「蘭印」「蘭領印度」「蘭領東印度」「東印度」合計1,027、つぎが現在のマレーシア・シンガポールの「英領馬来」「馬来」「馬来半島」「馬来聯邦州」「マライ」合計586、「比律賓」「比島」「比律賓群島」合計460、「爪哇」「ジヤワ」合計448、「日本」「日」「我国（我が国）」合計409、「暹羅」「タイ国」「泰国」「暹羅国」合計306、「仏領印度支那」「仏印」「印度支那」合計294、「スマトラ」「スマトラ東海岸州」合計180、「新嘉坡」171、「豪州」134、「支那」「支」合計129、「ビルマ」「緬甸」合計128とつづく。

インドネシアのほかにジャワやスマトラを加えると、さらにインドネシアを重視していたことがわかる。

4．事項

　索引の項目で5回以上出てきたものを集計すると、「護謨」にかんするものの合計が341でもっとも多い。5回未満の項目の合計124を加えると465になる。その重要性は時代によってかわることなく、日本にとって終始一貫してゴムが重要な物資であったことがわかる。

　つぎが「新嘉坡商品陳列所」「新嘉坡商品陳列館」合計205、「スラバヤ商品陳列所」「スラバヤ日本商品陳列所」合計120で、「執筆者」索引とあわせて商品陳列所・陳列館が南洋協会の重要な拠点になっていたことがわかる。「バタビア出張員事務所」「バタビヤ出張員事務所」はそれぞれ41、「スマトラ出張員事務所」47である。支部では台湾104、爪哇82、新嘉坡45、マニラ27、南洋群島25、関西24、スマトラ16、ダバオ14、東海12である。

　「貿易」にかんするものの合計169、「貿易概況」にかんするものの合計39から、終始一貫して各地の状況が伝えられていたことがわかるが、「外国貿易」にかんするものの合計71、「輸入」にかんするものの合計79、「輸出」にかんするものの合計66は、1930年代に集中している。「市場」にかんするものの合計130の多くは1920年代半ばから30年代半ばに掲載された。

　「産業」にかんするものの合計115のうち半分以上は、1943年に集中している。「綿布」にかんするものの合計78のうち半分以上は1940–42年に集中し、戦争遂行上重要な物資と考えられたことがわかる。メリヤスにかんするものの合計31も、この3年間に集中している。「織物」47は、多くが1930年代である。「石油」41からは、雑誌創刊後の1910年代から一貫して関心があったことがわかる。

　「華僑」にかんするものの合計66のうち、多くは1938年以降のものである。「日支事変」（盧溝橋事件）は、1937–41年間の5年間に集中している。

　「南洋奇聞」201は、三吉香馬による連載のタイトルである。「南洋各地商況」152は、1926–37年に毎月掲載された。

　「教育」「教育・文化」合計60のうち50が、1942年に掲載された。戦時中に、教育や文化が注目されていたことがわかる。

1. 執筆者索引

　国会図書館の蔵書検索などで、読みがわかったものについてふりがなをふった。人名については、本名、通称、筆名などはっきりしないことがあるため、必ずしも正確であるとは限らないことを断っておく。

[アルファベット]

A・W・S　13-7

KI生　25-1

XYZ（生）　24-3、24-7、24-8、24-9、24-10

[ア行]

相原恒久　27-6

青木定遠　6-4、6-5、6-6、6-7、6-8、6-9、6-10

青山龍吉（在マニラ）　14-4

赤石定蔵（あかいしていぞう）　19-2

秋山恒躬　7-10

浅香末起（あさかすえき）　28-4

浅野長之　19-2

浅野白山　25-5、26-1

浅野白山（浅野南洋海運社長）　25-2

浅野平二（本会理事）　26-3、26-12

蘆澤安平　14-8

芦田　均（あしだ　ひとし）（法学博士）　23-10

芦原友信　27-5

東　駿一（あずましゅんいち）　24-12

渥美育郎（あつみいくろう）（本会理事）　24-4、25-10、26-8、27-4、27-9、28-6、30-2、30-10

姉歯準平（あねはじゅんぺい）（スラバヤ駐在帝国領事）　18-2、18-3

阿部重兵衛（あべじゅうべい）（スーラバヤ日本人会長）　7-2

阿部重兵衛（三井物産泗水支店長）　7-10、7-11

阿部　溔（台湾総督府事務官法学士）　4-9

天田一閑　18-9、18-10、25-9

天田六郎（あまたろくろう）　25-5、25-7

天野寿雄　26-3

Ⅲ. 索 引

荒井睦男　24-11

有田　実（陸軍省経理局衣糧課陸軍主計中佐）　29-6

有馬壽郎　8-1

有馬彦吉（ありまひこきち）（日本蘭印貿易協会々長）　21-1、21-2

有村貫一　28-3

有村貫一（南国産業株式会社常務取締役）　23-7

有村貫一（南国産業株式会社取締役）　17-12

有村貫一（南国産業株式会社取締役兼スラバヤ出張所長）　16-3、16-4

有元　剛（ありもと　たけし）　27-3

アルシムボー（アルシームボー）、レオン　17-1、17-2

アルレン、ジー・シー　20-5、20-6

アレキサンダー、パオル　21-2、21-3

アングラデット、A（農事監督局織物部長）　30-8

安西千賀夫（台湾銀行助役）　6-3

アンジェリノ、ド・カット（カツト）→アンヘリノ、ド・カツト　28-6、28-7

安藤公三（昭南市民政部長）　28-12

安藤義喬　8-1

アンヘリノ、ド・カツト→アンジェリノ、ド・カツト（カツト）　28-4、28-5

飯泉（常務理事）　25-3

飯泉（本会理事）　23-6

飯泉良三　8-10、12-6、12-7、12-8、12-9、12-10、12-11、12-12、26-5

飯泉良三（常務理事、本会常務理事）　24-1、24-3、24-3、24-5、25-2、25-9、25-10、25-12、26-5、26-9、27-5、27-6、28-2、28-10、29-2、29-11、30-4、30-5、30-6、30-8

飯泉良三（本会幹事）　16-1、16-2、18-1、18-2、18-3、18-4、18-5、18-6、18-7、18-8、18-9、18-12、19-1、19-1、19-2、19-3、19-4、19-5、19-6、19-7、19-8、19-11、19-12、20-1、20-2、20-3、20-4、20-4

飯泉良三（本会理事兼幹事）　21-12、22-4、22-7、22-8

飯沢章治（いいざわしょうじ）　25-11

飯田清三（いいだせいぞう）（野村證券株式会社取締役）　24-12

飯村天浪　28-10

飯村天浪（交易営団企画部）　29-7

飯山七三郎（いいやましちさぶろう）（東京府青山師範学校教諭）　3-2

池田覚次郎（(南洋協会)スマトラ地方調査嘱託）　7-12、8-1、8-4、8-9、8-11、9-5、9-6、9-11/12、10-1、10-2、10-4、13-2、13-10、13-12、14-2、14-4、14-6

池田幸平　26-1

池田智二（蘭貢〈ラングーン〉地方通信嘱託）　7-9

池田南国　8-1

井坂　孝（南洋協会評議員）　15-3、15-4

石井清彦（理学士）　14-3、14-4、14-5

石井健三郎　8-1、10-9、11-2、11-3、11-5、11-7

石井健三郎（在クチン市）　6-1、6-2、6-3

石井健三郎（南洋協会新嘉坡〈シンガポール〉商品陳列館長）　13-3

石井成一（南満洲鉄道会社）　5-5、5-6、5-7、5-8、5-9、5-10

石尾市太郎　26-9

石川武彦（農学博士）　30-2、30-3

石澤　豊（前バタビヤ総領事）　28-10

石塚英蔵（東洋拓殖会社総裁）　5-6

石塚吉祐　30-6

石橋五郎（神戸高商教授）　2-8

石原廣一郎　29-4

石原廣一郎（石原産業海運合資会社々長）　15-10、15-11、15-12、17-2

石原廣一郎（南洋協会々員）　10-3

石原廣一郎（南洋鉱業公司社長）　10-7、10-8

石渡荘太郎（大蔵次官）　24-9

泉　哲（拓殖大学教授ドクトル）　5-2、5-3

泉　哲（明治大学教授ドクトル）　6-8、6-9

井関孝雄　28-9

伊勢谷次郎　25-10

井田守三（南洋協会爪哇〈ジャワ〉支部長）　11-5

井田守三（南洋協会爪哇〈ジャワ〉支部長駐バタビヤ総領事）　12-11

井田守三（在バタビア帝国総領事）　11-10、11-11

板倉恪郎　4-2、5-3、5-6、5-7、5-8、5-8、5-9、5-10、5-11、5-12

板倉恪郎（比島、比律賓〈フィリピン〉）　4-3、5-4、6-1、6-2、6-6

板倉恪郎（比律賓〈フィリピン〉通信員）　4-6、5-1、5-2

一記者　5-9

一番ヶ瀬佳雄（拓務書記官）　20-5、20-6

一番ヶ瀬佳雄（拓務省拓務局第三課長）　17-12

井出季和太　25-4、25-12

井出季和太（経済学博士）　28-1、30-1

井出季和太（熱帯産業調査会）　24-5、25-1、25-2、25-3

井手諦一郎（いでていいちろう）　17-4、17-5、21-12、23-8、24-10、25-12、27-2、28-10

伊藤兼吉（法学士）（いとうけんきち）　4-10

伊藤孝一（いとうこういち）　29-1、29-4、29-11

伊藤次郎左衛門（本会評議員本会東海支部長）　21-8、21-9、21-10

伊東　敬（いとう　たかし）　23-11、24-1、24-3、24-4、24-6、24-8、24-10、24-11、25-1、25-3

伊藤　武（マスター・オブ・ビジネス・アドミニストレーション）　25-5

伊藤長太郎（南洋護謨株式会社タナイタムヒリル園（にて））　14-9、14-10、14-11、14-12

伊東信典　27-2

伊藤正徳（いとうまさのり）　23-6、24-9

伊東米治郎（南洋協会理事）（いとうよねじろう）　13-10

稲垣守克（国際文化振興会調査部長）（いながきもりかつ）　28-11

犬塚勝太郎　5-6

井上敬次郎（本会理事）　8-5、19-2、19-2、23-11、24-12、25-2

井上梧堂　25-5、26-11（→井上雅二）

井上準之助（南洋協会評議員）（いのうえじゅんのすけ）　15-1、15-2、15-3

井上治兵衛（本会理事）　23-9、25-9

井上直太郎（比律賓太田興業社社長）（いのうえなおたろう）（フィリピン）　2-6、7-9

井上雅二（いのうえまさじ）　3-5、3-11、6-2、8-8、8-9、8-10、8-10、9-1、9-1、11-2、11-7、11-8、11-11、12-9、12-10、13-2、13-3、13-4、13-9、13-10、14-5、14-6、14-7、14-7、14-8、14-9、14-10、14-10、14-11、14-11、16-4、23-12、24-5、27-2、27-3、27-4、27-5、27-6、28-8（→井上梧堂）

井上雅二（於和蘭海牙）（オランダハーグ）　8-6

井上雅二（太平洋上にて）　11-6

井上雅二（於独逸伯林）（ドイツベルリン）　8-7

井上雅二（南亜公司常務取締役）　5-1、5-10、5-11、5-12

井上雅二（南洋協会理事、本会理事、本協会理事）　3-6、4-3、4-4、4-7、6-10

井上雅二（専務理事、南洋協会専務理事、本会専務理事、本協会専務理事）　7-1、7-2、7-3、7-4、8-2、8-3、8-4、8-5、8-11、8-11、8-12、8-12、10-11、10-12、11-12、12-2、12-3、12-12、19-2、19-2、20-9、20-10、20-11、20-12、21-1、22-1、22-2、22-11、22-12、23-2、23-7、23-8、23-9、23-11、23-12、24-1

井上雅二（南洋協会専務理事海外興業株式会社（々）長）　15-1、15-2、16-8

井上雅二（本会相談役）　25-2、26-10、26-11、27-7、29-7、29-8

猪木土彦（法学士）　4-12

イバニエス、ブラスコ　30-8

入江寅次　26-2、28-7

色部米作（台湾総督府技師）　12-10、12-11

岩佐徳三郎　12-8、13-8、13-9、13-10、13-11、13-12、14-1、14-2、14-3

岩田喜雄（スマトラ興業株式会社常務取締役）　18-1

岩永　啓　27-8、27-9

ウイルキンスン、R・J　29-11

ウイルデ、クレツメル・ド　29-3

ウインステツド、R・O　28-5、28-12

上田弘一郎　29-10

植村泰二（社団法人映画配給社社長）　29-5

宇尾栄次郎（本会新嘉坡支部長）　18-8、22-3

ウオース、W・J　26-6

鵜飼恒一（本会嘱託海外興業会社南洋主任）　16-11

浮田郷次（前新嘉坡駐剳総領事）　11-4、11-5、11-6

浮田郷次（領事）　2-2、2-9/10

宇佐美珍彦（外務書記官）　20-1、20-2

内田嘉吉　16-11、16-12、17-1、17-2、17-3

内田嘉吉（南洋協会（本会、本協会）副会頭）　6-5、6-6、6-12、7-1、9-2、9-3、9-4、17-3

内田嘉吉（南洋協会副会頭貴族院議員）　5-7

内田嘉吉訳　4-10、4-11、4-12、5-1、5-2、5-3、5-4、5-5、5-6、5-7、5-8、5-9、5-10、
　　　5-11、5-12、6-1

内田寛一（文学士）　1-4

内山岩太郎　29-8

内山　清（本会マニラ支部長マニラ駐在帝国総領事）　24-11

海上　浩（横浜正金銀行前新嘉坡支店長）　22-12

宇野円空（文学博士）　30-11

梅谷光貞（台湾総督府民政部警察本署警務課長）　4-8

梅本貞雄　28-11、28-12、29-1、29-9、29-12、30-1、30-9、30-10

ウキルトシヤー、ゼー・エル　20-8

エヴアノ、シヤール　27-1

江川俊治　14-5、14-6、15-1、18-8、19-6、19-10、19-11、19-12、20-1、20-3、20-4、
　　　20-8、20-9、25-2

江川俊治（香料群島地方調査嘱託、香料群島調査嘱託）　8-4、8-5、8-6、8-7、8-8、8-10、8-11、8-12、9-1、9-2、9-3、9-4、9-5、9-6、9-7、9-8/9、9-10、11-1、11-2、11-6、11-7、12-7、12-8、12-11、12-12

江川俊治（日蘭通交調査会嘱託）　5-4、5-5、5-6、5-8、5-9、5-10、5-11、6-5、6-6、6-7、6-8、6-9、6-10、6-11、6-12、7-1、7-2、7-3、7-4

江川俊治（南洋協会嘱託、本会嘱託）　7-5、7-6

江川俊治（南洋協会（本会）モルツカス群島（モロツカス群島）（地方）調査嘱託）　8-1、8-2、14-1、14-2、14-8、14-9、15-7、15-8、16-2、16-3、16-4、16-5、16-6、16-7

江川俊治（ハルマヘラ（島）にて）　15-5、16-1

江木盛雄　28-5、28-6

江沢譲爾　27-3

エドワード、サリスベリー　8-10、8-11、8-12、9-1

江野沢 恒（ひさし）　25-5、26-5

江野沢恒（陸軍嘱託日本フイリツピン社主幹）　29-1

榎本信一　11-11、12-1、12-3

榎本信一（比律賓群島調査嘱託）　11-7、11-8、11-10、12-9、12-10、12-12

榎本信一（比律賓群島調査嘱託　マニラ）　11-8

榎本信一（南洋協会比律賓地方調査嘱託）　13-4

榎本信一（マニラ）　12-4、12-5、13-5、13-6、16-4、16-6

榎本寸雲（在マニラ）　14-9、14-10

海老名庄三郎　12-4

遠藤隆夫　3-9

王文生　25-5

扇谷正造（おうぎやしょうぞう）　29-2

近江谷栄次　12-7

大内 恒（おおうち つね）　20-9、20-10、20-11、20-12、21-1、25-11

大川周明（おおかわしゅうめい）　3-8

大川周明（文学士）　3-10、3-11、3-12

大迫元繁（おおさこもとしげ）（前陸軍司政長官）　30-8

大島正満（おおしままさみつ）（台北）　10-3、10-4

太田恭三郎　1-8

大谷光瑞（おおたにこうずい）　4-1、10-4、10-5、10-6

大谷光瑞（南洋協会評議員）　10-3

大谷 登（本会理事）　24-8、25-5、26-11、27-3、27-8

大谷喜光　29-7

大橋賢之甫（南洋防備隊農事拓殖嘱託）　2-8

大橋賢之輔（「サイパン」島政庁にて）　3-1

大村一蔵　26-12

大村英之助　24-12

大村貞一　17-4、17-5

大森益徳　10-3、10-4、10-4、10-5、10-9、11-4、11-5、12-2

大森益徳（南洋協会嘱託）　10-7、10-8

大屋　敦（逓信技師）　3-7

大山周三（本会盤谷支部常任幹事）　23-7、23-9

大山周三（前本会盤谷支部常任幹事商工省貿易通信員）　24-11

岡崎平治（在外指定ダバオ日本人尋常小学校長）　13-1

岡田文秀（前海軍司令長官）　30-7

緒方惟一　17-4、17-6

岡野繁蔵（大信洋行千代田百貨店主）　25-2

岡部常太郎　18-4

岡部常太郎（ジヨホール護謨栽培株式会社長）　13-8、13-9、14-9、14-11

岡部常太郎（南洋栽培業者聯合会相談役ジヨホール護謨栽培株式会社長）　15-3、15-5

岡部常太郎訳（南洋栽培業者聯合会相談役ジヨホール護謨栽培株式会社長）　15-1、15-2

岡本英太郎（農商務省商務局長）　5-6

岡本和夫　24-5、24-7、24-8

岡本耿介　18-5

岡本耿介（太田興業株式会社代理店部長）　16-4

岡本耿介（ダバオ）　17-5

岡本象三　20-10、20-11、20-12、21-1、21-4、21-5、21-6、22-6、22-7

岡本象三（南洋庁産業試験場）　22-9

岡本象三（パラオ島）　19-11、19-12、20-2、20-3、20-4

岡本　嵩　25-3、25-5、25-7、25-10、26-6

小川尚義（台湾総督府翻訳官）　5-6、5-7

小川南洋　14-8

小川平吉（衆議院議員）　5-6

奥村幸二郎　17-3、17-4

奥村幸二郎（南洋護謨拓殖株式会社専務取締役）　12-3、12-4、12-5

小此木為二（台湾拓殖株式会社取締役）　3-6

小田　脩（おだ しょう）　20-4、29-3

小田　修　18-5、18-6

小田　修（三五公司）　12-11、16-5

小田　修（三五公司技師）　13-11

小田　修（三五公司技師林学士）　14-7

小田島　祥吉（おだじましょうきち）（海軍軍医大佐医学博士）　28-11

小田橋貞寿（おだはしさだじゅ）　28-8

落合喜一郎　11-9、11-10、12-3

小野孝太郎　8-1

小畑薫良（おばたしげよし）　25-10

小幡酉吉（おばたゆうきち）（元特命全権大使貴族院議員）　24-10

小原敏丸校訂　6-4、6-5、6-6、6-7、6-8、6-9、6-10

小原友吉（本会新嘉坡（シンガポール）商品陳列所長）　22-6

小原友吉（本会スラバヤ商品陳列所長）　16-6、16-7、17-3、17-11、18-8、21-7

オブデーン、フエー（インドラギリ地方副知事）　15-5、15-6、15-7、15-9

（在）和蘭（オランダ）日本帝国公使館　14-8

[カ行]

香川　濴（きよし）（神戸）　12-10、12-11

賀来佐賀太郎　19-2

郭　春秋（華南銀行顧問）　5-5

影山哲夫　27-8、27-9

梶原仲治（かじわらなかじ）（横浜正金銀行頭取）　5-6

風戸勝三郎（羅波留頓）　10-8

カーター、W・J　26-6

片野正一　11-5、11-7

片山秀太郎（かたやまひでたろう）（法学士）　4-3

葛青丸　28-3、28-4

ガティカ、リサール　26-5

加藤栄太郎　28-2

加藤恭平（本会理事）　25-6

加藤俊雄　25-2、25-3

加藤俊雄（西貢（サイゴン）駐在商工省貿易通信員）　19-4

加藤俊雄（貿易統制会南洋局）　28-12

ガトキン、エフ・エー・（新嘉坡(シンガポール)学生会館名誉講師）　5-5、5-6

香取修平（香取商会主）　5-5

金澤忠教（バチエラー　オブ、アーツ）　5-2、5-3

金澤忠教（マスター、オブ、アーツ）　8-1

金子豊治(かねことよじ)　29-9

金子豊治（前 蘭貢(ラングーン) 領事）　25-5

金子豊治（台湾拓植株式会社馬尼剌(マニラ)事務所長）　26-10

金子豊治（駐 蘭貢(ラングーン) 領事前本会ダバオ支部長）　22-4、22-5

金田近二(かねだきんじ)（神戸商業大学助教授）　23-11、24-1、24-2

金次　博（拓務省殖産局農林課事務官）　28-5

金平 亮 三(かねひらりょうぞう)（台湾会員）　2-1

加福豊次（法学士）　4-9

鎌田正威(かまたまさたけ)（台湾総督府秘書官）　4-11

鎌田栄吉(かまだえいきち)（貴族院議員）　13-6、13-7、13-8

神島満足（早稲田大学講師）　19-6

神谷(かみや)忠雄　4-2

神山陽太郎　5-3

カーラー、W・J　30-6

カロー、M・M　27-2

ガロウ、エリカ・ズーハン　28-7

川上笠水　10-5

川上寅二　18-6

川島四郎(かわしましろう)（陸軍主計大佐農学博士）　28-9

川島信太郎(のぶたろう)（希臘(ギリシヤ)駐剳特命全権公使）　19-4

川島信太郎（前公使）　23-7

川田冨久雄(かわだふくお)　28-6

河野(かわの)公平（新嘉坡(シンガポール)）　4-6

川橋一郎(かわはしいちろう)　28-4

川本邦雄(かわもとくにお)　25-6、28-6

帰去来子　4-5、4-6、4-7、4-8、4-9、4-10、4-11

菊地四郎(きくちしろう)　29-6、29-8

菊池武幹（福岡市立福岡商業学校教諭）　3-12

菊池武芳（台湾支部幹事）　3-10

貴志敏雄(きしとしお)（昭和鉱業株式会社理事）　24-4

Ⅲ. 索引

キスト、エフ・ジエー　28-4

北島謙次郎（拓務省管理局第一課長）　17-1

北島謙次郎（本会南洋群島支部長南洋庁長官）　23-12

吉川祐輝（きつかわすけてる）（農学博士）　7-12

砧　一朗（きぬたいちろう）　24-7、24-8、24-9、25-2、26-1

木村　惇（きむらあつし）　29-1、29-7

木村　惇（前在マニラ総領事前本会マニラ支部長）　22-2、22-3

木村鋭市（きむらえいいち）　23-9

木村鋭市（元特命全権公使）　25-5

木村禧八郎（きむらきはちろう）　24-5

木村　澄　29-5、29-6、29-9、29-10、29-12、30-1、30-2、30-3、30-4、30-5、30-9、30-10、30-11

木村国喜　30-3、30-4

木村増太郎（きむらますたろう）（経済学博士）　14-2、14-3、18-6、18-7

木村増太郎（新嘉坡（シンガポール）商品陳列館長）　5-4、5-5、6-6、6-7、6-8、6-9、6-10、6-11、6-12

木村増太郎（前新嘉坡（シンガポール）商品陳列館長）　7-8

木村増太郎（本会嘱託経済学博士）　16-9、17-1

旧マライ聯邦政庁編　30-6、30-7

旧蘭印中央統計局編　28-10、28-11、29-1、29-2、29-3、29-4、29-6、29-7、29-9、29-12

清沢　洌（きよさわきよし）　24-12

清野謙次（きよの）　29-4、29-5

清野謙六郎　29-9、29-11、30-2

キルセー（仏領印度支那関税局長）　10-7、10-8、10-9、10-10、10-11、10-12、11-1、11-2、11-3

金　永鍵（きんえいけん）　30-10

久我　操　25-5

日下部半太郎（南洋産業会社取締役）　6-10、6-11、6-12

久原農場訳（北ボルネオ、タワオ）　8-1

久保田政周（くぼたきよちか）（横浜市長）　5-6

久保田富三（くぼたとみぞう）（明治製糖株式会社取締役調査部長）　23-10

窪田彌一　12-6、12-7

隈川八郎（くまかわはちろう）（慶應義塾大学医学部助教授医学博士）　14-9

隈川八郎（三亜製紙株式会社顧問慶大助教授医学博士）　15-4

隈川八郎（台湾総督府兼外務省嘱託慶應義塾大学助教授医学博士）　15-4、15-5、15-6、

15-7

倉田猛郎（泰国（タイ）名誉領事）　26-1

グラターン、C・ハトリー　25-4

クラーメル、ペー・イエー・エス（蘭領東印度政庁中央農事試験場長理学博士）　10-10

クリスチヤン、JL　26-7

グリンバーク、マイケル　28-2

久留島武彦（くるしまたけひこ）　2-6

久留島秀三郎（くるしまひでさぶろう）　25-6

黒沢隆朝（くろさわたかとも）　25-8、26-4

黒潮舟人　12-5

黒潮舟人（在ダバオ）　14-1

黒田明彦（近衛師団司令部報道部員陸軍中尉）　29-2

クロニンガー、エス・ホーワード　23-4、23-5

桑折鉄次郎（スラバヤ領事）　25-8

桑島主計（くわしまかずえ）（和蘭国（オランダ）駐劄特命全権公使）　23-8

郡司喜一（ぐんじきいち）　26-11、27-2、27-3、27-4

郡司喜一（在盤谷（バンコク）帝国領事）　13-4

郡司喜一（前暹羅（シャム）公使館在勤領事）　16-10

ケラー、アーサー・S　26-4

胡　洋生　13-9

小泉信義　10-12

小岩井靖　29-9

コウウイ、ドナルド　28-3

豪州聯邦統計局編本会調査編纂部訳編　29-5、29-6

河内山治　26-7

郡山　智　30-11

古賀廉造（こがれんぞう）（拓殖局長官法学博士）　5-6

国際連盟、運輸交通委員会、盤谷（バンコク）築港調査委員会　24-2、24-3

国府種穂　19-2

国分正三（こくぶしょうぞう）　13-11

国分正三（南洋協会緬甸（ビルマ）地方調査嘱託）　14-5、14-6、14-8

小倉一二　25-7

小坂彰二　27-1

小里　玲（こざとれい）（拓務事務官）　26-7

越田（在バヤヴイア総領事） 20-7

越田徳次郎 1-9

児島宇一（海南産業常務取締役） 28-2

児島宇一（本会ダバオ支部評議員） 18-3

小谷淡雲 11-5、11-6

小谷淡雲（爪哇支部常任幹事、南洋協会爪哇支部常任幹事） 8-9、12-1、13-1、13-1、13-2、13-3、13-4、13-4、13-5、13-5、13-6、13-6、13-9、13-10、13-11、13-12、14-1、14-3、14-3、14-4、14-6、14-7

小谷淡雲（南洋協会爪哇支部） 10-1、10-3、10-4、10-5、10-6、10-6、10-7、10-7、10-8、10-9、10-10、10-10、10-11、10-12、10-12、11-1、11-2、11-2、11-3、11-4、11-6、11-7、11-7、11-8、11-9、11-9、11-10、11-11、11-12、11-12、12-4、12-5、12-6

小谷淡雲（バタビヤ駐在帝国副領事） 17-8、17-9、17-10

小谷淡雲（バタビヤにて） 12-1

小谷光子 12-1

児玉謙次（南洋協会理事） 13-1

児玉秀雄（南洋協会々長陸軍最高顧問伯爵） 28-11

児玉秀雄（本会々長伯爵、本会会長伯爵） 28-3、29-1、30-1

児玉秀雄（本会副会頭、伯爵） 24-5

後藤房治（英領北ボルネオ政庁森林官林学士） 1-1

後藤房治（元ボルネオ政府嘱託林学士） 2-8

後藤林蔵 7-9、8-3

伍堂卓雄（東京商工会議所会頭） 25-1

近衛（会頭） 23-6、23-7、23-8、23-9、23-10、23-11、23-12、24-1、24-2、24-3、24-4、24-5、24-6、24-7、24-8、24-9、24-10、24-11、24-12、25-1、25-2、25-3、25-4、25-5、25-6、25-7、25-8、25-9、25-10、25-11、25-12、26-1、26-2、26-3、26-4、26-5、26-6、26-7、26-8、26-9、26-10、26-11、26-12、27-1、27-2、27-3、27-4、27-5、27-6

近衛（総裁、本会総裁） 27-7、27-8、27-9、27-10、27-11、27-12、28-1、28-2、28-4、28-5、28-6、28-7、28-8、28-9、28-10、28-11、28-12、29-1、29-2、29-3、29-4、29-5、29-6、29-7、29-8、29-9、29-10、29-11、29-12、30-1、30-2、30-3、30-4、30-5、30-6、30-7、30-8、30-9、30-10、30-11

小林常八（外務省嘱託） 15-8、15-9

コヘン、H 27-10

小松重利　7-4、7-5、7-8

小松重利（南支地方調査嘱託）　7-9、7-10、7-11、7-12

小森徳治（台湾総督府殖産局嘱託）　6-11、6-12

小森徳治（台湾総督府嘱託）　4-6、4-7、5-1、5-2、5-3

小山房二（在サイゴン）　25-6、25-7

コライン、A・H　26-10、26-11

今　藤雄　29-10

今　藤雄訳　28-1

今　藤雄訳編　29-9

今　藤雄訳補　29-12、30-1、30-2

近藤直澄（理学博士）　2-7

権藤林蔵（久原商事会社々員）　5-1

権藤林蔵（久原商事会社爪哇出張員）　5-7、5-8

［サ行］

（本会）西貢支部　27-12、28-11、28-12、30-6

斎藤亀三郎（農商務省書記官）　5-3、5-4

斎藤太郎　27-3、27-4、27-5

斎藤正雄　24-1、24-6、25-2、25-3、25-4、26-9、29-4、29-5

栽培通信員　20-12

サイミントン、ハーリー（サイミントン・シンクレア商会主）　16-8

坂部一郎（在暹羅プケット、在シヤムプケット）　8-2、8-3、8-4、8-5、8-6

坂本龍起　17-4

坂本正治（本会理事）　27-11、29-3

桜井兵五郎　26-2

酒匂秀一（本会副会長兼理事長）　28-5、28-7、28-12、29-10、29-12、30-6

佐々木（農商務省書記官）　3-1

佐々木謙一郎（本会理事）　29-2

佐々木駒之助（本会理事）　29-8

佐々木茂枝（農商務書記官）　3-3

佐々木勝三郎　28-1、28-1

佐々木勝三郎（本会常務理事）　25-6、25-8、26-4、26-6、27-2、27-11、28-4、30-9

佐々木綱雄（東京府技師）　6-3、6-4

笹原　助　29-6、29-7、29-8

佐藤磯雄　24-5

佐藤　茂　24-3

佐藤　茂（在バンドン）　25-11

佐藤　暲（新嘉坡商品陳列館）　10-9、10-10、10-11、11-1

佐藤　暲（（南洋協会）新嘉坡商品陳列館産業調査課）　11-6、11-12、12-5、12-6、12-7、12-8

佐藤惣三郎　12-12、13-1、13-3、13-8、13-9、13-10、14-2、14-3、14-4、14-4、14-5、14-6、14-6、14-7、14-8、14-8、14-9、14-10、14-11、15-4、15-6、15-7、15-8、15-12、16-1、16-2、16-3、16-4、16-5、16-7、16-9、17-2、17-3、17-4、17-5、17-6、17-7、18-1、18-2、18-3、18-4、18-5、18-6、18-7、18-8、18-10、18-11、18-12、19-1、19-2、19-2、19-3、19-4、19-5、19-6、19-7、19-7、19-8、19-9、19-10、19-11、19-12、20-1、20-2、20-4、20-7、20-9、20-10、21-1、21-4、21-5、21-7、21-9、21-10、21-11、22-1、22-6、22-11、23-3、23-6、23-7

佐藤惣三郎抄訳　17-8、17-9、17-10、17-11、17-12

佐藤惣三郎訳（述）　12-8、12-9、15-9、15-10、16-6、20-12、21-2、21-3、22-4、22-5、22-8、22-9、22-10、22-12、23-1、23-2、23-4、23-5、23-8

佐藤惣三郎訳補　13-11、16-8、20-5、20-6

佐藤　正　28-8

佐藤恒丸　19-3

佐藤鉄太郎　19-2

佐藤尚武（元外務大臣）　24-11

沢田　謙　25-12

シエッファード、ジヤック　27-3

シエフアード、ジヤック　26-4

塩田谷五郎（南洋協会仏領印度支那（地方）調査嘱託）　14-4、14-5、14-7、14-12、15-8、15-9、15-10、16-1、16-5、16-9

塩田啓人（西貢日本人商業会議所副会頭）　23-7

塩田啓人（本会仏領印度支那地方調査嘱託）　18-4、18-5、18-6、18-11

四宮房雄　8-5、8-6

柴崎菊雄　26-4

柴田権次郎（本会スラバヤ商品陳列所スマトラ出張員事務所主任）　16-2、16-3

渋谷常紀（農業博士）　28-2

シーボールド、G・H　24-2

島薗 順次郎（東京帝国大学教授医学博士）　13-5

清水孫秉　8-6、8-7、8-8

志村芳雄（医学博士）　28-12、29-2、29-3、29-4、29-5、29-6、29-11、30-2、30-3、30-5、30-8、30-9

下瀬謙太郎（陸軍々医学校長）　3-11

下田杢一（農林省水産技師）　12-8

下村海南　19-2（下村　宏）

シヤヴリール、G（西貢商業会議所書記長）　23-10

謝国城　25-3、25-4、25-5

（南洋協会、本会）爪哇支部　8-1、8-4、8-5、8-7、8-11、8-12、9-1、9-2、9-3、9-4、9-5、9-5、9-6、9-7、9-8/9、9-8/9、9-10、9-10、9-11/12、9-11/12、9-11/12、9-11/12、10-1、10-1、10-1、10-2、10-2、10-2、10-2、10-3、10-4、10-5、10-7、10-8、10-9、10-10、10-11、10-12、11-1、11-2、12-10、13-7、16-8、17-9、18-1、18-2、18-6、19-3、20-4、24-6、24-6、24-7、24-8、24-8、24-8、24-9、24-10、24-12、25-1、25-1、25-7、25-9、25-9、25-10、25-11、25-11、25-11、25-12、25-12、26-1、26-1、26-2、26-3、26-3、26-3、26-4、26-5、26-5、26-6、26-6、26-7、26-7、26-8、26-8、26-9、26-9、26-9、26-10、26-11、26-12、26-12、27-1、27-2、27-5、27-5、27-11、27-12、27-12、28-1、28-2、28-3、28-4

（本会）爪哇支部仮訳　25-4

（本会）爪哇支部訳　16-3、16-4

（南洋協会）爪哇支部訳編　13-5

シュネーウインド、パウル　29-2

シユリーケ、B・J・O（博士）　29-10

蕭奇来　26-8

蔣剣魂　25-6

城　友二（在コロンボ帝国領事）　11-12

生源司寛吾　5-10、5-11

城野昌三（在新嘉坡）　10-10

ジヨンソン、マルチン　9-3、9-4、9-5、9-6、9-7、9-8/9、9-11/12、10-1、10-2、10-3、10-4、10-5

白石源吉（日本無線電信会社）　16-11

白城定一（山下汽船会社新嘉坡支店長）　4-8

（本会）新嘉坡産業館　24-2、24-2、24-3、24-3、24-6、24-6、24-6、24-6、24-7、24-8、24-8、24-9、24-11、24-12、25-1、25-2、25-5、25-5、25-5、25-7、25-7、25-8、25-8、25-8、25-8、25-8、25-9、25-9、25-9、25-10、25-10、25-10、25-11、25-12、

20　Ⅲ．索　引

26-1、26-2、26-2、26-3、26-3、26-4、26-5、26-6、26-6、26-7、26-9、26-10、26-10、26-11、26-11、26-12、26-12、27-2、27-4、27-6、27-9、27-10、27-10、27-11、28-1

（南洋協会）新嘉坡商品陳列館（調査）　4-12、5-1、5-4、5-9、5-10、5-10、5-11、6-1、6-1、6-3、6-4、6-4、6-4、6-6、6-7、6-7、6-8、6-8、6-8、6-9、6-10、6-11、7-2、7-5、7-6、7-6、7-7、7-7、7-8、8-1、8-4、9-10、9-10、9-11/12、10-1、10-1、10-1、10-2、10-2、10-2、10-3、10-3、10-4、10-4、10-6、10-6、10-7、10-7、10-8、10-9、10-9、10-10、10-10、10-10、10-10、12-6、12-6、12-7、12-8、12-9、12-9、12-9、12-10、12-11、12-12、12-12、13-1、13-1、13-1、13-1、13-2、13-2、13-2、13-3、13-3、13-3、13-3、13-3、13-4、13-5

（南洋協会、本会）新嘉坡商品陳列所　13-6、13-7、13-7、13-8、13-9、13-11、13-12、13-12、14-1、14-1、14-1、14-2、14-3、14-4、14-4、14-5、14-5、14-7、14-8、14-9、14-10、14-10、14-11、14-11、14-12、14-12、14-12、15-1、15-2、15-2、15-3、15-3、15-4、15-4、15-5、15-6、15-6、15-7、15-8、15-8、15-9、15-9、15-10、15-11、15-11、15-11、15-12、16-1、16-2、16-2、16-3、16-8、16-9、16-10、16-12、16-12、17-1、17-2、17-3、17-4、17-4、17-5、17-5、17-5、17-6、17-6、17-6、17-8、17-9、17-9、17-10、17-11、17-11、17-12、18-1、18-2、18-3、18-3、18-4、18-4、18-6、18-6、18-7、18-7、18-7、18-8、18-8、18-9、18-9、18-10、18-10、18-10、18-11、18-11、19-3、19-5、19-6、19-7、19-7、19-7、19-8、19-8、19-9、19-9、19-9、19-10、19-11、19-11、19-12、19-12、20-1、20-2、20-2、20-2、20-3、20-3、20-4、20-4、20-4、20-5、20-6、20-7、20-8、20-9、20-10、20-11、20-12、20-12、21-1、21-2、21-2、21-2、21-2、21-2、21-2、21-3、21-3、21-3、21-3、21-4、21-5、21-5、21-6、21-6、21-6、21-7、21-7、21-7、21-8、21-10、21-10、21-11、21-11、22-1、22-1、22-2、22-2、22-2、22-3、22-4、22-4、22-4、22-5、22-5、22-5、22-6、22-6、22-7、22-7、22-7、22-7、22-8、22-8、22-10、22-10、22-10、22-10、22-11、22-11、22-11、22-12、23-1、23-2、23-2、23-3、23-3、23-3、23-3、23-3、23-4、23-4、23-5、23-5、23-6、23-6、23-6、23-9

新嘉坡南洋栽培業者聯合会　10-3　→南洋栽培聯合会

新嘉坡領事館報告　4-9

神保文治　3 5

水郷生　5-3

水津弥吉（本会理事）　26-2、26-9

末松偕一郎（台湾総督府財務局長）　5-6

杉浦健一　29-4

杉田祥夫（外務省嘱託）　15-11、15-12

杉村恒造（マニラ帝国領事）　2-6

杉村陽太郎（特命全権公使法学博士）　19-8、19-9、19-10

杉森孝次郎　23-6、24-7

杉山　清　30-1、30-7

鈴木貫一　29-1

鈴木公志　28-3

鈴木重道　2-2

鈴木誠作（法学士）　1-6

鈴木留吉　19-4

スタンプ、エル・ダドリイ　28-3

スチル、エー・ダブリユー　13-1

ステイル、エー・ダブリユー　13-5

砂田重政　28-7

角　清治　27-6

スミス、フェイエット　26-7

（南洋協会、本会）スラバヤ（日本）商品陳列所　12-7、12-8、12-9、12-10、12-10、12-11、12-11、12-12、12-12、13-1、13-2、13-2、13-3、13-3、13-3、13-4、13-4、13-5、13-6、13-6、13-6、13-8、13-9、13-9、13-10、13-10、13-10、13-11、13-12、14-1、14-1、14-1、14-1、14-2、14-2、14-3、14-3、14-4、14-5、14-6、14-6、14-6、14-6、14-7、14-7、14-8、14-8、14-8、14-8、14-9、14-9、14-10、14-11、14-11、14-11、14-12、14-12、14-12、15-1、15-2、15-3、15-3、15-4、15-4、15-5、15-6、15-8、15-9、15-9、15-10、15-10、15-11、15-12、16-1、16-1、16-2、16-2、16-2、16-3、16-3、16-4、16-4、16-4、16-5、16-5、16-6、16-6、16-7、16-8、16-8、16-9、16-10、16-10、16-11、16-11、16-12、16-12、17-1、17-2、17-2、17-3、17-3、17-3、17-4、17-4、17-5、17-6、17-8、17-9、17-10、17-10、17-11、17-12、18-1、18-2、18-2、18-3、18-5、18-7、18-9、18-9、18-12、18-12、18-12、19-1、19-1、19-2、19-3、19-5、19-5、19-6、19-6、19-7、19-8、19-9、19-10、19-10、19-10、19-12、20-1、20-2、20-2、20-4、20-5、20-5、20-5、20-6、20-6、20-6、20-6、20-7、20-7、20-8、21-3、21-4、21-4、21-5、21-5、21-6、21-6、21-7、21-7、21-8、21-8、21-9、21-9、21-9、21-10、21-11、21-12、22-1、22-1、22-2、22-3、22-3、22-5、22-5、22-6、22-8、22-8、22-8、22-9、22-9、22-9、22-10、22-11、23-2、23-3、23-3、23-4、23-5、23-5

Ⅲ. 索　引

（本会）スラバヤ商品陳列所訳　21-10

（本会）スラバヤ商品陳列所スマトラ出張員事務所　16-5、16-6、16-6、16-8、16-9、16-10、16-11、17-1、17-3、17-5、17-6、17-9、17-10、17-11、18-1、18-2、18-4、18-5、18-6、18-7、18-8、18-9、18-10、18-11、18-11、18-12、19-3、19-7、20-8

（本会）スラバヤ商品陳列所スマトラ出張員事務所訳　16-5

（本会）スラバヤ商品陳列所バタビヤ出張員事務所　17-1、17-10、17-12、18-10、19-2、19-2、19-2、19-3、20-2、20-3、20-7、20-11、20-11、20-12、20-12、21-1、21-2、21-4、21-4、21-4、21-6、21-6、21-6、21-6、21-6、21-7、21-7、21-8、21-8、21-8、21-10、23-4　→（本会）バタビア出張員事務所

清野　重郎（せいのじゅうろう）　25-6、25-9、25-11、26-6

瀬尾　昭（ヌーベルカレドニー鉱業株式会社々長）　26-7

瀬川　亀　6-1

瀬川　亀（新嘉坡（シンガポール）学生会館講師）　6-8、6-9、6-10

瀬川　亀（新嘉坡（シンガポール）支部）　4-8、4-9、4-10、4-11、4-12、5-2、5-3、5-5、5-7、5-8、5-11、5-12、6-1、6-2

瀬川　亀（新嘉坡（シンガポール）支部幹事）　6-11

瀬川　亀（新嘉坡（シンガポール）通信員）　3-10、3-10、3-10、3-11、3-11、4-5

瀬川　亀（新嘉坡（シンガポール）本会通信員）　3-9

瀬川　亀（南洋協会嘱託、本会嘱託）　7-4、7-5

瀬川飛三四（新嘉坡（シンガポール））　3-6

善生　永助（ぜんしょうえいすけ）　6-3

千田牟婁太郎　12-1

千田牟婁太郎（千田商会主）　16-4、16-5

セントグラフ、H・C　25-4

相馬孟胤（子爵）　8-1

[タ行]

台湾総督府殖産局商工課　10-3

多賀正作（本会スラバヤ商品陳列所バタビヤ出張員事務所主任）　17-8

高岳尊信　11-3、11-4、11-5

高木幸次郎　3-2

高木東谷　24-12

高木友枝（たかぎともえ）　19-2

高月一郎（故）　9-3、9-4

高月一郎（在東京河内〔トンキンハノイ〕）　7-9

高月一郎（仏領印度支那地方調査嘱託）　7-10、7-11、7-12、8-1、8-2、8-3、8-4、8-5、
　　　8-6、8-7、8-8、8-9、8-10、8-11、8-12、9-1、9-2

高槻一郎　7-6、7-7

高野　実〔たかの　みのる〕　14-2、14-3、14-4、14-5

高橋深蔵（千葉県農会技師）　14-3、14-4、14-5、14-6

高橋武美（農商務省臨時産業調査局事務官）　4-5、4-6、4-7

高屋四郎（蘭貢〔ラングーン〕にて）　11-4

高屋為雄〔たかやためお〕訳　25-2、25-4、25-8、25-9、25-10、25-11、26-3、26-4

龍江義信〔たつえよしのぶ〕（海外興業会社常務取締役）　5-4

龍実　齊（本会スラバヤ商品陳列所技師）　22-9

竹井十郎〔たけいじゅうろう〕　30-8

竹井十郎（海外拓殖学校講師）　15-9

竹井天海（スラバヤ）　9-8/9

竹内　浩　24-5

武智直道（本会理事）　25-7、27-5

武富　喬（スラバヤ）　11-11、12-3

竹村生　13-4、16-10

多湖実敬（スマトラ興業株式会社）　10-8

多湖実敬（本会嘱託）　16-9

田沢丈夫〔たざわたけお〕　27-10、27-11

立見尚俊　28-3

楯朝二郎〔たてあさじろう〕　25-7

蓼沼哲哉〔たでぬまてつや〕　27-12

田中源太郎　7-3、7-4、7-5

田中長三郎〔たなかちょうざぶろう〕（台北帝大教授農学博士）　30-1、30-2

田中秀雄〔たなかひでお〕　6-4、7-1、7-2

田中陽二郎（野村護謨〔ゴム〕精製工場）　15-7、15-8

谷口虎雄（東京南洋材組合主任）　16-5、16-6、16-7

（本会）ダバオ支部　21-9

ダフィス、F・J・H　29-4

玉木勝次郎（在孟買〔ボンベイ〕帝国領事）　13-4

玉置　実（前日本恒信社々員）　4-5

田町正誉〔たまちまさよ〕（九州帝国大学教授兼農林技師）　24-4、24-5、24-7

Ⅲ. 索引

玉利長助（たまりちょうすけ）　30-3、30-9

玉利長助（農学博士）　30-1、30-2

千秋克巳　27-1

ヂインスモアー、R・P　22-10

チエール、アンリ・ド・ラシユヴオル　25-9

遅塚麗水　13-12、14-1

ヂッカーソン、ウォルター・エツチ　22-9

チツバア、H・L　28-5、28-6、28-7、28-8、28-9

千葉豊治（ちばとよはる）（満洲農事協会理事）　18-8

千葉平次郎（明治製糖会社取締役）　5-5、5-6

ヂヤコトット博士（牙莊パスツール研究所々長）　29-3

チヤムピオン、イヴアン・エフ　19-4、19-5、19-6、19-7、19-8、19-9、19-10、19-11、19-12、20-1、20-2、20-3、20-4、20-5、20-6、20-7、20-8、20-9、20-10、20-11、20-12、21-1、21-2、21-3、21-4、21-5、21-6、21-7、21-8、21-9、21-10

長風生（タヴァオにて）　11-11

ヂヨンソン、マルチン　→　マルチン・ジヨンソン

陳章彬　27-11

ヅウメ、ポール　28-1、28-3

辻小太郎（つじこたろう）　25-9

土屋　拡（古河合名会社バタム出張所員）　15-3

土屋　拡訳（古河護謨園（ゴム））　13-4

筒井武平　25-6

筒井武平（筒井合資会社代表社員コネ日本人会長）　24-5

筒井武平（本会（仏領）ニユー・カレドニア地方調査通信嘱託）　24-8、25-1、29-2

堤林数衛　8-10、9-2

堤林数衛（爪哇（ジヤワ））　11-9

鶴仲壽美（ボルネオ、タワオ）　12-5、12-6

鶴見左吉雄（つるみさきお）（農商務省商務局長）　7-5

鶴見左吉雄（本会理事）　17-2、23-10

鶴見祐輔（つるみゆうすけ）　19-4、19-5

鶴見祐輔（鉄道院参事）　2-5

デ・ヨング、E・V・Z　26-9

デ・ヨング、エレン・フアン・セル　26-8

デヴイス、ダヴイツト（比律賓総督（フィリピン））　17-7

手塚敏郎（南洋群島海軍省臨時防備隊民政部長）　7-8、7-9

手塚敏郎（南洋庁長官）　8-4

出淵勝次（元特命全権大使貴族院議員）　25-2

寺島廣文（駐西貢帝国領事）　13-4

寺田市正（拓務政務次官）　25-8

デル・プール、フアン　11-5、11-6、11-7、11-9

デル・プール、フアン（在爪哇陸軍大尉）　10-11

デル・プール、フアン（在バタビヤ陸軍大尉）　10-10、10-12

デル・プール、フアン（陸軍大尉）　10-7

デル・メウレン、ファン　27-4

照屋全昌　12-7、12-8、15-1、21-2、21-3、21-4、21-5、24-6、25-6、25-7、25-8、25-9、25-12、26-1、26-7、26-9、26-10、26-11、26-12

照屋全昌（柔仏ナムヘン）　11-1

照屋全昌（大東亜省嘱託）　29-7

照屋全昌（南興園）　12-3

田健治郎（台湾総督本協会会頭男爵、台湾総督本会々頭男爵）　7-1、7-2、7-3

天江学人　25-7

天涯茫々生（在ダバオ）　5-2

土肥季太郎（台湾総督府殖産局技師）　15-5

東郷（本会理事）　23-7

東郷吉太郎（海軍少将）　1-11

東郷吉太郎（予備海軍中将、予備役海軍中将）　7-1、7-3、7-6

東郷　実　19-2

東郷　安（本会理事日本無線電信株式会社常務取締役男爵）　19-2

東郷　安（南洋協会理事貴族院議員男爵）　5-6

東條勝友　10-5

堂本貞一　25-11

富樫孝之助　18-7

ドクー、ジヤン　29-7

徳重和夫訳　20-8

ドーソン、オーウエン　27-1

戸波親平　24-11

図南子　4-10、4-11、4-12、5-1、5-2

戸張正胤　28-3、28-8

富永亀太郎(とみながかめたろう)（大本営陸軍報道部陸軍少佐）　28-5

トムスン、V　26-10

トムソン、ヴァージニア　27-2

豊原太郎　4-12、5-2、5-3、5-4、5-7、5-9

トラック軍政庁　2-4

鳥居 龍蔵(とりいりゅうぞう)（東京帝国大学理科大学講師）　1-4

［ナ行］

内藤啓三（領事）　15-5、15-6

内藤智 秀(ないとうちしゅう)（文学博士）　23-10、29-7

長岡 春 一(ながおかしゅんいち)（特命全権大使）　21-3

永丘智太郎(ながおかともたろう)　27-6、28-5、28-10

中小路廉　5-9

中小路廉（前農商務大臣）　5-6、7-6

中島関爾(なかじまかんじ)　27-1、27-2、27-6、28-1、28-2

中島清一郎　12-2

中島清一郎（新嘉坡(シンガポール)駐在商務官）　11-3

中島清一郎（在新嘉坡(シンガポール)総領事、新嘉坡駐劄総領事）　11-6、11-11

中島清一郎（総領事）　14-10、14-11

中島清一郎（東拓鉱業会社専務取締役）　21-8

中瀬拙夫（（日本）糖業聯合会常務理事）　28-2、29-8

中瀬拙夫（本会理事）　29-6

永田 稠(ながたしげし)　29-9

中野秀雄　24-12、25-1、25-3、25-5

中農顕三（蘭貢(ラングーン)にて）　16-1

中松盛雄　19-2

長満欽司(ながみつきんじ)（農商務書記官）　1-8

中村 修(なかむらおさむ)（本会々員前 海防(ハイフォン) 領事）　9-7

中村啓次郎(なかむらけいじろう)（衆議院議員）　5-6

中村今朝雄(なかむらけさお)　24-5、24-6、25-1、25-2、25-4、29-10

中村桃太郎（南洋協会新嘉坡(シンガポール)商品陳列館）　12-2

中村桃太郎（南洋協会新嘉坡(シンガポール)商品陳列館嘱託）　12-11

中目真隆　25-9

中屋健一(なかやけんいち)［弌］（同盟通信社前マニラ支局長）　27-11

長與又郎（医学博士）　8-2
那須　皓　1-9
生木久三郎（本会スマトラ支部評議員スマトラ日本人会長）　16-6
並河　亮（日本放送協会国際課）　24-7、24-8
楢崎敏雄（経済学博士）　27-9、27-10、27-12、28-6
成瀬　達（農商務書記官）　1-5
縄田宗三郎　4-7
南郷三郎（本会理事）　27-10
南溟学人　5-2
南洋協会爪哇支部→（南洋協会、本会）爪哇支部
南洋協会新嘉坡商品陳列館（調査）→（南洋協会）新嘉坡商品陳列館（調査）
南洋協会新嘉坡商品陳列所→（南洋協会、本会）新嘉坡商品陳列所
南洋協会スラバヤ（日本）商品陳列所→（南洋協会、本会）スラバヤ（日本）商品陳列所
南洋栽培協会　13-4、13-5、13-11、14-1、15-5、15-6
南洋栽培業者聯合会　14-9、15-7、15-8、15-9
南洋栽培連合会　10-10　→新嘉坡南洋栽培業者聯合会
新納克巳（マニラ総領事）　28-5
西村竹四郎（新嘉坡日本人会長）　22-10
西村文則　5-6
西脇浩一郎　8-1、8-2
日露協会調査部　4-11、4-12、5-1、5-2
新渡戸稲造　2-6
新渡戸稲造（農法学博士）　3-8、3-9、3-10、4-4、4-6
蜷川　新（法学博士）　8-9
蜷川　新（本会々員法学博士）　9-6
二宮　徳（蘭領東印度拓殖会社取締役）　8-1
日本放送協会　24-9、24-10、24-11、24-12、25-1、25-2、25-3、25-4、25-5、25-6、25-7、25-8、25-9、25-10、25-11、25-12、26-1、26-2、26-3、26-4、26-5、26-6、26-7、26-8、26-9、26-10、26-11、26-12、27-1、27-2、27-3、27-6、27-8
日本放送協会国際部　27-4、27-5、27-7、27-9、27-10、27-11、27-12
縫田栄四郎（前南洋協会マニラ支部長前マニラ駐在総領事）　14-12
縫田栄四郎（南洋協会マニラ支部長在マニラ帝国領事）　12-6
縫田栄四郎（在マニラ帝国領事）　13-6
沼田才治（沼田商会主）　7-3

根岸由太郎(ねぎしよしたろう)(立教大学教授ドクトル・オブ・リトレチユアー) 25-5

農商務省貿易通報課 8-10

納富準一(本会嘱託台湾拓殖株式会社支配人) 17-3

農林省農務局米穀課 13-8

野尻抱影(のじりほうえい) 30-7

野波静雄(のなみしずお) 7-10、8-7、8-8、8-9

野波静雄(農商務省嘱託) 11-1、11-2

野々村雅二(メナド領事) 25-8

野間海造(のまかいぞう) 28-4

野間誉雄(のまたかお)(農商務技師) 1-2

[ハ行]

ハウザー、E・O 24-4、24-5

芳賀 鍬五郎(はがしょうごろう) 7-7、7-8

芳賀鍬五郎(農学士) 3-3、13-6、13-10、13-11

芳賀鍬五郎(台湾総督府技師) 2-8、7-1、7-2

柱 本瑞俊(はしらもとずいしゅん) 6-4、6-5

長谷川文人(はせがわぶんじん) 30-11

長谷川昌夫 28-5

秦 巌夫 25-7、25-9

(本会)バタビア出張員事務所 21-2、21-7、21-9、21-9、21-9、23-6 →(本会)スラバヤ商品陳列所バタビヤ出張員事務所

波多野保二(通信書記官) 4-1

蜂須賀正氏(はちすがまさうじ) 15-7、15-8、15-9

バツク、フランク・エツチ 9-2

ハツサン、アミール 28-11

八田嘉明(はったよしあき)(貴族院議員) 23-6

花柳徳兵衛(はなやぎとくべえ) 25-11

馬場秀次(ばばひでじ) 27-5

早坂一郎(はやさかいちろう)(台北帝国大学教授理学博士) 16-5

林謙吉郎 3 11

林謙吉郎(久原鉱業タワオ事務所長) 5-5

林 紅樹 11-5、12-7、12-11

林 久治郎(はやしきゅうじろう) 25-7、26-2

林久治郎（前暹羅駐剳特命全権公使） 14-8、14-9

林久治郎（駐暹羅特命全権公使） 13-2

林久治郎（本会副会長兼理事長） 28-1

林久治郎（本会理事） 30-7

林久治郎（本会理事長） 24-5、24-6、24-9、25-1、25-5、26-1、26-8、27-1

早田文蔵（東大教授理学博士） 10-10、10-11

濱上吉雄 11-2、11-3、11-6、11-10

濱田恒一 28-1

原　繁治 25-6、26-2、27-2、27-4、27-7

原　繁治（本会マニラ支部常任幹事） 23-9、24-2、24-3、24-4、25-1

原　耕 17-4

原文次郎（愛知県商品陳列所々長） 12-3、12-4

原口竹次郎 24-8

原田幾造（衆議院書記官） 5-11

ハラツプ（ハラップ）、パラダ 29-5、29-6、29-9、29-10

（本会）盤谷支部 25-11、27-11

ハンデゲ、F・H（D・N・B通信東京支局員） 28-11

久宗　董（台湾銀行理事） 10-8、10-9

百姓会（新嘉坡） 15-10、16-3、16-4

平　等通昭 30-4

平賀亨三 6-2

平野英一郎 25-3、25-6

平野英一郎（本会常任参与） 24-10

平野郡司（本会前盤谷支部評議員三井物産株式会社前盤谷支店長） 24-10

廣瀬　清 3-8

廣瀬了乘 12-4

廣瀬了乘（爪哇） 12-1

ビンゲ、F・W 28-9

ファマー、サー・ル（ー）イス・レー 27-5、27-8、27-9

フアリノウ、M・F 29-10

ファン・ベンメレン、R・W（理学博士） 27-1

フイガート、ダビット・エム 13-7

福田省三 30-6

福間　士 19-2

Ⅲ. 索　引

藤岡　啓　28-7
藤岡光長（農商務省山林技師）　4-4
藤沢親雄（南満鉄道会社）　6-1
藤沢亮三（本会スラバヤ商品陳列所長事務取扱）　23-1
藤島貞樹　26-11、26-12
藤田捨次郎（台湾支部）　4-2
藤田捨次郎編訳（台湾支部）　4-4
藤村誠太郎（台湾総督府嘱託）　6-10、6-11、6-12、7-1、7-2、7-3、7-4、7-5、7-6、7-7、7-8、7-9、7-10、7-11、7-12
藤本輝夫　26-4
藤山愛一郎（海軍省顧問本会副会長）　28-10
藤山愛一郎（本会理事）　23-8、24-11
藤山愛一郎（本会理事大日本製糖株式会社々長）　24-12
藤山雷太（南洋協会（本会）副会頭）　12-5、12-6、12-7、13-5、19-2、19-2
藤原保明　26-1
仏印経済省編　28-11
船田一雄（本会理事）　24-7、25-11
船田　中（代議士）　25-12
船津完一（比律賓（フィリピン）地方調査嘱託）　8-2、8-4、8-5、8-6
ブラベス、サマンク　27-1
フリアノ、ホセ・B　28-5
ブリュイネマン、J・A・M　25-8、25-9
古川義三　25-10
ブルグマンス、I・J　28-3
ブロツク、クルト　26-10
薛芬士　26-8
ペストンヂー　23-9
別所直諒（貿易統制会外国課長）　29-4
ヘルフエリッヒ、エミール　10-7、10-8
ベールマン、W（博士）　25-2、25-4、25-8、25-9、25-10、25-11、26-3、26-4
ペンデルス、J・M・A　27-7
逸見重雄　25-7、25-10、27-4、29-9、29-10
法貴三郎　27-7、28-5、28-7、28-8、28-9
ホーサー、E・A　22-8、22-9、22-10

細川善麿　28-10

細田秀造（野村合名海外事業部長）　29-7

ポーター、カザリン　26-2、26-3、26-5、26-7

ポーター、キヤザリン　27-1

ボツシユ、F・D・K　29-12

堀田正逸（東京農科大学助教授）　1-3

ホーマー、L・L　26-4

堀　公一（本会理事）　29-5

堀内次雄（医学博士）　4-10、4-11

堀内雅一　20-1、20-2

堀江不器雄（横浜高等工業学校教授）　9-6、9-7、9-8/9、9-10、9-10、10-10、12-7

堀口昌雄　30-3

堀口昌雄（本会調査編纂部長　同会爪哇支部長）　29-1

ホール、エバーレツト・ジ　22-4

ホルト、イー・ジー　22-12、23-1、23-2

本会→南洋協会
本会西貢支部→（本会）西貢支部
本会爪哇支部→（南洋協会、本会）爪哇支部
本会新嘉坡産業館→（本会）新嘉坡産業館
本会新嘉坡商品陳列所→（南洋協会、本会）新嘉坡商品陳列所
本会スラバヤ（日本）商品陳列所→（南洋協会、本会）スラバヤ（日本）商品陳列所
本会スラバヤ商品陳列所訳→（本会）スラバヤ商品陳列所訳
本会スラバヤ商品陳列所スマトラ出張員事務所→（本会）スラバヤ商品陳列所スマトラ出張員事務所
本会スラバヤ商品陳列所スマトラ出張員事務所訳→（本会）スラバヤ商品陳列所スマトラ出張員事務所訳
本会スラバヤ商品陳列所バタビヤ出張員事務所→（本会）スラバヤ商品陳列所バタビヤ出張員事務所
本会ダバオ支部→（本会）ダバオ支部
本会調査部　4-7、4-9、5-1、5-1、5-2、5-2、5-3、22-7、22-7、22-11、22-12、23-1、23-1、23-5、23-5、24-9、24-9、24-10、24-11、24-12、25-1、25-1、25-1、25-2、25-3、25-4、25-4、25-5、25-6、25-6、25-7、25-7、25-8、25-8、25-8、25-9、25-9、25-10、25-10、25-11、25-12、26-1、26-2、26-2、26-2、26-3、26-3、26-3、26-4、26-4、26-4、26-5、26-5、26-6、26-6、26-6、26-6、26-7、26-7、26-8、26-8、

Ⅲ. 索　引

　　　26-9、26-10、26-11、26-11、26-12、26-12、26-12、26-12、26-12、27-1、27-2、27-2、27-3、27-4、27-5、27-6、27-6、27-7、27-7、27-7、27-8、27-8、27-9、27-10、27-11、28-3、28-3

本会調査部訳　22-8、22-8、22-9、22-10、26-10、26-11、27-8、27-9、27-9、28-1、28-2、28-2、28-2、28-3、28-3、28-3、28-3、28-3、28-4、28-4、28-5、28-5、28-5、28-6、28-6、28-6、28-7、28-7、28-7、28-8、28-9、28-9、28-9、28-9、28-10、28-11、28-11、28-11

本会調査部訳編（編訳）　27-10、28-4、28-5、28-6、28-7、28-10

本会調査編纂部　23-10、23-11、23-12、24-1、24-1、24-1、24-2、24-3、24-4、24-5、24-5、24-6、24-7、24-8、24-10、29-2、29-4、29-5、29-6、29-7、29-8、29-9、29-9、29-10、29-11、30-1、30-2、30-3、30-3、30-4、30-4、30-5、30-5、30-6、30-6、30-7、30-8、30-8、30-9、30-9、30-10、30-10、30-10、30-11

本会調査編纂部編　29-2、29-3、29-3

本会調査編纂部訳　15-5、15-6、15-7、15-9、28-12、28-12、28-12、29-1、29-2、29-3、29-3、29-3、29-3、29-4、29-4、29-5、29-5、29-6、29-6、29-7、29-7、29-9、29-10、29-10、29-10、29-11、29-12、30-2、30-3、30-3、30-4、30-4、30-5、30-6、30-6、30-7、30-8

本会調査編纂部訳編　29-2、29-7、29-9、29-12

本会バタビア出張員事務所→（本会）バタビア出張員事務所

本会盤谷（バンコク）支部→（本会）盤谷支部

本会編輯部　22-9、22-12、22-12、23-1、23-1、23-2、23-4、23-5、23-5

本会マニラ支部→（本会）マニラ支部

本協会→南洋協会

本多静六（ほんだせいろく）（林学博士ドクトル）　5-2、5-3、5-4、5-5、5-6、5-7、5-8、5-9、5-10、5-11、5-12、6-1、6-2、6-3、6-4、6-5、6-6、6-7、6-8、6-9、6-10、6-11

本多信寿訳　30-8

本名文任（ほんなふみのり）（台湾総督府医院医長）　10-2、10-3

本間幸次郎（ほんまこうじろう）　28-4、29-6

[マ行]

前田多門（まえだたもん）（内務書記官）　1-1

牧　悦三（石原産業海運株式会社取締役東京支店長）　27-2

槇田益雄（メダン通信員）　4-5

牧野豊三郎（在ハノイ）　10-2

マクフアーデン、ユリツク　23-9

政尾藤吉（法学博士）　5-10

正木吉右衛門　13-2、17-4、22-2

正木吉右衛門（太田興業（株式）会社重役）　15-7、18-1

正木吉右衛門（本会ダバオ支部専任幹事）　17-8、18-4、18-4、18-12、19-6

正木黒潮　16-4

真崎正路（スマトラ護謨拓植株式会社取締役）　22-10

昌谷　忠　26-3

増田　齊（太田興業株式会社神戸出張所）　15-12

増淵佐平　22-12

増淵佐平（南洋協会新嘉坡商品陳列所主事）　14-7、14-7、14-7

増淵佐平（南洋協会新嘉坡商品陳列所長事務取扱）　15-2、15-5、15-6、15-7、16-5

増淵佐平（南洋協会新嘉坡商品陳列所（々）長代理）　14-8、14-9、14-10、14-10、14-11、
　　　　14-12、15-1

増淵佐平（南洋協会南洋栽培企業調査嘱託）　13-12、13-12、14-1、14-2、14-2、14-3、
　　　　14-5、14-6、14-6

増淵佐平（本会新嘉坡商品陳列所長）　16-6、17-7、17-11、19-3

町田敬二　29-9

松井謙吉（宇都宮高等農林学校教授農学博士）　13-2、13-3

松浦信雄（水産講習所）　12-5、12-6

松江（理事）　25-4

松江一瑯　24-1

松江春次（南洋興発株式会社長）　21-5

松江春次（本会評議員南洋興発会社々長）　18-12、19-1

松江春次（本会理事）　24-2、26-7、29-9

松江春次（本会理事南洋興発株式会社々長）　24-12、25-2

松尾音次郎　4-3

松尾音次郎（農商務省嘱託）　2-6

松尾樹明　26-8、26-9、27-8、27-9

松尾蟲明　17-3、18-1

松尾陸一（南洋庁医院医官）　11-8、11-10

松岡均平（男爵）　19-2

松岡静雄（日蘭通交調査会理事）　5-4

松岡正男　24-10

松岡正男（台湾総督府嘱託）　1-7

松岡正男（マスター、オブ、アーツ）　5-1、5-4、5-6、6-5、6-10

松川俊治　9-4、9-8/9、9-10、10-1

松川省三　25-3

松川省三（本会昭南島産業館館長　本会昭南島支部長）　29-1、29-4

松木幹一郎（印度支那協会常務理事）　11-6、11-7

松隈国健　28-6

マツクモーラン、R・G　29-6

松崎半三郎（森永製菓会社常務取締役）　5-8

松澤傳太郎（日本石油会社外事課長）　8-3、8-4

松下光廣（在西貢）　25-1

松下光廣（在河内新嘉坡商品陳列館嘱託、在河内新嘉坡商品陳列館調査嘱託）　9-8/9、10-11

松下光廣（南洋協会新嘉坡商品陳列館調査嘱託）　12-12

松下光廣（南洋協会新嘉坡商品陳列所仏領印度支那調査嘱託）　13-9、13-10、13-11

松島五郎　26-5

松田順平（日伯企業組合理事）　7-7

松永外雄　29-3

松原晩香　23-10、23-11、23-12、24-1、24-3、24-4、24-5、24-6、24-9、24-12、25-1、25-3、25-4、25-5、25-6、25-7、25-9、25-10、27-2、27-3、27-4、27-5、27-6、27-8、27-9

松丸志摩三　29-11

松村　盡（大東亜省参事官本会南方生活研究会副委員長医学博士）　29-1

松村　瞭　3-2

松本三郎（南亜公司常務取締役）　17-9

松本信廣　26-7

松本幹之亮（南洋協会爪哇支部長在バタビヤ帝国総領事）　10-1、10-2

松本幹之亮（在バタビヤ帝国領事、バタビア駐在領事）　2-6、2-6、4-12、5-1

松本良介（在彼南）　1-7

マニクン、ナイ・アリヤント　27-7

（本会）マニラ支部　25-7、25-7、27-8、27-11、27-12、28-1、28-2

マニラ・日本商業会議所　23-11

マレー農務省編　28-6、28-7、28-8、28-9

三浦伊八郎（大学院学生林学士）　1-3

三浦岱栄　30-5

三浦岱栄（医学博士）29-12

三浦岱栄訳（農学博士）29-10

三浦肆影楼（三五公司）11-6

三木良英（陸軍省医務局長軍医中将）28-11

三島増一（三井物産会社台湾支店長代理）6-2

水門了一（比律賓地方調査嘱託）7-9、7-11

水門了一（在馬尼剌）7-7

水木伸一（画伯）23-7、23-7、23-8、23-8、23-9、23-9、23-10、23-10、23-11、23-11、23-12、23-12、24-1、24-1、24-2、24-2、24-3、24-3、24-4、24-4、24-5、24-5、24-6、24-6、24-7、24-7、24-8、24-8、24-9、24-9、24-10、24-10、24-11、24-12

水田信利（前スラバヤ領事）29-3

水谷乙吉　27-10、27-12、28-1、28-4、29-5

水谷乙吉（海防）13-7、14-5、18-6

水野伊太郎（本会理事）29-4

水野宏平（暹羅地方調査嘱託）8-2、8-3、8-4、8-5、8-6、8-8、8-10

水野泰四郎　2-5

三隅棄蔵（前盤谷領事）9-5

三竹勇馬（野村東印度殖産株式会社取締役）16-7

三井暹羅室　25-4、25-5

三井暹羅室訳　24-2、24-3

三井タイ室　25-9、25-10、25-11

三井物産株式会社穀物油脂部総務課　29-11

南　鷗　5-5

南喜多男　24-10、24-11

南　胡洋　10-7、10-8

南　崎雄七（厚生省防疫課長医学博士）28-11

三穂五郎　2-3

宮尾　績（海軍々医大佐、医学博士）28-10、28-11、28-12

三宅驥一（理学博士）1-6

三宅哲一郎（本会爪哇支部長駐バタビア総領事）16-2、16-3、17-1

宮島幹之助（医学博士）1-3

宮武辰夫　25-9、25-10、26-1

三山喜三郎（農商務技師工学博士）1-2

三吉香馬　6-2、6-3、6-5、6-6、6-7、6-8、7-3、7-4、7-5、7-6、7-8、7-9、7-10、7-

11、7-12、8-3、8-4、8-5、8-6、8-7、8-8、8-9、8-10、8-11、8-12、9-1、9-2、9-3、9-4、9-5、9-6、9-7、9-8/9、10-8、10-10、10-11、11-1、11-2、11-3、11-4、11-5、11-6、11-7、11-8、11-9、11-10、11-11、11-12、12-1、12-2、12-3、12-4、12-5、12-6、12-7、12-8、12-9、12-10、12-11、12-12、13-1、13-2、13-3、13-4、13-5、13-6、13-7、13-8、13-9、13-10、13-11、13-12、14-1、14-2、14-3、14-4、14-10、14-12、15-1、15-2、15-3、15-4、15-5、15-6、15-7、15-8、15-9、15-10、15-11、15-12、16-1、16-2、16-3、16-4、16-5、16-7、16-8、16-9、16-10、16-11、16-12、17-1、17-2、17-3、17-4、17-5、17-6、17-7、17-8、17-9、17-10、17-11、17-12、18-1、18-2、18-3、18-4、18-5、18-6、18-7、18-8、18-9、18-10、18-11、18-12、19-1、19-2、19-3、21-11、21-12、22-1、22-2、22-3、22-4、22-5、22-6、22-7、22-8、22-9、22-10、22-11、22-12、23-1、23-2、23-3、23-4、23-5、23-6、23-7、23-8、23-9、23-10、23-11、23-12、24-1、24-2、24-3、24-4、24-5、24-6、24-7、24-8、24-9、24-10、24-11、24-12、25-1、25-2、25-3、25-4

三吉香馬訳　19-4、19-5、19-6、19-7、19-8、19-9、19-10、19-11、19-12、20-1、20-2、20-3、20-4、20-5、20-6、20-7、20-8、20-9、20-10、20-11、20-12、21-1、21-2、21-3、21-4、21-5、21-6、21-7、21-8、21-9、21-10

三吉朋十（極東護謨会社代表社員）　6-5

三吉朋十（極東護謨商事会社）　6-9、7-1、7-3

三吉朋十（極東護謨商事会社代表社員）　6-10、6-11、6-12、6-12、7-2、9-6

三吉朋十（極東護謨商事合資会社）　6-6、7-7、8-2

三吉朋十（爪哇スラバヤ、スラバヤ通信員）　1-11、3-7、3-12、4-1、4-6

三吉朋十（爪哇通信員）　4-9

三吉朋十（大文洋行参事）　5-3、5-4、6-1、6-2、6-3、6-4

三吉朋十（南洋協会嘱託）　14-10、14-11、15-1、15-2、15-3

三吉朋十（本会嘱託）　21-10、21-11、21-12

向井　章　22-10

向田金一　16-12

牟田敏崇　28-4

村井倉松（前泰国駐在公使）　26-12

村上直次郎（文学博士）　23-12、25-6

村上　博　15-11

村松嘉津　28-12

村松俊夫　29-3

目崎得養（南洋協会嘱託）　14-8、14-10、15-4

メンディヌエト、S・R　26-3

茂垣　長作（在古倫母帝国領事代理）　14-9

モートリー、チヤオ・ピヤ・ダルマサクチー　23-10

森　孝三訳　17-11

森　三郎（林業試験技師）　13-7

守武幾太郎（蒲田梅屋敷聖蹟保存会常務理事）　19-2

守屋精爾　23-3

諸隈彌策（本会マニラ支部評議員太田興業株式会社々長）　16-7、16-8

［ヤ行］

柳生一義（前台湾銀行頭取）　5-6

矢代不美夫　28-7

安江安吉（前南洋協会スラバヤ兼新嘉坡商品陳列所長）　15-2、15-2、15-3、15-4、15-5、15-6

安江安吉（南洋協会スラバヤ兼新嘉坡商品陳列所長）　14-4、14-5

安江安吉（南洋協会スラバヤ日本商品陳列所長）　12-6、12-6、12-6、12-7、12-8、12-9、13-6、15-1

安江安宣　28-9

安江安宣訳　26-10、26-11

安本重治　21-3

矢田長之助（前駐暹公使）　11-10、11-11

矢田部保吉　26-1、26-3、26-4、26-5

矢田部保吉（暹羅（国）駐劄特命全権公使）　17-5、17-6、19-11、19-12

矢田部保吉（元特命全権公使）　25-4

矢田部保吉（元公使日泰協会専務理事）　28-5

矢野　真　24-6

山川恒久　27-1

八巻太一（沖縄県国頭郡名護尋常高等小学校長）　3-12

山口　武　26-1

山口　武（（南洋協会）暹羅地方調査嘱託）　8-12、9-2、9-6、9-8/9、9-11/12、10-3、10-5、10-6、10-7、10-9、10-10、10-10、10-11、12-2、13-7、13-8、13-9、13-10、14-8、14-9、14-10、14-11

山崎亀吉　25-9

山崎直方（東京帝国大学理科大学教授　理学博士）　1-1

山澤宇兵衛（暹羅通信嘱託、暹羅地方調査嘱託）　7-8、7-10、7-11、7-12、8-1、8-3、8-5、8-7、8-8、8-9、8-10、8-11、8-12、9-1

山地土佐太郎（スマトラ護謨拓殖株式会社社長）　10-5、10-6

山田喜平（在シヤム、在暹羅）　7-11、7-12、8-2、8-4、8-5、8-6、8-7、8-8、8-9、8-10、8-11、8-12、9-1、9-2

山田不二（三井物産株式会社）　10-7、10-8、10-9

山田文雄　27-7

大和三九良　25-2

大和　隆（パラオ島南洋庁観測所）　10-8

山村一郎（バシラン興業株式会社社長）　24-11

山村楳次郎　26-11

山村楳次郎訳　27-2

山村八重子　23-11

山本幸男（逓信技師）　1-5

山本恒男（在マニラ）　25-7、25-11

山本悌二郎（代議士、衆議院議員）　4-12、5-1、5-2

山本栄夫　19-2

葉　淵　28-6

姚寄鴻　28-4

横田郷助（南洋協会（本会）南洋群島支部長南洋庁長官）　10-5、10-7、16-11、16-12

横山正脩　5-7、5-8、9-2、9-3

横山正脩（久原鉱業会社嘱託）　5-3

横山正脩（海防）　9-3

横山正脩（（南洋協会、本会）仏領印度支那地方調査嘱託、仏領印度支那調査嘱託）　9-4、10-5、10-6、10-9、10-12、11-1、11-2、11-7、11-8、11-9、13-9、16-5、16-11、17-8、17-9、17-10

横山正脩訳（仏領印度支那調査嘱託）　10-7、10-8、10-9、10-10、10-11、10-12、11-1、11-2、11-3

吉岡幸造（三井物産会社盤谷詰社員）　5-1

吉岡護郎　22-6、22-7

吉川正毅　5-8、5-9、5-11、5-12

吉田喜一郎（本会新嘉坡商品陳列所調査嘱託）　15-7

吉田梧郎　13-1、13-3、15-1、15-2、15-3、15-4、15-5、15-6、15-7、15-8、15-9

吉田梧郎（東京帝国大学嘱託）　13-8、13-9、13-10、13-11、13-12、14-1、14-2、14-3、

14-5、14-6、14-8
吉田梧郎（梧朗）（東京帝国大学調査嘱託）　6-9、6-10、7-11、7-12、8-3
吉田梧郎（東京帝国大学嘱託蘭領西ボルネオ在住）　12-12
吉田梧郎（在蘭領ボルネオ）　6-7
吉田作彌（前駐在暹羅国全権公使）　7-5、7-6
吉田丹一郎　26-12、27-1
吉田政治（三菱銀行調査部長）　28-5
吉野圭三（逓信書記官）　4-2
吉村敏夫　22-6、22-7
吉村万治　14-1

［ラ行］

ラムホルツ、カール　10-3、10-4
蘭国医学博士　2-6
ランドヘア、B　28-1
ランドン、ケネス・ペリー　26-1
リンディオ、L・L　26-5
麗欄生　16-4、16-5、16-6、16-7、16-8、16-9、16-10、16-11
レエブ、エドウイン・M　29-6、29-10、30-3
レース、ルイス・ヂエー（比律賓山林局主任技師）　11-1
ロー、ゼー・ダブリウ・エフ（英国王室経済協会友）　17-8、17-9、17-10、17-11、17-12
ロエブ、エドウイン・M　28-7、28-9、28-10、28-12、29-4、29-5
ロオス、アンドリユウ　28-6
ローズ、H　21-10
ロツツエ、L　30-3、30-4、30-5
ロドリゲス、ユーロギイ（農商務長官）　22-8
ロハス、マヌエル　25-7
ロールバツハ、パウル（博士）（前伯林大学教授）　17-11

［ワ行］

若林　欽　6-5、6-6、6-7
和田儀太郎　18-7、18-8、18-9、18-10、18-11、18-12、19-1、19-2、19-3、19-4
和田儀太郎（本会ニユーギニア地方調査嘱託）　17-4、17-5、17-7、17-8、17-9、17-10、
　　　17-11、17-12、18-1、18-2、18-3、18-4、18-5、18-6

和田義隆　27-10

渡瀬正人（東京日日新聞東亜課）　25-3

渡辺　薫　18-7、18-8、18-9、18-10、18-11、19-3、20-4、23-5、23-8、24-3、24-8、24-10、25-4、25-11、26-2、26-4、26-7、28-2、28-4、28-6、28-7、28-10、29-1、29-6

渡辺　薫（比律賓群島地方調査嘱託）　14-11

渡辺　薫（本会マニラ支部幹事）　17-1、17-2、17-3、17-6、18-5、18-7、18-10、19-5、19-9

渡辺　薫（本会マニラ支部常任幹事）　19-8、20-1、20-4、20-5、20-8、21-1、21-4、21-5、21-10、22-1、22-7、22-10、22-10、23-1

渡辺　薫（マニラ）　20-8

渡辺東雄　27-5

ワルセム、フアン（ドクトル）　6-4

別紙Ⅰ．本誌中

執筆者索引5回以上

執筆者名 \ 巻	1	2	3	4	5	6	7	8	9	10	11	12	13
発行年	1915年	1916	1917	1918	1919	1920	1921	1922	1923	1924	1925	1926	1927
XYZ													
青木定遠						7							
渥美育郎													
飯泉良三								1				7	
池田覚次郎							1	4	3	3			3
石井健三郎						3		1		1	4		1
石井成一					6								
石原廣一郎										3			
板倉恪郎				3	12	3							
井出諦一郎													
伊東敬													
井上敬次郎								1					
井上雅二			3	3	4	2	4	14	2	2	6	5	5
岩佐徳三郎												1	5
内田嘉吉					1	3	1		3				
内田嘉吉訳				3	12	1							
梅本貞雄													
江川俊治						7	8	6	10	9	4	4	
エドワード、サリスベリー								3	1				
榎本信一											5	7	3
大内恒													
大谷登													
大森益徳										7	2	1	
岡部常太郎													2
岡本象三													
岡本嵩													
小原敏丸						7							
小原友吉													
帰去来子				7									

出現記事数一覧

| 14 | 15 | 16 | 17 | 18 | 19 | 20 | 21 | 22 | 23 | 24 | 25 | 26 | 27 | 28 | 29 | 30 | 合計 |
1928	1929	1930	1931	1932	1933	1934	1935	1936	1937	1938	1939	1940	1941	1942	1943	1944	
										5							5
																	7
										1	1	1	2	1		2	8
		2		10	11	5	1	3		4	4	3	2	2	2	4	61
3																	17
																	10
																	6
	3		1												1		8
																	18
			2				1		1	1	1		1	1			8
										1	7	2					10
					2					1	1	1					6
10	2	2			2	4	1	4	7	2	1	2	6	1	2		96
3																	9
		2	4														14
																	16
														2	3	3	8
6	4	7		1	4	5					1						76
																	4
		2															17
						4	1				1						6
									1	1	1	2					5
																	10
2	4		1														9
					2	6	4	3									15
										4	1						5
																	7
		2	2	1		1	1										7
																	7

執筆者名 \ 巻 (発行年)	1 (1915年)	2 (1916)	3 (1917)	4 (1918)	5 (1919)	6 (1920)	7 (1921)	8 (1922)	9 (1923)	10 (1924)	11 (1925)	12 (1926)	13 (1927)
砧一郎													
木村澄													
木村増太郎					2	7	1						
旧蘭印中央統計局編													
キルセー										6	3		
隈川八郎													
郡司喜一													1
小谷淡雲								1		16	15	5	14
近衛													
小森徳治				2	3	2	4						
斉藤正雄													
坂部一郎								5					
酒匂秀一													
佐々木勝三郎													
佐藤暲										3	3	4	
佐藤惣三郎												1	5
佐藤惣三郎訳												2	1
塩田谷五郎													
志村芳雄													
(南洋協会)爪哇支部								6	16	16	2	1	1
ジヨンソン、マルチン									7	5			
(本会)新嘉坡産業館													
(南洋協会)新嘉坡商品陳列館				1	6	15	7	2	3	21		11	14
(南洋協会)新嘉坡商品陳列所													8
(南洋協会)スラバヤ商品陳列所												9	20
(本会)スラバヤ商品陳列所 スマトラ出張員事務所													
(本会)スラバヤ商品陳列所 バタビヤ出張員事務所													
瀬川亀			6	6	7	7	2						
高月一郎							4	12	4				
高屋為雄訳													
チツバア、H・L													
チヤムピオン、イヴアン・エフ													

| 14 | 15 | 16 | 17 | 18 | 19 | 20 | 21 | 22 | 23 | 24 | 25 | 26 | 27 | 28 | 29 | 30 | 合計 |
1928	1929	1930	1931	1932	1933	1934	1935	1936	1937	1938	1939	1940	1941	1942	1943	1944	
										3	1	1					5
															5	8	13
2		1	1	2													16
														2	8		10
																	9
1	5																6
		1										1	3				6
6			3														60
									7	12	12	12	12	11	12	11	89
																	11
										2	3	1			2		8
																	5
														3	2	1	6
												2	2	2	3	1	10
																	10
13	5	7	6	11	14	6	7	3	3								81
	2	2	5			3	2	6	5								28
4	3	3															10
														1	6	5	12
		1	1	3	1	1				10	11	22	7	4			103
																	12
										14	20	17	7	1			59
																	80
20	21	9	18	21	16	18	17	28	16								192
29	15	24	16	11	15	14	17	16	6								192
		7	7	12	2	1											29
			3	1	4	7	16		1								32
																	28
																	20
												6	2				8
														5			5
					9	12	10										31

執筆者名 \ 巻 発行年	1 1915年	2 1916	3 1917	4 1918	5 1919	6 1920	7 1921	8 1922	9 1923	10 1924	11 1925	12 1926	13 1927
照屋全昌											1	3	
図南子				3	2								
豊原太郎				1	5								
中島関爾													
中村今朝雄													
南洋栽培協会													3
新渡戸稲造		1	3	2									
日本放送協会													
日本放送協会国際部													
(本会)バタビア出張員事務所													
林久治郎													1
原繁治													
藤村誠太郎						3	12						
藤山雷太												3	1
ベールマン、W													
逸見重雄													
法貴三郎													
堀江不器雄									5	1	1		
本会調査部				2	5								
本会調査編纂部													
本会編輯部													
本多静六						11	11						
正木吉右衛門													1
増淵佐平													2
松岡正男						3	2						
松原晩香													
(本会)マニラ支部													
水木伸一													
水谷乙吉													
水野宏平										7			
三吉香馬						6	9	10	8	3	12	12	12
三吉香馬訳													

14	15	16	17	18	19	20	21	22	23	24	25	26	27	28	29	30	合計
1928	1929	1930	1931	1932	1933	1934	1935	1936	1937	1938	1939	1940	1941	1942	1943	1944	
	1						4			1	5	6			1		22
																	5
																	6
													3	2			5
										2	3				1		6
1	2																6
																	6
										4	12	12	5				33
													7				7
							5		1								6
2									3	3	3	1	1			1	15
								1	3	2	1	3					10
																	15
					2												6
											6	2					8
										2		1		2			5
												1	4				5
																	7
							8	4	5	21	32	20	36				133
	4								3	12				3	37	29	88
									3	6							9
																	22
	1		2	4	1			1									10
16	5	2	2		1			1									29
																	5
									3	7	8		7				25
											2		3	2			7
									12	22							34
													2	2	1		5
																	7
6	12	11	12	12	3		2	12	12	12	4						170
					9	12	10										31

III. 索 引

執筆者名 \ 発行年	1 1915年	2 1916	3 1917	4 1918	5 1919	6 1920	7 1921	8 1922	9 1923	10 1924	11 1925	12 1926	13 1927
三吉朋十	1		2	3	2	11	4	1	1				
安江安吉												6	1
谷田部保吉													
山口武								1	4	8		1	3
山澤宇兵衛							4	9	1				
山田喜平							2	10	2				
横山正脩					3				4	6	5		1
横山正脩訳										6	3		
吉田悟郎						3	2	1				1	7
麗欄生													
ロー、ゼー・ダブリウ・エフ													
ロエブ、エドウイン・M													
和田儀太郎													
渡辺薫													

14	15	16	17	18	19	20	21	22	23	24	25	26	27	28	29	30	合計
1928	1929	1930	1931	1932	1933	1934	1935	1936	1937	1938	1939	1940	1941	1942	1943	1944	
2	3						3										33
2	6																15
			2		2						1	4		1			10
4												1					22
																	14
																	14
		4	3														26
																	9
6	9																29
		8															8
			5														5
														4	2		6
			8	12	4												24
1			4	8	4	6	4	4	3	3	2	3		5	2		49

2. 人 名 索 引

朝倉純孝　14-4

アダム　23-2

飯泉（理事）　22-8

井坂孝　14-11

石射猪太郎　22-10

石塚（台湾総督）　15-9、17-4

イスメット（内閣）　10-4

井上（専務理事）　10-10、10-11、11-8、11-11、14-4、22-11、22-12、22-12、23-1、23-2、23-2、23-4、23-7、23-9、23-10、23-12

井上敬次郎　12-5

井上準之助　14-11

井上雅二　25-7

ウイルソン　19-7

上田（会頭）　6-7、7-1

内田　19-2、19-2、19-2、19-2、19-2、19-2、19-2

内田（副会頭）　4-8、13-10、14-3、14-4、19-2、19-2、19-2、19-2、19-2

内田嘉吉　19-2、19-2、19-2、19-2

ウヂン、ゼマル・　24-10

ウツド（将軍、比島総督）　13-9

ヴーネエーセン（兄弟、栽培家）　14-1、14-2

江川　7-5、9-6

エルベルフエルド、ピーター・　10-9

炎帝　9-7、9-7

汪精衛　25-9

大倉喜七郎　13-11、13-11

大城孝蔵　22-2

太田（台湾総督）　17-4

太田恭三郎　12-5、12-5、12-5、13-3

オスメニア　7-3

オネス　4-7

鍵富（テニス選手）　25-9

郭春秧　6-6
角屋七郎左エ門（かどや）　26-8、26-9
加納友之介　14-11
鎌田栄吉　13-1、13-4
カムペル、エル・　22-11
川村（台湾総督）　15-6
カン、エツチ・（議員）　19-11
カンデー　8-2、8-8
ガンテー　8-3
ガンデー　8-10、11-1
ガンデイー　10-3、10-5
甘露寺（伯爵、侍従）　15-4、15-4、15-5
木村（商品陳列館館長）　4-8、4-9
ク（夫人）　7-3
クエーゾン［ケソン］　6-12
クエンコ、ミーゲル・（比島国民議会議員）　24-5
グーゼ（博士）　10-2
クラーメル（博士）　10-10
桑島（公使）　23-3、23-5、23-5
ケソン（大統領）　22-7、25-1
ケソン、マニユエル・（比律賓大統領）　24-8
ケマル　8-10、8-11
皇太后陛下　19-2
皇帝皇后陛下（暹羅）　17-5、17-5
児玉（副会頭）　24-5
近衛文麿（公爵、会頭）　19-3
小林（使節）　26-12
コプランド（博士）　18-6
ゴーラ、ダブリユー・エヌ・　12-7
コルトレーヴ（技師）　17-3

サイリンハ（爪哇銀行総裁）　19-12
桜内（商相）　17-5
ザクルルパシヤ　11-1

サルタン殿下夫妻（ジヨホール国）　20-3

シ（提督）　9-4

シーボルト　10-8、10-8

島薗順次郎（博士）　13-4

寿三郎　6-3

シルバ　23-9

ス　6-3

末次平蔵　28-11

末吉孫左衛門　30-9、30-10

スコーラー（大佐、艦長）　13-3

スチール、A・W・　18-3

ストルリング（探検隊）　13-4

角倉　29-12、30-1

摂政宮殿下　9-5

瀬戸清次郎　13-2

高月一郎　9-3

高松宮（殿下）　14-8

タゴール　10-7

ダニー（親王殿下）　12-11、12-11、12-12

ダムロング（殿下）　9-2、9-2

ダルハイゼン（大佐、艦長）　15-1

俵（商相）　16-3、16-4、16-5

茶屋四郎次郎　12-3、27-8、27-9

チヨンポン（殿下）　9-6

津愛倫坡　7-2

堤林数衛　24-3

デ・グレーフ　8-12

デ・ヨング　20-12、20-12、22-6

デヴイス　15-7

田（会頭）　16-12

田（男爵）　18-12

天竺徳兵衛　29-9

徳川頼貞　13-1、13-4

Ⅲ．索　引

長岡（大使）　21-3

仲小路廉　10-3

中島（総領事）　14-1、14-5

永野角十　21-10

奈翁　9-1

那翁　8-12

西村（ドクトル）　22-12

二宮峰男　18-7

ニューブランド（神父）　18-2

パスキエー、ピエール・（仏領印度支那総督）　15-11

蜂須賀（会頭）　19-2、19-2、19-2、19-2、19-2

蜂須賀（侯）　19-2、19-2、19-2、19-2、19-2、19-3

蜂須賀（公爵）　19-2

蜂須賀（侯爵）　19-2、19-2

蜂須賀正韶　19-2

蜂須賀正韶（侯爵、閣下）　17-4

バートウツセル（水産局長）　19-6

バノラングセー（親王殿下）　14-8、14-8

ハーフェラール、マツクス・　28-5

パブスト（公使）　19-9、21-7

パホン（特使）　28-5

パホーン（首相）　23-4

バーモ（行政府長官）　29-4

早川（副会頭）　8-5

林（公使）　14-5

林（駐英大使）　6-9

林（理事長）　24-5

林徳太郎　12-1

原（拓相）　17-5

ファルクアーソン　19-11

フアン・デ・スタツト　6-5

フアン・モーク　22-9

フアンフリート　23-12

2．人　名

フイヒテ　11-4

フークストラ（少将、蘭領印度海軍部長官）　15-1

藤瀬政次郎　13-2

藤山（副会頭）　11-12、12-1、12-12、20-5

藤山雷太　12-1、25-2、25-2、25-2、25-2

［藤山］雷太　25-2

藤原（校長）　14-5

プラタツプ　11-7

プラチヤチポツク（陛下）　12-2、12-2

フラルス［ラッフルズ］、サー・スタン・フオド・　6-2

プール　22-8

プール（大佐夫人）　22-11

ブルーク、ラヂヤ・　4-10、4-11、4-12、5-1、5-2、5-3、5-4、5-5、5-6、5-7、5-8、5-9、5-10、5-11、5-12、6-1、6-3

ボスマ、イエー・（海軍少将）　19-3

細谷十太郎　19-3

ポープセニロウ、ラチユ・　8-11

牧野（講和特使）　5-2

牧野（全権委員）　5-10

マクマホン　5-3

マゼラン　23-2

松島（巡閲使）　21-7

三吉　6-4、21-11

ムハメツト六世　8-11

メルラン（総督）　10-6

森田長助　18-1

柳原隆人　18-4

山県（テニス選手）　25-9

山路（外務事務官）　21-7

山村楳次郎　23-4

山村八重子　14-12

米垣（領事）　22-6

Ⅲ. 索　引

ラツベルトン　12-1

ラドウ　3-6

ランネフト　22-7、22-9

リサール、ホセ・　28-8

ロ（総督）　9-2

ロドリゴ、ドン・　25-6

ロハス　25-7

ロヒンク　2-9/10

ローフインク（東亜局長）　23-4

和田（副会頭）　10-4

和田豊治（副会頭）　10-4

3. 地 名 索 引

[ア行]

愛蘭(アイルランド) 23-9

アエチヤ郊外（暹羅） 20-1

亜細亜 8-9、20-5、20-6

アダ湖（新西蘭ミルフオードサンド） 7-3

アチエ 22-2

アチエー（スマトラ） 18-11

アチエ地方 21-8

アチエ東海岸南部 13-10

アトンアトン（比律賓群島(フィリピン)・ミンダナオ・バシラン島） 6-10

阿富汗(アフガン) 9-2

アフロス試験場 17-3

アマゾン河畔 16-11

アムステルダム 13-11

アメリカ 23-5、28-3

アユチヤ 11-4、11-4

アユチヤ郊外（暹羅(シャム)） 20-1

アユチヤ日本人村 11-4

アラビヤ新王国 3-10

アルゼンタイン 11-12

アルゼンチン 16-8

亜爾然丁(アルゼンチン) 9-4

アロー島 8-3

アロン湾（仏領印度支那） 22-2、22-2

アローン湾 11-6

アンコール 29-5

安南 7-2、7-3、7-4、7-5、7-6、7-7、7-8、7-9、7-10、7-11、7-12、8-1、8-2、11-4、12-3、16-2、27-8、27-9、28-1、28-12、29-12、30-1

安南王国 13-1、13-1

安南国 6-11、6-12、7-1

伊 8-10

イエナン・ヤング（緬甸）　15-10

イギリス　28-5、28-7、28-8、28-9

伊国　6-6

伊太利(イタリア)　22-1、22-1、24-5

伊太利国　14-8

イポー市街　18-10

イラワジ渓谷　25-5

イロコス州　3-4

印　6-5、6-8、8-9、22-9、28-10、30-4、30-6

印度　3-7、5-6、5-7、5-9、6-1、6-3、6-4、6-4、6-5、6-5、6-5、6-6、6-7、6-7、6-8、6-10、6-10、6-11、6-11、6-12、6-12、6-12、6-12、7-1、7-3、7-5、7-5、7-7、7-8、7-8、7-10、7-10、7-11、7-12、7-12、8-2、8-2、8-3、8-3、8-4、8-4、8-6、8-8、8-9、8-11、8-12、10-3、10-3、10-9、10-9、11-3、11-5、11-7、12-2、13-2、16-4、16-5、20-4、20-11、25-6、28-6、28-10、28-10、29-1、29-7、30-4、30-10

印度支那　4-2、4-4、5-3、5-7、5-8、5-11、6-3、6-5、9-4、10-2、10-3、10-4、10-5、10-6、10-7、11-8、11-9、20-4、22-2、22-10、24-12、25-1、25-3、28-1、28-2、28-3、28-3、28-12、29-1、29-9、29-10

印度南洋　6-2、7-6、7-6、11-7

インドネシア　28-11、29-9

印度洋　23-12、24-12

インドラギリ　13-2

インドラギリ（スマトラ島）　15-5、15-6、15-7、15-9

インドラマユ　22-5

ウイルヘルミナ　25-8

ウエルテフレーデン（爪哇(ジャワ)）　4-7、4-8

内南洋　24-10、29-4、29-5

裏南洋　5-8、7-8、7-9、12-5、12-7

ヴヰサヤ（比島）　26-7

英　1-6、6-2、6-4、6-5、6-7、7-7、8-10、10-3、10-6、14-9、17-8、17-9、17-10、19-1、22-4、22-11、23-2、23-5、23-7、24-4、25-2、25-8、26-9、27-2

英印　23-5

英国　3-9、4-8、6-3、6-4、6-8、6-10、8-9、8-10、8-12、11-10、11-12、14-11、15-8、

18-7、19-1、19-8、21-2、21-4、21-9、22-8、23-2、23-2、23-4、23-5、24-5、26-10、28-2

英帝国　3-5、19-1、19-2、19-3、19-4、22-11、23-5、24-4、24-10

英本国　21-3、24-11

英領　5-3、21-3

英領印度　9-11/12、10-1、13-9、20-1、21-8、21-9、21-10

英領海峡殖民地　2-2、5-10

英領北ボルネオ　1-1、1-10、2-3、2-5、2-6、2-7、2-7、2-8、2-9/10、3-11、4-3、4-4、8-1、8-1、10-2、10-7、10-7、10-8、10-9、11-6、11-11、12-6、14-11、16-7、16-9、20-1、21-11、21-11、21-11、23-2、24-2、24-9、24-10、25-3、25-5、25-8、26-6

英領北ボル子オ　8-1

英領南洋　13-3

英領ニウ・ギニア　9-7、9-7

英領ニユウギニア　7-5

英領ニユーギニア　10-3、23-5

英領緬甸(ビルマ)　5-6

英領ボルネオ　3-11、5-3、6-7、11-8、20-10、25-8、26-6、26-10、26-11、27-4

英領馬来(マライ)　6-8、9-10、9-11/12、11-4、11-4、11-5、11-5、11-5、11-6、11-6、12-1、12-6、12-7、12-12、13-1、13-1、13-2、13-3、13-4、13-7、13-12、14-3、14-4、14-7、14-11、14-12、14-12、15-1、15-2、15-4、15-4、15-5、15-5、15-6、15-7、15-8、15-8、15-9、15-9、15-10、15-11、15-11、15-11、15-12、16-1、16-2、16-2、16-3、16-3、16-4、16-8、16-9、16-9、16-10、16-10、16-10、16-11、16-12、17-1、17-2、17-3、17-3、17-4、17-4、17-5、17-5、17-5、17-6、17-7、17-8、17-8、17-9、17-10、17-11、17-11、17-11、18-2、18-3、18-3、18-3、18-3、18-4、18-4、18-5、18-5、18-6、18-7、18-7、18-8、18-10、18-10、18-11、18-11、18-11、19-1、19-3、19-3、19-3、19-3、19-5、19-6、19-7、19-7、19-7、19-8、19-8、19-8、19-9、19-9、19-10、19-10、19-11、19-11、19-12、20-1、20-2、20-3、20-4、20-4、20-5、20-5、20-8、20-8、20-8、20-9、20-11、21-1、21-2、21-2、21-2、21-2、21-3、21-3、21-4、21-4、21-4、21-5、21-5、21-6、21-6、21-6、21-6、21-6、21-7、21-7、21-9、21-10、21-10、21-10、21-11、21-11、21-11、21-11、22-2、22-2、22-4、22-4、22-4、22-4、22-5、22-5、22-5、22-6、22-6、22-6、22-8、22-8、22-10、22-11、22-12、23-2、23-2、23-3、23-3、23-4、23-4、23-4、23-4、23-4、23-6、23-7、24-1、24-1、24-2、24-3、24-3、24-4、24-6、24-6、24-6、24-8、24-9、24-10、24-11、24-11、24-12、24-12、25-1、25-1、25-2、25-2、25-3、25-4、25-5、

25-5、25-5、25-5、25-6、25-7、25-7、25-7、25-8、25-8、25-9、25-10、25-10、25-10、25-10、25-11、25-11、25-12、26-1、26-2、26-2、26-2、26-3、26-4、26-4、26-4、26-4、26-5、26-5、26-5、26-5、26-6、26-6、26-6、26-6、26-7、26-8、26-9、26-9、26-10、26-10、26-11、26-11、26-12、26-12、27-1、27-1、27-2、27-2、27-2、27-3、27-4、27-4、27-5、27-5、27-6、27-7、27-8、27-8、27-9、27-9、27-10、27-11、27-12、28-1、28-1、28-2

英領馬来半島（マライ） 6-5、23-4、23-5、23-6

英領馬来領（マライ） 21-1

エヴエレスト 8-7

エチオピア 24-5

エーヂヤン海 8-9

エンマーハーベン港（スマトラ島） 5-4

欧州 1-2、8-9、8-10、8-11、8-12、8-12、9-1、12-2、12-2、25-5、25-12、26-5、26-6、26-8、26-9、26-9、26-12、26-12

欧米 6-5、6-6、6-12、7-1、21-5

大阪 11-3、11-3、13-7、14-1、14-1、14-2

大阪市 12-11

オツタワ 18-11、19-1、19-2、19-3、19-4、21-9

オランダ 6-2

和蘭（オランダ） 3-3、3-7、5-7、5-7、5-8、5-12、6-5、6-7、6-9、6-10、6-11、6-12、8-12、10-1、10-2、10-10、10-11、10-12、11-5、11-6、11-7、11-9、15-3、16-1、16-2、18-9、19-9、21-1、21-7、21-8、21-12、21-12、22-4、22-4、22-8、22-12、23-3、23-4、23-10、23-11、23-12、24-3、25-6、26-4、26-6、28-11、30-5

和蘭殖民地（オランダ） 5-4

和蘭東印度（オランダ） 19-3

和蘭本国（オランダ） 21-10

[カ行]

海峡 20-10、21-5

海峡植民地 3-8、10-12、11-5、11-9、11-11、12-1、12-10、13-2、13-5、13-7、13-9、14-1、17-11、18-7、18-9、19-1、19-3、19-3、19-4、19-5、19-6、19-11、20-2、20-3、20-3、20-5、20-5、20-6、20-7、20-8、20-9、20-10、21-3、21-8、21-9、21-11、21-11、21-12、22-1、22-1、22-8、22-10、22-10、22-11、22-11、22-12、23-2、

23-3、23-4、25-9、26-11、27-1、27-2

海峡殖民地　1-9、2-9/10、3-5、3-8、3-11、4-12、5-4、5-4、5-7、5-8、5-9、5-11、6-3、6-4、6-6、6-8、6-8、6-9、6-10、23-5、23-5

海南島　7-4、7-5、7-8、7-9、7-10、7-11、7-11、7-12、24-9、25-3、25-3、25-3、25-3、25-3、25-3、25-7、25-7、25-10、26-3、27-5

外部諸州（蘭領印度）　18-11

外領　9-2、12-1、26-4、26-6、26-9、26-9、26-10、26-10、26-12、27-1、27-2、27-3、27-4、27-6、27-8、27-10、28-1、29-4

加州　6-11

カツパス河（ボルネオ）　8-1、8-1

カトン　14-4

カナダ　11-7

加奈陀（カナダ）　6-4、6-7、11-4、15-6、16-3

カベナー橋（新嘉坡〈シンガポール〉）　4-4

カムボジャ　11-7

カメロン高原　23-2、23-2

カメロン高原（英領馬来〈マライ〉）　25-1

カメロン高原（馬来〈マライ〉半島）　26-2

カメロン高地（パハン州）　28-8

カヤン河流域（蘭領ボルネオ）　10-2

カラチ　6-2

咬𠺕吧（カラバ）　6-1、6-2

カラパン町（南洋群島サイパン島）　12-6

カリフオルニヤ　16-7

カリ・マス（爪哇〈ジャワ〉スラバヤ）　9-6

カルステンツ（ニユーギニア最高峯）　26-10、26-11

カルビアン海　14-10

カルブーウエン（フオルト・デ・コツク付近）　10-10

ガロー　21-4

カロート（爪哇）　7-6、7-6

関　28-10

関西　9-4、25-6

関東　9-11/12

広東　25-4、25-5

カンボジア　29-5
柬甫寨（カンボジア）　12-9、12-12
カンボチヤ　2-5

北　25-9、25-10
北暹（シヤム）　11-5
北スマトラ　17-9
北太平洋　14-5
北独逸（ドイツ）　23-9
北ボルネオ　3-11、4-3、4-6、4-7、4-11、5-12、6-7、7-10、8-1、29-5、29-6、29-9、
　　29-10、29-12、30-1、30-2、30-3、30-4、30-5
北ボル子オ　8-1
北ミンダナオ諸州（比島）　26-7
北呂宋（ルソン）　18-7、18-8、18-9、18-10、18-11
岐阜　14-11
キヤメロン高原　16-8、20-1
旧独領　6-5、25-1
共栄圏　28-3、28-3、28-3、28-3、28-3、28-10、28-11、29-8
極東　5-12、11-12、24-4、25-1、25-11
近東　8-10

グアム島　25-2、25-4、26-2
クアラ・スランゴル　11-5
クチン市　6-6、6-6
クツク山　6-8
クパン（チモール島）　22-9
クメール王国（印度支那）　28-1、28-3
クラカタウ島　14-6
クリスマス島　28-9
クロエツト峯　5-7
クロエト峯　5-5
グワム軍港　9-4

京浜　21-4、21-7

ケダ王国（英領馬来〔マライ〕）　24-8、24-12、25-2

ケランタン王国　23-9

豪　5-2、24-11、25-4、28-7

豪州　2-8、4-5、6-3、6-3、6-3、6-3、6-3、6-3、6-4、6-4、6-4、6-4、6-4、6-4、6-5、6-5、6-6、6-6、6-6、6-6、6-7、6-7、6-8、6-8、6-9、6-10、6-12、7-2、7-3、7-4、7-5、7-6、7-7、7-8、7-9、7-10、7-11、7-12、8-1、8-1、8-2、8-3、8-4、8-5、8-6、8-7、8-8、8-9、8-10、8-11、8-12、9-1、9-2、9-3、9-4、9-5、9-7、19-7、24-1、24-3、24-6、24-8、24-9、24-10、24-11、24-11、24-11、24-12、25-1、25-1、25-2、25-2、25-3、25-3、25-4、25-5、25-6、25-7、25-8、25-9、25-9、25-10、25-11、25-12、25-12、26-1、26-1、26-2、26-3、26-4、26-4、26-5、26-6、26-7、26-8、26-9、26-10、26-11、26-12、26-12、26-12、27-1、27-2、27-2、27-2、27-3、27-4、27-5、27-8、27-9、27-10、27-12、28-1、28-3、28-3、29-1、29-1、29-3、29-4、29-5、29-6、29-6、29-8、29-11、30-2

濠洲　5-2、5-4、5-5、5-6

豪州島　24-4

豪太利亜細亜海　27-3

交趾〔コウチ〕支那　5-6、11-7、12-8、15-10、28-4

興南　29-12

神戸　21-8、23-5

紅毛　6-1、6-2、11-5

香料諸島　5-9、5-10

コタバト　23-4

コーラカングサ　19-7

コラット地方　8-8

コーランポ（馬来〔マライ〕聯邦州）　19-12

コーランポ市　18-10

コロンボ港　11-7

コンパンヤ　6-8、6-9、6-10、6-11

[サ行]

サイアム　11-2

サイゴン　16-9、23-5

西貢〔サイゴン〕　6-11、14-5、14-5、14-7、22-8、27-7、27-12、29-4、30-6、30-6

西貢港(サイゴン)　15-8
西貢市(サイゴン)（仏領印度支那）　22-11
サイゴン埠頭　16-2
サイパン　16-11、16-11
サイパン島（南洋群島）　12-5、12-6
サウス、ウエルス　8-5
札幌　13-9
サバン港（北部スマトラ）　4-3
サバン港（スマトラ）　6-11
サバン港（スマトラ島）　18-11
サマライ　6-8
サムバレス(フィリピン)（比律賓）　22-10
サモア島　6-7
サラク山(ジャワ)（爪哇）　4-6
サラチガ(ジャワ)（爪哇）　4-6
サラマン市　5-3
サラワ　11-1
サラワク　6-1、10-6、15-1、20-11、21-8、21-8、25-5
サラワク王国　10-7、23-10、25-11
サラワーク王国（ボルネオ）　7-10
サラワク国　21-1
サラワ国　11-1
サラワツク　3-7、6-2、6-3、22-11、22-12、23-1、24-7
サラワツク王国　19-3
サラワツク国　21-2
サラワッ国　1-7
サルウイン河(ビルマ)（緬甸）　6-11
猿島　16-4
サンクリラン　25-1
サンクリラン（ボルネオ）　21-8
サンダカン　3-9
サンダカン港　6-7
サンタクルヅ島　23-11
山東省　8-5

サント・トーマス山（比律賓〈フィリピン〉）　20-5

サンバレス　13-5、13-6

サンピツト河畔（ボルネオ）　10-1

桑　港〈サンフランシスコ〉　3-5、16-5

サンボアンガ　21-9、23-5

ザンボアンガ（比律賓〈フィリピン〉）　20-12

ザンボアンガ（比律賓群島〈フィリピン〉）　10-5

ザンボアンガ近傍（比律賓〈フィリピン〉）　13-6

ザンボアンガ市　23-4

ザンボアンガ市（比島）　23-4

支　8-10、17-10、18-3、22-5、23-7、23-10、23-11、23-12、24-1、24-2、24-3、24-4、24-5、24-6、24-7、24-8、24-9、24-9、24-20、24-11、24-12、24-12、25-2、25-2、25-3、25-4、25-5、25-7、25-7、25-8、25-9、25-10、25-11、25-12、26-1、26-2、26-2、26-3、26-4、26-5、26-6、26-7、26-8、26-9、26-10、26-11、26-12、27-1、27-2、27-3、27-4、27-5、27-6、27-7、27-8、28-10

シアトル　20-10、23-7

静岡県　6-6

シドニー　6-12、7-1

支那　6-3、7-9、11-7、11-9、12-1、13-9、14-2、14-3、14-8、18-7、21-12、22-1、22-3、22-8、23-3、23-5、23-10、23-11、23-12、24-9、24-10、24-11、24-12、25-1、25-2、25-3、25-4、25-5、25-5、25-6、25-7、25-8、25-9、25-10、25-11、25-11、25-12、25-12、26-1、26-2、26-3、26-4、26-5、26-6、26-7、26-8、26-9、26-10、26-11、26-11、26-12、27-1、27-2、27-2、27-3、27-3、27-4、27-4、27-5、27-5、27-6、27-6、27-7、27-8、27-8、27-9、27-9、27-10、27-11、27-12、28-1、28-7

シナブン山（スマトラ）　23-1

シブ港（比律賓〈フィリピン〉）　21-1

西伯利〈シベリア〉　5-3、10-7

シボルガ港（スマトラ）　20-9

シボルガ市海岸（スマトラ西海岸タパヌリ州）　24-12

シボルガ湾（スマトラ島）　11-2

ジャガタラ　6-1

ジヤバ　16-9、22-4、23-3、23-8、24-4、24-5、24-7、28-7、28-9

ジヤパン　23-3

シヤム　16-10、16-10、24-7、24-8、24-11、25-7

暹(シヤム)　5-3、8-3、10-2、10-5、10-6、10-10、10-11、13-2、22-3、22-4、22-4、22-7、23-11

暹羅(シヤム)　3-7、4-3、5-1、5-3、5-5、5-6、5-6、5-7、5-8、5-8、5-9、5-9、5-10、5-11、5-11、6-1、6-1、6-2、6-3、6-4、6-4、6-5、6-8、6-8、6-10、6-11、6-11、6-11、6-12、6-12、6-12、7-2、7-3、7-5、7-6、7-9、7-9、7-11、7-11、7-12、7-12、8-1、8-2、8-2、8-2、8-3、8-4、8-4、8-4、8-5、8-5、8-5、8-5、8-6、8-6、8-7、8-7、8-7、8-7、8-7、8-7、8-8、8-8、8-8、8-9、8-9、8-10、8-10、8-10、8-10、8-10、8-11、8-11、8-12、8-12、8-12、9-1、9-1、9-2、9-2、9-5、9-6、9-6、9-8/9、9-11/12、10-3、10-6、10-7、10-7、10-9、10-10、10-10、10-11、11-2、11-4、11-5、11-5、11-5、11-5、11-7、11-7、11-10、11-11、12-1、12-2、12-2、12-3、12-7、12-7、12-7、12-11、12-11、12-12、13-3、13-4、13-7、13-8、13-9、13-10、14-5、14-8、14-8、14-8、14-9、14-9、14-10、14-11、15-11、15-12、16-8、17-3、17-5、17-5、17-5、17-5、17-6、17-6、18-1、18-7、18-7、18-9、18-10、18-11、18-12、19-1、19-4、19-11、19-11、19-11、19-12、20-1、20-1、20-1、20-1、20-3、20-12、21-1、21-6、21-6、21-7、21-8、21-9、21-10、21-11、22-2、22-3、22-6、22-6、22-7、22-8、22-10、22-10、22-11、22-12、23-3、23-3、23-12、24-1、24-6、24-7、24-10、24-10、24-11、24-11、24-12、25-1、25-3、25-4、25-4、25-4、25-5、25-5、25-6

シヤム王国　17-4

暹(シヤム)国　9-11/12

暹羅(シヤム)国　7-10、11-3、11-3、12-6、12-7、12-8、12-9、12-10、12-11、12-12、16-10、17-5、17-5、19-11、19-12、20-1、20-1、22-5、22-6、22-10、23-3、23-4、23-4、23-10、24-11

暹羅(シヤム)領馬来(マライ)半島　10-5

ジヤワ　13-2、13-3、21-3、23-7、23-9、23-10、23-12、24-1、24-3、24-4、24-4、24-6、24-7、24-9、25-2、28-9、28-10、28-10、28-12、29-3、29-4、29-4、29-5、29-5、29-6、29-6、29-7、29-8、29-9、29-9、29-10、29-10、29-11、29-12、30-1、30-2、30-2、30-3、30-3、30-3、30-4、30-5、30-6、30-6、30-7、30-8、30-8、30-9、30-10、30-10、30-11

爪(ジヤワ)　4-9、22-5

爪哇(ジヤワ)　1-11、2-2、2-5、2-5、2-6、3-5、3-7、3-8、3-9、3-11、3-12、3-12、4-1、4-2、4-4、4-4、4-4、4-4、4-4、4-4、4-6、4-6、4-6、4-6、4-7、4-7、4-7、4-7、4-7、4-8、4-8、4-8、4-8、4-9、4-9、4-9、4-9、4-9、4-11、4-12、4-12、5-1、5-3、5-

4、5-5、5-5、5-5、5-5、5-6、5-6、5-6、5-7、5-7、5-8、5-8、5-8、5-8、5-8、5-9、5-9、5-9、5-9、5-10、5-10、5-11、5-11、5-11、5-11、5-11、5-11、5-12、6-1、6-1、6-2、6-2、6-3、6-5、6-6、6-6、6-7、6-7、6-7、6-8、6-8、6-8、6-9、6-9、6-9、6-10、6-10、6-10、6-11、7-2、7-2、7-3、7-5、7-6、7-6、7-7、7-7、7-7、7-8、7-8、7-8、7-9、7-10、7-11、7-11、7-12、7-12、8-1、8-2、8-4、8-7、8-9、8-10、8-10、8-10、9-6、9-6、9-8/9、10-3、10-4、10-5、10-5、10-6、10-6、10-7、10-8、10-8、10-9、10-10、10-12、11-1、11-2、11-2、11-2、11-2、11-3、11-6、11-9、11-10、11-10、11-11、11-12、11-12、11-12、12-1、12-1、12-1、12-1、12-1、12-2、12-2、12-2、12-3、12-3、12-3、12-4、12-6、12-6、12-7、12-8、12-9、12-10、12-10、12-10、12-11、12-11、13-1、13-2、13-2、13-3、13-3、13-4、13-4、13-4、13-5、13-6、13-6、13-6、13-9、13-10、13-11、13-11、13-11、13-12、14-1、14-1、14-2、14-4、14-5、14-6、14-7、14-8、14-11、15-1、15-2、15-3、15-4、15-5、16-5、16-8、16-10、16-12、17-1、17-1、17-2、17-2、17-3、17-4、17-4、17-5、17-5、17-6、17-8、17-8、17-9、17-10、17-11、17-11、17-12、17-12、18-1、18-2、18-2、18-2、18-2、18-3、18-4、18-5、18-5、18-6、18-9、18-10、18-11、18-12、18-12、18-12、19-1、19-2、19-2、19-2、19-3、19-3、19-3、19-3、19-4、19-5、19-5、19-5、19-5、19-6、19-6、19-6、19-7、19-7、19-8、19-8、19-8、19-9、19-9、19-10、19-10、19-10、19-11、19-11、19-12、19-12、19-12、20-1、20-1、20-1、20-1、20-2、20-2、20-2、20-2、20-2、20-3、20-3、20-3、20-4、20-4、20-4、20-5、20-5、20-5、20-5、20-5、20-7、20-7、20-8、20-10、20-10、20-11、20-12、20-12、21-3、21-4、21-4、21-4、21-4、21-5、21-6、21-7、21-9、21-11、21-11、21-12、21-12、21-12、22-1、22-2、22-2、22-2、22-4、22-6、22-7、22-7、22-8、22-8、22-8、22-9、22-11、23-1、23-1、23-3、23-4、23-5、23-5、23-5、23-5、23-7、23-10、24-2、24-6、24-9、24-12、25-2、25-3、25-3、25-3、25-4、25-5、25-7、25-7、25-9、25-9、25-10、25-11、25-11、25-12、26-4、26-5、26-5、26-5、26-6、26-6、26-7、26-7、26-9、26-9、26-10、26-10、26-10、26-10、26-12、26-12、26-12、27-1、27-1、27-2、27-2、27-3、27-3、27-4、27-4、27-5、27-6、27-6、27-6、27-7、27-8、27-8、27-9、27-10、27-10、27-10、28-1、28-1、28-2、28-2、28-3、28-3、28-5、28-6、29-1

爪哇(蘭領印度)（ジャワ）　18-11

爪哇島（ジャワ）　1-2、4-8、10-3、10-4、10-5、10-6、22-4

爪哇内地（ジャワ）　4-9

シヤンステート　11-2、13-11

上海　26-6

Ⅲ．索　引

重慶　26-7、30-6

小スンダ列島　15-1、15-2、15-3

小スンダ列嶋　14-10、14-11

昭南　28-12、29-1

昭南港　28-6

昭南市　29-1

昭南島　28-12

ジヨクジヤ　21-11、22-3

ジヨクジヤカルタ（爪哇^{ジャワ}）　5-3、5-12

ジヨクヂヤカルタ（爪哇^{ジャワ}）　7-7

食人島　9-3、9-4、9-5、9-6、9-7、9-8/9、9-11/12、10-1、10-2、10-3、10-4、10-5

ジヨホール　12-5、15-7、20-5、20-5、20-6、21-2、21-3

柔仏^{ジョホール}　6-1、22-6、22-6、22-10

ジヨホール王国　9-8/9

柔仏^{ジョホール}王国　10-3、11-4、20-9、22-11

ジヨホール国　15-10、20-3、21-2

柔仏^{ジョホール}国　20-2、20-2、20-10、20-10、21-11、22-1、22-10、23-2

ジヨホール州　3-7、5-8

ジヨホール州　6-9、17-1、18-9、19-10、25-8

柔仏^{ジョホール}州　1-5、7-1、10-11、19-6、19-8、19-9

ジヨンバタン・メラ　19-6

ジヨンバタン・メラ（赤橋）　19-6

秦　9-7

シンガポール　24-10、24-12、25-12

星^{シンガポール}　6-10

新嘉^{シンガポール}　11-3

新嘉邦^{シンガポール}　8-4

新嘉坡^{シンガポール}　1-3、1-8、2-7、3-5、3-12、4-4、5-1、5-3、5-4、5-4、5-8、5-9、5-10、6-1、6-1、6-2、6-3、6-4、6-4、6-6、6-7、6-7、6-8、6-9、6-9、9-3、9-4、9-5、9-11/12、10-1、10-1、10-3、10-3、10-6、10-7、10-10、10-10、10-11、10-12、10-12、10-12、10-12、10-12、11-1、11-2、11-2、11-3、11-5、11-7、11-8、11-8、11-8、11-9、11-9、11-9、11-10、11-11、11-11、11-12、12-1、12-2、12-3、12-5、12-9、12-11、12-12、13-3、13-6、13-9、14-5、14-5、14-10、14-11、14-12、15-2、15-2、15-6、15-10、16-12、17-5、17-5、17-6、17-6、17-9、17-11、17-12、18-7、18-7、

18-8、18-9、18-9、18-10、18-10、19-1、19-1、19-1、19-3、19-4、19-5、19-6、19-8、19-8、19-9、19-9、19-10、19-11、19-11、19-11、19-11、19-12、19-12、19-12、19-12、20-2、20-3、20-3、20-3、20-3、20-4、20-4、20-6、20-7、20-9、20-10、20-12、20-12、21-1、21-3、21-5、21-6、21-6、21-6、21-8、21-9、21-11、22-1、22-1、22-3、22-4、22-6、22-7、22-7、22-7、22-7、22-11、22-11、22-12、23-3、23-4、23-4、23-5、23-5、23-5、23-5、23-7、24-2、24-4、24-4、25-7、25-8、25-9、25-10、26-6、26-7、27-6、27-6、27-6、27-9、27-10、27-10、27-11、27-12

新嘉坡川〔シンガポール〕 4-4

新嘉坡港〔シンガポール〕 3-9、20-11

新嘉坡市〔シンガポール〕 15-10、19-7、20-3、20-3、23-2、23-2、23-3、23-3

新嘉坡市街〔シンガポール〕 12-10

新嘉坡地方〔シンガポール〕 4-9

新南群島 25-5

シンド地方 6-4

瑞西〔スイス〕 6-10、14-11

瑞典〔スイス〕 14-9、14-10

スカブミ地方（爪哇〔ジャワ〕） 21-8

西 22-5

西班牙〔スペイン〕 24-6

スマトラ 2-9/10、4-1、4-3、4-4、4-5、4-5、4-7、5-5、5-8、5-9、6-3、6-3、6-6、6-7、6-7、6-11、6-11、6-11、6-11、7-11、9-1、9-6、9-7、9-7、9-8/9、9-10、9-11/12、10-1、10-2、10-2、10-3、10-4、10-4、10-5、10-6、10-6、11-5、11-12、12-4、13-4、13-4、13-5、13-6、13-9、13-10、13-10、13-11、13-12、13-12、14-1、14-1、14-4、14-6、14-7、14-7、15-1、15-3、15-4、15-7、15-9、15-11、16-2、16-3、16-5、16-6、16-6、16-8、16-8、16-9、16-10、16-11、16-11、17-3、18-11、18-11、19-1、19-1、19-5、20-9、20-9、20-10、21-1、21-8、21-12、22-1、22-7、22-7、23-1、23-1、23-4、28-5、28-7、28-7、28-7、28-9、28-9、28-10、28-10、28-11、28-12、29-2、29-3、29-4、29-5、29-5、29-6、29-6、29-7、29-8、29-9、29-10、29-10、29-11、29-11、29-12、30-1、30-2、30-3、30-3、30-4、30-5、30-6、30-7、30-8、30-9、30-10、30-11

スマトラ州 8-4

スマトラ地方 9-4、9-4

スマトラ島 4-4、4-6、4-6、4-8、4-11、5-2、5-4、5-4、9-10、9-10、11-2、15-5、15-

　　　　　6、15-7、15-9、17-10、18-11、18-11、26-2
スマトラ島東海岸　5-1
スマトラ島東海岸州　5-3、5-5、5-7、5-8、6-3、6-9、18-11
スマトラ西海岸　16-3、24-12
スマトラ東海岸　5-2、5-2、5-9、6-6、6-5、12-1、12-12、14-2
スマトラ東海岸州　4-3、4-8、4-9、4-10、4-12、5-9、6-6、6-11、8-1、9-5、13-9、13-12、14-2、15-1、15-2、15-3、15-4、16-1、16-5、16-7、16-7、17-1、17-5、17-6、17-11、17-12、18-1、18-2、18-4、18-5、18-5、18-7、18-8、18-9、18-9、18-10、18-10、18-11、18-11、18-11、19-1、19-1、19-3、19-7、19-7、19-7、19-11、20-8、21-8、21-12、22-4、22-6、22-12
スマトラ東海岸南部　13-12、14-2、14-4
スマラン　1-2、4-3、5-7、21-9、22-2、22-2、22-9、22-10
スマラン（爪哇）　11-2
スマラン港（爪哇）　4-2
スマラン南方　22-4
スメロイ噴火山（爪哇）　7-7
スメロ火山（爪哇）　16-5
スラバヤ　6-2、6-5、11-12、12-2、12-2、13-1、13-2、13-2、14-6、14-6、14-8、14-10、14-11、14-11、15-6、16-1、19-4、19-6、19-6、21-6、21-9、22-1、22-1、22-3、22-4、22-5、22-5、22-8、22-12、23-5、23-5
スラバヤ（爪哇）　9-6、25-12
スーラバヤ　6-7、6-8、6-9、6-9、7-1
スラバヤ郊外　18-7
スラバヤ市　5-10、22-9
スラバヤ市（爪哇）　6-6
スラバヤ市街（爪哇）　10-3
スランゴール　23-2、23-11、23-11
スリメダン（馬来半島ジヨホール州）　17-1
スール地方　3-5
スルー列島　24-4
スレンバン市（馬来聯邦州）　20-2、20-3
スンダ　25-3

西沙諸島　26-8

西沙島　24-10

西部ボルネオ地方　6-6

セイロン　24-10、24-11、27-12

錫倫（セイロン）　10-7、18-4

錫蘭（セイロン）　3-3、6-2、11-12、14-9、26-11、26-12、27-2、27-3、27-9

錫蘭島（セイロン）　5-8、26-11、26-12

世界　6-2、6-5、6-11、6-7、8-4、8-6、10-3、11-2、12-3、12-4、12-4、12-5、13-5、13-7、14-8、16-3、16-5、16-6、17-1、17-3、17-6、17-11、18-1、18-12、19-4、19-5、20-1、20-2、20-3、20-7、20-9、20-12、21-1、21-1、21-3、21-10、22-4、22-7、22-8、22-9、22-10、22-10、22-11、23-4、23-5、23-10、24-5、26-12、27-1、27-1、27-6、27-9、27-10、27-11、28-3、28-4、29-6、29-6

赤道　27-2、27-3、27-4、27-5、27-6

ゼセルトン　23-3

ゼセルトン（北ボルネオ）　3-11

ゼセルトン市街（北ボルネオ）　4-3

セピーク流域（旧独領ニウギニア）　25-2

セブ（比島）　23-2、24-10

セレベス　5-3、5-4、5-5、5-6、5-10、7-3、13-1、13-2、13-3、13-4、13-5、13-6、14-3、16-1、17-4、20-3、29-5、29-6、29-7、29-8、29-9、29-10、29-11、29-12、30-1、30-2、30-3、30-4、30-5、30-6、30-7、30-7、30-8、30-9、30-10、30-11

セレベス島　1-4、1-4、4-12、6-4、6-4、6-5、9-3、9-3、9-3

セレベスの北海岸　6-3

鮮　14-2

全欧　9-1

占領島　5-4

占領南洋諸島　4-10

ソヴイエツト聯邦　16-2

ソヴイエツト露西亜（ロシア）　14-9、14-10

ソヴエート・ロシア　21-3

ソサイテー島　8-11

ソ聯　21-8

ソロモン群島　29-4

ソロモン島　8-12、8-12、9-1、9-1

ソンゾル諸島　12-6

ソンゾル島（南洋群島）　12-6

［タ行］

タイ　25-6、25-11、28-5、29-4、29-5

泰（タイ）　25-12、26-1、26-1、26-4、26-4、26-5、26-6、26-12、27-9、28-4、29-9、29-9

大アマゾン河流域　14-8

タイ国　25-7、25-7、25-8、25-8、25-8、25-8、25-9、25-10、25-11、25-11、25-11、25-12、26-1、26-1、26-1、26-1、26-2、26-3、26-4、26-6、26-10、26-12、27-1、27-1、27-3、27-5、27-6、27-7、27-7、27-7、27-8、27-10、27-11、27-11、28-1、28-1、28-1、28-2、28-6、28-9、28-11、29-2、29-6、29-7、29-8、29-9、29-10、29-11、29-12、30-1、30-1、30-2、30-3、30-4、30-4、30-5、30-6、30-7、30-8、30-9、30-10、30-11

タイ「国」　28-5

泰国（タイ）　25-9、26-1、26-1、26-3、26-4、26-4、26-5、26-5、26-6、26-7、26-9、26-12、27-2、27-2、27-5、27-6、27-12、28-1、28-1、28-1、28-1、28-2、28-2、28-4、28-4、28-4

タイ国北部地方　25-9、25-10

タイタイ地方　24-4

タイチ島　9-1、9-1

大東亜　28-10、28-11、28-12、29-3、29-10

大東亜共栄圏　27-3、27-10、28-2、28-8、28-8

大南洋　22-2、27-9、29-5

大　紐育（ニューヨーク）　23-8

タイパナス地方（爪哇（ジヤワ）カロート）　7-6

大ブラジル共和国　14-9

太平洋　1-1、4-10、5-12、8-2、10-3、10-4、12-12、15-5、20-9、21-6、21-10、24-12、25-3

太平洋諸島　5-10、6-3

大満洲　18-4

台湾　1-8、2-5、2-5、2-6、2-6、2-6、2-6、4-7、6-3、6-3、7-1、7-2、7-3、7-3、7-4、14-9、15-6、15-9、15-10、19-2、19-2、21-5、21-10、22-1、22-3、22-10、23-9、26-2、26-9、29-10

ダヴアオ　12-7、24-8

ダヴオ　26-5

タスマニア　6-3、6-8

タナパク港　12-7

タナム　4-4

タナラタ（キヤメロン高原）　20-1

ダバオ　7-11、13-1、13-3、13-3、14-1、15-8、15-9、16-6、17-8、17-9、18-5、21-7、
　　21-7、21-9、21-9、21-9、22-2、22-7、22-7、24-7、24-7、27-8、27-9、28-5、28-5

ダバオ（比島）　28-2

ダバオ（比律賓〔フィリピン〕）　12-5、14-7、15-4、15-7、15-11、16-11、20-12、21-9

ダバオ（比律賓〔フィリピン〕群島）　15-4

ダバオ港　16-4、17-5、18-5

ダバオ州（比律賓〔フィリピン〕群島）　15-5

ダバオ州（比律賓〔フィリピン〕群島ミンダナオ島）　10-11

ダバオ湾（比律賓〔フィリピン〕群島ミンダナヲ島）　13-12

ダバオ湾内（比律賓〔フィリピン〕群島ミンダナオ島）　13-3

タパヌリ（スマトラ、アチェ東海岸南部）　13-10

タパヌリ州　24-12

タヒチ島　24-8

タラカン　22-7、23-4

タラカン港　23-3

タールアン運河　8-8

タルナテ港（ニユウギニア）　4-5

タロモ桟橋　16-11

タワオ　16-9

タワオ（北ボルネオ）　6-7

タワオ地方（北ボルネオ）　4-6、4-7

タンジヨン・プリオーク　22-7

タンジヨンプリオク（爪哇〔ジャワ〕バタビヤ新港）　3-12

タンジヨン・プリオク埠頭　23-2

タンジヨン・プンガ（彼南）　22-1

タンヂヨン、プリオク　6-9

タンブール（仏領印度支那）　22-11

チエツコ　20-2、23-3

チエリボン　21-12、22-5

チエンマイ　27-12

千島　15-10

地中海　24-9

チムール　15-6

チモール島　22-9

チヤイナ　23-3

湄南河（暹羅）^{チヤオプラヤー}　7-9

ヂヤムビ　10-2、11-9、11-10

チヤングロン　8-10

中央交趾支那^{コウチ}　14-5

中央爪哇^{ジヤワ}　6-9、18-6、22-1、24-8、24-8

中央ボルネオ　10-3、10-4

中華民国　18-4

中東　22-11

中部爪哇^{ジヤワ}　5-12、19-1、22-1、22-11、23-2

中部セレベス　6-5

朝陽映島　25-1

堤岸^{チヨロン}　30-6

堤岸市^{チヨロン}　22-11

チラチヤツプ　22-2

チラチヤツプ（爪哇^{ジヤワ}）　5-5

智利　6-2

チリウオン川　6-12

チロ山麓（馬来聯邦州）^{マライ}　9-5

ツユヂパナス　6-8

ティモール島　16-5

デイン・デイン　20-9

テガル　22-8、23-3

テガル港（爪哇）^{ジヤワ}　5-7

デリー　5-10、9-11/12、10-10、11-12

3. 地 名　75

独乙（ドイツ）　3-10

独逸（ドイツ）　4-11、4-12、5-1、5-2、5-12、6-2、6-2、6-3、6-3、6-3、6-7、6-7、7-4、8-1、
　　8-4、8-5、8-6、8-6、8-7、10-12、11-7、12-1、15-2、16-8、20-1、22-10、28-4

東亜　1-5、25-2、25-5、27-5、27-10、28-3、28-4、28-8

東亜共栄圏　26-8、26-10、26-11、27-7

東京　6-2、14-1、14-5、18-6、20-8、22-7、25-9

東南ボルネオ　16-4

東南ボルネオ州　15-7、15-8

東南洋　5-6、6-4、6-5

東部爪哇（ジャワ）　4-9、6-1、6-2、6-3、14-7、22-3

東部爪哇（ジャワ）州　19-1、19-1

東部スマトラ　4-3

東洋　24-10

独　3-5、6-4、8-5、10-2、10-10

独領　5-2

独領サモア　28-7

独領南太平洋諸島　6-5

独領ニウギニア　25-2

独領ニユーギニヤ　3-8

トサリ（東部爪哇（ジャワ））　4-9、14-7

ドーセ河畔　14-8

トバ　17-4

トバ湖（スマトラ）　11-5、26-2

トバ湖（スマトラ島高原）　9-10

トバ湖畔（スマトラ）　23-1

トラック諸島　2-4

トラック島　5-1

トレガヌ王国　6-3、6-3

トレンガス王国　23-6

東京（トンキン）　10-10、11-11、20-11

東京（トンキン）地方（仏印）　27-1

トンド（マニラ港）　14-4

[ナ行]

内地　27-2、27-4、27-5、27-6、27-7、27-8、27-9、27-10、28-2

ナガラ（ボルネオ島）　16-3

名古屋　14-8、16-1、23-6

名古屋市　21-10

ナタルパーク　30-1、30-2、30-3

南阿　9-3、9-4、11-12

南亜　9-2

南阿聯邦　23-4

南印　7-9、7-10、7-12

南海　6-5、6-6、6-7、24-2、24-5、24-6、26-1、29-5、30-8

南海諸島　27-2、27-3、27-4、27-5、27-6、27-8、27-9

南国　13-1、13-3

南支　7-2、7-3、8-9、9-3

南支南洋　9-4、10-2、10-3

南東アジア　24-5

南東ボルネオ　11-12、12-4、12-5、12-6

南蛮　11-5

南部安南奥地高原地方　14-12

南部仏印　28-3

南米　7-7、9-2、9-3、9-4、9-6、11-9、11-11、14-10、17-1、20-5、20-6、25-9

南方共栄圏　28-3、29-4

南方圏　28-8、28-10、29-7、29-8、29-11

南方諸国　25-2、27-1、27-2

南北中米　11-12、12-2、12-3

南北米　21-1

南洋印度　12-10、12-11

南洋群島・諸島　1-3、1-4、1-6、2-6、2-7、3-2、5-10、8-4、9-8/9、10-5、10-7、10-7、10-11、11-5、11-9、11-11、12-5、12-5、12-6、12-6、12-7、12-9、12-11、14-3、16-7、16-11、17-5、17-6、17-8、18-8、19-11、19-12、20-2、20-3、20-4、20-10、20-11、20-12、21-1、21-4、21-5、21-6、23-12、25-7、25-8、25-11、26-2

南洋新占領諸嶋　1-6

南洋新占領地　1-4、5-2、5-3

南洋新領土　2-8

南洋占領諸島　1-1、2-1、4-12

南洋占領諸嶋　1-5

南洋占領地　2-6

南洋島　5-10

南洋蛮島　8-10、8-11、8-12、9-1

ニウギニア　18-12、19-1

ニウギニア島　5-1

ニゲリヤ　23-2

西印　9-5

西豪州　10-5

西半球　23-7

日　1-3、2-8、4-9、4-12、5-3、5-3、5-3、5-5、5-9、5-9、6-6、6-8、7-1、7-1、7-2、7-4、7-7、7-9、8-3、8-7、8-9、8-10、9-10、10-2、10-5、10-6、10-6、10-10、11-4、11-6、11-12、11-12、13-1、13-2、13-7、13-9、13-10、14-1、14-6、14-6、14-7、14-8、14-9、14-9、14-10、14-11、14-11、14-12、15-9、17-8、17-9、17-10、17-10、17-11、18-3、18-4、18-5、18-5、18-9、18-10、19-4、19-5、19-5、19-9、19-9、19-10、20-7、20-8、20-10、21-1、21-2、21-3、21-3、22-4、22-5、22-5、22-7、22-7、22-7、22-9、22-12、23-7、23-10、23-11、23-11、23-12、23-12、24-1、24-2、24-3、24-3、24-4、24-5、24-6、24-7、24-8、24-9、24-9、24-10、24-11、24-11、24-12、24-12、24-12、24-12、25-1、25-1、25-2、25-2、25-2、25-3、25-4、25-4、25-4、25-5、25-5、25-6、25-6、25-6、25-6、25-7、25-7、25-8、25-8、25-9、25-9、25-10、25-11、25-11、25-12、25-12、26-1、26-1、26-1、26-2、26-2、26-3、26-4、26-4、26-5、26-5、26-5、26-6、26-6、26-7、26-7、26-8、26-9、26-10、26-11、26-11、26-12、26-12、27-1、27-2、27-2、27-3、27-4、27-5、27-6、27-6、27-7、27-7、27-8、27-8、27-9、28-4、28-4、28-6、29-1、29-5、29-9、30-4

日本　2-7、2-7、2-8、2-8、4-3、5-2、5-3、5-3、5-4、5-5、5-9、5-11、6-3、6-4、6-4、6-6、6-6、6-8、6-11、6-12、7-1、7-2、7-9、10-1、10-1、10-2、10-4、10-7、10-10、10-11、10-12、10-12、11-1、11-1、11-5、11-5、11-6、11-6、11-7、11-9、11-11、11-12、12-6、12-8、12-11、12-12、13-6、13-6、13-7、13-9、13-9、13-10、13-10、13-10、14-1、14-3、14-4、14-5、14-5、14-6、14-6、14-8、14-11、15-2、15-3、15-4、15-5、15-6、15-7、15-8、16-1、16-4、16-10、16-10、17-1、17-2、17-5、17-6、17-8、18-2、18-2、18-2、18-3、18-4、18-4、18-5、18-7、18-9、18-11、18-11、18-11、18-12、19-1、19-1、19-1、19-3、19-4、19-5、19-5、19-6、19-

8、19-8、19-8、19-8、19-9、19-10、19-11、19-11、19-12、19-12、20-1、20-2、20-2、20-2、20-4、20-5、20-5、20-5、20-5、20-6、20-6、20-7、20-7、20-7、20-8、20-8、20-11、20-11、20-11、21-1、21-2、21-3、21-3、21-5、21-5、21-6、21-6、21-9、21-9、21-10、21-11、21-11、21-11、21-11、21-12、22-2、22-2、22-2、22-4、22-5、22-6、22-6、22-6、22-6、22-7、22-7、22-7、22-7、22-8、22-8、22-8、23-2、23-3、23-4、23-4、23-7、23-7、23-7、23-9、23-10、23-12、24-5、24-6、24-6、24-10、24-10、25-1、25-4、25-5、25-5、25-6、25-6、25-6、25-8、25-11、27-4、27-5、27-8、29-4、29-5、29-5、29-6、29-7、29-8、29-8

牙荘(ニヤッチャン) 29-3

新(ニュー) 26-11

ニユウギニア 4-5、4-5、6-11、7-10、10-6

ニュウ、ギニア 6-11

ニユウギニア沿岸 4-5

ニユウギニアパプア 4-5、4-5、4-5

ニユーカツスル 6-6

ニユーカレドニア 24-5、24-5、24-5、24-8、27-3、29-2

ニユー・カレドニア 24-5、24-5、25-1、25-8、26-3、26-4、26-4、26-4、27-8

ニユーカレドニヤ 27-12

ニユギニア 22-9、22-9

ニユーギニア 5-4、5-7、5-8、6-10、6-11、6-12、7-5、7-6、7-7、7-8、7-9、7-11、7-12、8-1、8-2、8-3、12-4、12-4、12-4、13-4、18-7、21-11、22-1、22-1、22-1、22-1、22-11、22-12、23-9、24-10、25-4、26-3、26-4、26-10、26-11、28-4、28-9

ニユー・ギニア 11-1

ニユーギニア北沿岸 22-11

ニユーギニア島 13-4、22-4

ニユーギニイ 24-6、25-1

ニユーギニヤ 25-8、25-9、25-10、25-11

新(ニュー)ギニア 7-4

ニユー・サウス・ウエールス 6-7

ニユージランド 30-2

ニユージーランド 6-3

ニユー・ジーランド 25-6、25-7、25-8、25-9、25-10、25-11

新西蘭(ニュージーランド) 6-4、6-4、6-4、6-5、6-8、6-8、6-10、6-10、6-12、6-12、7-3、7-4、21-11、24-3、24-9、24-9、25-1、25-2、25-3、25-4、25-6、25-12、26-1、26-5、26-6、26-

3. 地 名

　　10、26-11、26-11、27-2、27-2、27-3、27-3、27-4、27-5、27-7、27-9、27-9、27-11、28-3、28-3

ニユー・ヂーランド　24-10

ニユー・ヂ・ランド　26-7

紐育(ニューヨーク)　8-3、20-10、20-10

ネグロス島　28-12

熱帯アメリカ　12-2

熱帯国　9-3

熱帯地方　12-1

[ハ行]

バイテンゾルグ　20-1、22-1

バイテンゾルグ（爪哇(ジャワ)）　21-9

バイテンゾルフ（爪哇(ジャワ)）　4-6、25-7

海防(ハイフォン)　7-1

バカンテツト湖（爪哇(ジャワ)カロート）　7-6

パガンバルー（スマトラ）　16-5

パガンバルー（スマトラ西海岸）　16-3

バギオ（比島）　24-9、26-6

バギヲ（比律賓(フィリピン)）　22-5

パグサンハン峡谷（比島）　11-1、11-1

白象王国　17-3

バシラン島　6-10

バスラ　24-12

バタビア　5-3、5-5、15-6、18-12、19-9、20-2、20-3、20-3、20-3、20-7、21-8、21-8、21-8、21-11、22-1、22-2、22-5、22-5、22-9、22-9、22-10、22-11、22-12、23-2、23-4、23-5、24-12、29-12

巴城(バタビア)　8-1、8-4、8-5、8-9

バタビア（爪哇(ジャワ)）　25-11

バタビア市　22-4

バタビヤ　4-7、4-9、4-9、14-5、14-8、14-8、14-10、15-3、18-12、19-2

バタビヤ（爪哇(ジャワ)）　4-4、4-4、4-9、19-2、19-3、25-9

バタビヤ（蘭印）　28-3

バタビヤ旧市街　10-9
バタビヤ旧市街（爪哇〈ジャワ〉）　10-8
バタビヤ郊外（爪哇〈ジャワ〉）　11-6
バタビヤ市中　4-9
バタビヤ新港　3-12
パダン　18-10、21-1、21-1、21-6、22-2
パダン（スマトラ）　5-9、6-11
パタング鉄道沿線（爪哇〈ジャワ〉）　4-8
パダン高原　21-1
パダン州　13-10
バタン島　7-7
客家　25-10
パツサル・ガンビル（爪哇〈ジャワ〉バタビア）　25-11
バトパハ（馬来〈マライ〉半島ジョホール王国）　9-8/9
パトムワン水門（暹羅〈シャム〉）　8-10
バトリー河口　8-3
パナマ　14-10
ハノイ　11-8、13-9
河内〈ハノイ〉（仏領印度支那）　13-2
ハバナ　14-6、14-7
パハン　15-7
パハン州　28-8
パハン州（英領馬来〈マライ〉）　26-9
パプア　4-5
パプア島　6-8
パラオ（南洋群島）　10-7、12-5
パラオ島　5-1、10-8、20-3、22-6、22-7
パラオ島（南洋群島）　16-7
パラオ内港　20-3
パラワン島（比島）　21-12
ハランガオル村（スマトラ・トバ湖畔）　23-1
巴里〈パリ〉　6-5
バリー　22-3、22-3、24-3、24-6、24-6
バリクパパン　5-2

バリクパパン（ボルネオ島）　5-4

バリ島　3-9、4-4、7-2、17-9、18-1

バリー島　23-1、24-9、24-12、25-7、26-1

バリ島（蘭領東印度）　9-5、11-10

バリー島（蘭領印度）　26-5

バリー島北岸　22-1

ハルマヘイラ島　7-3、7-4、7-5、8-8、8-12、9-1、9-2、9-3、9-4、9-5

ハルマヘイラ嶋　7-5

ハルマヘラ　11-1、11-2

ハルマヘラ島　6-6、6-7、6-8、6-9、6-10、6-11、6-12、7-1、7-2、8-1、8-2、8-4、8-5、8-6、8-7、8-10、8-11、9-6、9-7、9-8/9、9-10

ハルマヘラ嶋　6-5

ハルモヘーラ（ニユウギニア）　4-5

パレンバン　6-8

パレンバン（スマトラ）　20-10

パレンバン市　20-10

パレンバン市（スマトラ島）　18-11

バーロン瀧（豪州）　25-9

ハワイ　10-2

布哇（ハワイ）　16-4

バンカ　5-5、20-11

番加海峡（バンカ）　22-12

バンカ島　9-5、9-5、9-6、21-8

匈加利（ハンガリー）　8-8

ハンガリア　14-11

盤谷（バンコク）　6-3、7-8、11-3、12-7、18-4、19-10、20-7、20-7、20-10、22-8、23-7、24-2、24-3

盤谷（バンコク）（暹羅（シヤム））　6-12

盤谷港（バンコク）　28-1

バンコツク　13-9、16-10

バンジヤマシン（ボルネオ島）　5-4

バンジヤルマシン　3-9、8-8、16-3、20-12、20-12、21-9

バンジヤルマシン（東南ボルネオ）　16-4、16-4

汎太平洋　10-3、10-4、23-6

バンタム　22-11、25-7

バンヂヤルマシン（ボルネオ）　3-12、11-2

バンヂヤルマシン港（ボルネオ）　4-6

半島　5-9

蛮島（南洋）　8-10、8-11、8-12、9-1

バンドン　5-7、6-4、6-6、6-8、6-9、22-1、22-2、22-2、22-9

晩敦^(バンドン)　10-10

バンドン（爪哇^(ジヤワ)）　10-10

バンドン市　6-6、15-10

バンメチユオト　14-12

バンメチユオト（仏領印度支那）　14-12

比　1-3、5-3、10-10、19-9、22-4、22-5、23-11、23-11、23-12、24-12、25-6、26-5、26-7

東インド　28-4、28-5、28-6、28-7

東印度　22-9、23-1、25-4、25-6、28-4、28-9、28-10、28-11、28-11、29-1、29-2、29-3、29-3、29-4、29-6、29-6、29-7、29-9、29-12、30-3、30-4、30-8、30-8

東南洋　6-5、6-6

ビクトリア州（豪州）　6-8

ビコール地方（比律賓^(フィリピン)）　22-10、22-10

翡翠山　11-4

比島　1-3、1-5、2-6、2-6、2-7、2-8、2-8、2-9/10、2-9/10、3-2、3-3、3-4、3-4、3-5、3-5、3-5、3-7、3-7、3-7、3-7、3-7、3-7、3-10、4-2、4-10、4-11、4-11、4-12、4-12、4-12、5-1、5-2、5-3、5-3、5-9、5-10、5-11、5-11、6-2、6-3、6-4、6-4、6-4、6-6、6-6、6-6、6-7、6-9、6-9、6-10、6-12、8-4、8-5、8-6、9-4、9-5、9-8/9、9-8/9、10-11、11-1、11-1、11-8、12-1、12-9、12-9、12-10、12-12、13-9、17-4、17-8、19-4、19-6、19-8、19-9、20-4、20-8、20-12、21-1、21-2、21-3、21-4、21-5、21-8、21-12、22-6、22-11、22-12、23-1、23-2、23-2、23-4、23-4、23-4、23-4、23-5、23-8、23-9、23-11、23-12、24-3、24-5、24-9、24-10、24-12、25-1、25-4、25-4、25-6、25-7、25-7、25-7、25-10、25-11、25-11、25-11、26-3、26-3、26-4、26-5、26-6、26-8、26-11、26-12、26-12、27-1、27-4、27-6、27-6、27-7、27-7、27-7、27-8、27-8、27-11、27-11、27-12、27-12、28-2、28-2、28-2、28-2、28-5、28-6、28-6、28-7、28-10、28-10、28-12、29-2、29-4、29-5、29-6、29-6、29-7、29-7、29-7、29-8、29-8、29-9、29-10、29-11、29-12、30-1、30-

3. 地　名　83

　　2、30-3、30-4、30-5、30-6、30-7、30-8、30-9、30-9、30-10、30-10、30-11

ヒリッピン　28-8

ビルマ　10-1、13-9、22-7、22-12、22-12、23-11、24-1、24-9、24-10、24-11、24-12、25-1、25-2、25-3、25-4、25-5、25-6、25-6、25-6、25-7、25-8、25-8、25-9、25-10、25-11、25-12、26-1、26-2、26-3、26-3、26-3、26-4、26-5、26-6、26-7、26-7、26-8、27-3、27-4、27-5、27-7、27-8、27-9、27-10、27-11、27-11、28-2、28-2、28-3、28-4、28-4、28-5、28-6、28-7、28-8、28-9、28-9、28-11、28-12、29-1、29-3、29-4、29-5、29-6、29-7、29-8、29-9、29-9、29-10、29-11、29-12、30-1、30-2、30-3、30-4、30-5、30-6、30-7、30-8、30-8、30-9、30-10、30-11

緬甸（ビルマ）　5-5、5-6、5-7、5-8、5-9、5-9、5-10、6-2、6-3、6-3、6-5、6-7、6-7、6-7、6-11、6-11、6-11、6-12、7-3、7-6、7-6、7-8、7-10、7-11、7-12、9-11/12、11-5、12-9、13-7、14-5、14-6、14-8、15-3、15-5、15-5、15-6、15-10、16-1、20-2、25-2、25-5、26-10、26-12、27-1、27-5

フイジ島　8-11

フイジー島　26-4

プイテンゾルフ　7-6

フィリッピン　29-2

フイリッピン　24-4、25-6、28-3、28-5、28-5、28-5、29-9、30-9、30-10

フイリッピン群島　14-3、14-4、14-5、24-4、28-2

フィリピン　3-1、27-10、30-11

比律賓（フィリピン）　1-2、1-3、1-7、1-8、1-10、2-5、2-6、2-6、2-7、3-2、3-2、3-3、3-4、3-4、3-5、3-9、4-2、4-3、4-5、4-5、4-6、4-6、4-7、4-7、4-8、4-9、4-10、4-11、5-2、5-2、5-2、5-2、5-3、5-3、5-8、5-8、5-9、5-11、5-12、6-1、6-2、6-3、6-5、6-6、6-8、6-9、6-11、6-12、7-1、7-2、7-2、7-3、7-3、7-4、7-4、7-5、7-6、7-6、7-7、7-7、7-8、7-9、7-9、7-10、7-11、7-12、8-1、8-2、8-2、8-2、8-5、8-8、8-9、9-7、9-8/9、9-10、10-4、10-8、10-11、10-11、10-11、10-12、11-1、11-10、12-1、12-3、12-3、12-3、12-5、12-12、13-4、13-6、13-7、13-7、14-2、14-2、14-3、14-4、14-5、14-7、14-12、15-2、15-4、15-7、15-7、15-7、15-8、15-9、15-11、16-4、16-4、16-6、16-7、16-7、16-8、17-1、17-2、17-3、18-1、18-2、18-3、18-4、18-5、18-7、18-9、18-9、18-9、18-9、18-10、19-3、19-5、19-6、19-7、19-11、20-1、20-5、20-5、20-8、20-8、20-10、20-12、20-12、20-12、21-1、21-1、21-6、21-8、21-9、21-9、21-10、21-10、21-10、21-11、21-11、21-12、21-12、22-1、22-1、22-1、22-1、22-2、22-3、22-5、22-7、22-7、22-7、22-8、22-9、22-9、22-10、22-10、

22-10、22-11、22-12、23-1、23-1、23-4、23-5、23-11、23-12、24-2、24-3、24-6、24-8、24-8、24-9、24-10、24-11、24-11、24-11、24-12、25-1、25-2、25-2、25-3、25-4、25-4、25-5、25-5、25-5、25-5、25-6、25-7、25-8、25-9、25-9、25-10、25-11、25-12、26-1、26-2、26-2、26-3、26-3、26-4、26-5、26-5、26-5、26-5、26-5、26-6、26-7、26-7、26-8、26-9、26-10、26-10、26-11、26-12、27-1、27-1、27-1、27-1、27-2、27-2、27-2、27-3、27-4、27-5、27-6、27-7、27-7、27-7、27-8、27-9、27-9、27-10、27-11、27-11、27-12、27-12、28-1、28-1、28-1、28-2、28-2、28-3、28-4、28-7、28-10、28-11、29-1、29-1、29-1

非律賓〔フィリピン〕 1-10

比律賓群島〔フィリピン〕 1-2、1-2、1-5、4-2、4-6、4-11、5-1、5-1、6-3、6-9、6-10、10-5、12-9、13-3、13-12、15-4、15-5、16-11、17-4、20-5

比律賓島〔フィリピン〕 8-2

比律賓富士〔フィリピン〕 26-3

フオルド・デ・コツク 10-10

プケツト港（暹羅〔シヤム〕） 9-11/12

釜山 23-1、23-2

ブスアンガ島（比島） 28-2

仏 5-2、5-3、7-9、8-10、9-8/9、10-11、14-9、27-7、28-4

仏印 10-6、11-2、11-3、11-12、12-10、12-11、25-6、25-7、26-7、26-7、26-8、26-9、26-10、26-11、27-1、27-1、27-3、27-4、27-4、27-5、27-6、27-6、27-7、27-7、27-7、27-7、27-8、27-11、27-12、28-1、28-1、28-4、28-4、28-4、28-4、28-4、28-6、28-6、28-6、28-10、28-11、28-11、28-12、28-12、29-1、29-3、29-5、29-5、29-7、29-7、29-8、29-9、29-9、29-10、29-10、29-10、29-11、29-12、29-12、30-1、30-2、30-2、30-3、30-4、30-5、30-5、30-8

福建 24-5、25-2、25-4

仏国 10-10、10-11、15-7

仏領印度 4-3、21-9

仏領印度支 9-3

仏領印度支那 4-3、4-9、4-12、5-3、5-3、6-1、6-6、6-7、6-11、7-1、7-2、7-3、7-3、7-4、7-5、7-5、7-6、7-7、7-9、7-10、7-10、7-11、7-12、8-1、8-2、8-3、8-4、8-5、8-5、8-6、8-6、8-6、8-7、8-7、8-8、8-8、8-9、8-9、8-10、8-11、8-12、8-12、9-1、9-1、9-2、9-2、9-2、9-3、9-4、9-6、9-7、9-8/9、10-4、10-7、10-8、10-9、10-9、10-10、10-10、10-11、10-11、10-11、10-12、10-12、11-1、11-1、11-2、11-2、11-3、11-4、11-6、11-6、11-6、11-7、11-7、11-8、11-9、12-8、12-9、12-9、

　　　　13-1、13-1、13-2、13-3、13-4、13-7、13-8、13-9、13-10、13-11、14-4、14-5、
　　　　14-12、15-9、15-11、15-12、16-1、16-2、16-5、16-5、17-1、17-2、17-8、17-9、
　　　　17-10、18-2、18-4、18-4、18-4、18-5、18-6、18-6、18-8、18-11、19-4、19-4、
　　　　19-9、19-10、19-12、19-12、20-7、20-7、20-7、20-11、20-11、20-11、21-2、21-
　　　　2、21-6、21-8、21-9、21-10、21-12、21-12、22-2、22-2、22-5、22-10、22-11、
　　　　22-11、23-4、23-7、23-9、24-9、24-10、24-10、24-11、24-12、25-1、25-1、25-1、
　　　　25-2、25-3、25-4、25-5、25-6、25-7、25-7、25-8、25-9、25-10、25-10、25-11、
　　　　25-12、26-2、26-3、26-4、26-5、26-7、26-7、26-8、26-11、26-12、27-1、27-2、
　　　　27-3、27-4、27-5、27-6、27-6、27-7、27-9、27-10、27-11、27-12、28-1、29-2、
　　　　29-4、29-6、29-7、29-8、29-9、29-10、29-11、29-12、30-1、30-2、30-3、30-4、
　　　　30-5、30-6、30-7、30-8、30-9、30-10、30-11

仏領印度支那南部　13-11

仏領印度支那南部地方　13-9

仏領東京（トンキン）　10-8

仏領南洋諸島　7-10

仏領ニユーカレドニア　24-5

仏領ニユー・カレドニア　25-6、26-5、26-7

仏領老檛（ラオス）　16-11

ブラジル　11-3、16-9、20-10

ブラジル国　11-11

伯国　11-8

ブラスタギ（スマトラ）　19-1、23-4

ブラパット（スマトラ島トバ湖）　26-2

プラパトム（暹羅（シャム））　17-5

ブラワン港（スマトラ）　10-2

武陵桃源　7-2

ブルナイ　4-3

ブルナイ港（ボルネオ、ブルネイ国）　4-6

ブルネイ　3-9

ブルネイ王国　23-1

ブルネイ国　4-6

ブルネー王国　8-1

ブル・ラヂヤ・エステート　14-2

プレアンゲル（爪哇（ジャワ））　12-10

プロモ　17-1

プロモ（爪哇^{ジャワ}）　8-10

プロモ火山（爪哇^{ジャワ}）　4-9

プロモ火山（東部爪哇^{ジャワ}トサリ）　14-7

フローレス島　7-4、7-4、7-4、7-5、7-6

フローレス島海岸地方　7-4

フローレス島山嶽地方　7-4

フローレス島南海岸　7-4

米　1-6、6-2、6-2、6-4、6-5、9-8/9、10-7、12-3、14-7、20-10、23-5、23-11、23-11、23-12、24-12

米国　1-5、4-3、4-5、4-6、5-6、5-6、5-10、5-12、6-1、6-2、6-2、6-6、6-8、7-8、7-11、8-1、8-4、8-6、8-9、8-9、9-2、9-11/12、10-2、10-6、10-9、10-9、11-6、11-10、11-12、12-4、12-6、15-12、23-2、23-11、23-11、25-3、26-8、26-9、26-10、27-6

ヘイツペレース山（比律賓^{フィリピン}）　8-2

ペカロンガン港　20-1

北京　6-5

ヘーグ　23-11

ヘッチヤブリ地方（比律賓^{フィリピン}）　8-2

彼南^{ペナン}　6-12、13-9、20-5、22-1

被南^{ペナン}　17-6

卑南^{ペナン}（海峡植民地）　12-1

彼南^{ペナン}支部　23-5

ペナンジヤル山峰　8-4

彼南^{ペナン}島　22-11

彼南^{ペナン}埠頭（馬来半島^{マライ}）　5-5

ペラ河　20-6

ペラ国　20-9

ペラ州　8-3、20-6、25-11

ベラワン　14-12

ベラワン（スマトラ東海岸）　5-9

ベラワン港（スマトラ東海岸州）　16-7

ベラワンデリ（スマトラ）　15-11

ベリ州（スマトラ）　4-3
波斯(ペルシヤ)　23-1
ベルリン　23-12
ベンカリス　10-3
ベンクーレン　11-9
ベンゲツト　25-8

ボイテンゾルフ（爪哇(ジヤワ)）　25-7
墨　25-6
北島（新西蘭(ニユージーランド)）　6-8
北部暹羅(シヤム)　25-5
北部スマトラ　4-3、16-9、17-2
北部セレベス　25-8
北部仏印　27-10、29-3
北部ラオス地方　8-8
北米　11-9、16-7
北米合衆国　15-7、18-1
北海道　20-8
ポートスキツテンハム港　19-12
ポナペ島　3-2
ホバート港　6-5
葡領チモール　27-3、27-4、27-5
葡萄牙(ポルトガル)領チモール　22-7
ボル子オ　2-6
ボルネオ　2-8、3-9、3-11、3-12、4-1、4-2、4-6、4-6、4-6、4-6、4-7、6-7、6-8、6-8、6-10、6-11、6-12、6-12、7-1、7-1、7-10、7-11、7-11、7-12、7-12、8-1、8-1、8-1、8-1、8-1、8-1、8-6、10-1、10-2、10-3、11-2、21-2、21-8、22-1、22-1、22-4、22-7、23-1、24-10、24-11、28-4、29-3、29-4、29-5、29-6、29-7、29-7、29-8、29-9、29-10、29-11、29-12、30-1、30-2、30-3、30-4、30-5、30-6、30-7、30-7、30-8、30-9、30-10、30-11
ボルネオ島　3-9、5-4、5-4、16-3
ボルネオ東南州　15-1
ホロ　21-9
ボンガボン　12-4、12-5

香港　21-5

本邦　1-5、12-3、12-5、12-6、21-11、27-2、27-3、27-4、28-4

［マ行］

マイアミ　20-12

マカツサ　17-2、17-6、20-11、20-11、23-11

マカツサー　5-10

マカツサー（セレベス）　7-3

マカツサ港　1-4

マカツサー港　5-2

マカツサル　23-8

マカツサル（セレベス）　20-3

マーキサス島　8-11

マヅラ　11-10、11-11、26-4、26-5、26-6、26-7、26-10

マドラ　6-7、13-3、13-6、17-9、17-10、18-2、18-5、18-6、20-4、22-9

マドラス　5-8

マドラ島　22-8

マニラ　1-2、3-5、4-10、5-5、6-6、6-8、6-9、6-9、8-5、11-7、11-8、11-10、11-11、12-6、12-6、13-6、13-6、13-6、14-4、14-4、14-6、20-3、20-8、22-4、22-5、22-8、22-12、23-5、23-5、24-3、24-3、25-1、25-1、26-6、28-5、28-5、28-5

馬尼剌(マニラ)　3-2、3-3、6-3、6-4、6-4、6-7、6-7

マニラ（比律賓(フィリピン)）　11-10、13-7

マニラ港　14-4

マニラ市　25-5

馬尼剌市　6-3

マノクワリ（蘭領ニユーギニア）　9-3

マノクワリ港（蘭領ニユーギニア）　9-4

Mt. Mayon　26-3

マヨン火山（比律賓(フィリピン)ルソン島）　15-2

マライ　29-1、29-3、29-4、29-5、29-6、29-7、29-8、29-9、29-10、29-11、29-12、30-1、30-2、30-3、30-4、30-5、30-6、30-6、30-6、30-7、30-7、30-8、30-9、30-10、30-11

馬来(マライ)　3-8、4-4、4-6、4-6、4-7、4-7、5-1、5-4、8-6、8-10、10-7、10-11、11-1、13-3、14-11、16-8、18-5、19-6、19-7、19-11、20-5、20-8、20-8、20-10、21-2、21-

2、21-3、21-3、21-3、21-7、21-8、22-2、22-2、22-7、22-11、22-11、22-11、22-12、23-1、23-2、23-2、23-2、23-2、23-2、23-2、23-3、23-3、23-3、23-3、23-4、23-4、23-5、23-5、23-5、23-5、23-5、24-2、25-6、25-8、25-9、25-12、25-12、26-1、26-3、26-3、26-3、26-4、26-4、26-5、26-6、26-6、26-7、26-9、26-9、26-9、26-9、26-10、26-10、26-11、26-11、26-11、26-11、26-11、26-11、26-12、26-12、26-12、26-12、26-12、26-12、27-1、27-2、27-2、27-2、27-3、27-3、27-4、27-4、27-5、27-5、27-5、27-6、27-6、27-6、27-7、27-7、27-7、27-8、27-8、27-9、27-9、27-9、27-9、27-9、27-10、27-10、27-10、27-11、27-11、27-12、27-12、27-12、28-1、28-1、28-1、28-6

馬来群島 <ruby>馬来<rt>マライ</rt></ruby>群島　4-3

<ruby>馬来<rt>マライ</rt></ruby>サラワク　21-7

<ruby>馬来<rt>マライ</rt></ruby>諸州　18-12

<ruby>馬来<rt>マライ</rt></ruby>地方　19-7

<ruby>馬来<rt>マライ</rt></ruby>半島　1-2、1-2、1-3、1-10、3-4、3-5、3-6、3-6、3-8、3-9、3-9、3-10、3-10、3-10、5-5、5-6、5-6、5-6、5-9、5-12、6-1、6-2、6-2、6-3、6-6、6-6、7-3、7-8、9-8/9、10-4、10-5、10-10、10-10、11-2、11-3、11-6、11-10、12-2、12-3、12-4、12-7、12-8、12-11、13-1、13-2、13-3、13-4、13-5、13-6、13-9、14-1、14-1、14-3、14-5、15-3、15-3、15-11、16-10、17-1、17-3、18-4、18-7、18-7、18-10、19-6、19-7、20-3、20-9、20-10、20-11、20-11、20-12、21-1、22-1、24-3、24-7、24-8、24-9、25-6、25-7、25-8、25-9、25-11、25-12、26-1、26-2、26-7、26-7

<ruby>馬来<rt>マライ</rt></ruby>領　21-3

<ruby>馬来<rt>マライ</rt></ruby>聯合国　4-4

<ruby>馬来<rt>マライ</rt></ruby>聯邦　2-5、2-6、3-6

<ruby>馬来<rt>マライ</rt></ruby>聯邦諸国　23-6

<ruby>馬来<rt>マライ</rt></ruby>聯邦州　1-4、2-1、3-8、3-9、4-4、5-7、6-6、6-10、7-7、7-8、7-9、7-10、7-11、9-5、14-1、15-9、15-10、18-1、18-4、18-4、18-9、18-9、18-10、18-10、18-10、18-11、19-1、19-1、19-4、19-5、19-5、19-7、19-7、19-8、19-8、19-9、19-11、19-11、19-12、19-12、19-12、19-12、20-1、20-1、20-2、20-2、20-2、20-2、20-3、20-3、20-4、20-4、20-5、20-5、20-6、20-7、20-7、20-8、20-9、21-1、21-1、21-8、21-8、21-8、21-11、21-11、22-1、22-2、23-2、23-3、23-3、23-4

マラツカ（海峡植民地）　12-10

<ruby>馬拉加<rt>マラツカ</rt></ruby>海峡　4-11

マラヤ　10-2、10-4

「マリアナ」群島　3-1

マルタプーラ　21-9

マレー　28-2、28-6、28-7、28-7、28-7、28-7、28-7、28-8、28-9、28-11、28-11、28-12、28-12、28-12

マレー半島　28-9

満　14-2、24-12、28-10

満洲　18-6、18-7、18-8、19-2、19-4、19-5

マンダレー市　25-5

マンダレー郊外（緬甸^{ビルマ}）　6-11

満蒙　18-7

ミナハサ　20-8、20-9

ミナハサ州（セレベス島）　9-3、9-3

南　25-9、25-10

南支那　25-9

南スマトラ　6-11、20-10、22-7

南セレベス　20-11、20-11

南太平洋　6-12、23-6、24-9、24-10、25-6

南太平洋諸島　5-4、5-5、5-6、5-10、6-5

南ニューギニア　5-5

南ボルネオ　10-6

ミナンカバウ（スマトラ島）　5-2

ミルフオード海峡　6-5

ミルフオードサンド・アダ湖（新西蘭）　7-3

ミンダナオ　5-6、6-10

ミンダナオ島（比律賓^{フィリピン}）　18-3

ミンダナオ島（比律賓群島^{フィリピン}）　10-11、13-3、18-12

ミンダナヲ島（比律賓群島^{フィリピン}）　13-12

ミンタル（ダバオ）　21-9

ミンタル河（ダバオ）　21-9

ミンブリ地方（暹羅^{シヤム}）　8-8

ムボウ島　8-11

メキシコ　16-10

メケヲ（英領ニウ・ギニア） 9-7

メダン　6-5、7-12、8-9、15-1、15-2、15-3、15-4、15-10、15-10、17-8、17-12、18-4、
　　　22-2、22-6

メダン（スマトラ） 15-4、16-8、19-5

メダン（スマトラ島） 5-4

メダン市　6-12、19-3

メダン市（スマトラ） 4-3、4-4

メダン市街（スマトラ） 9-7、17-12

メダン市街（スマトラ島） 9-10

メッカ市　3-10、3-10

メナード河畔　24-10

メナド市街（セレベス島） 9-3

メナム河　16-10

湄南河（暹羅シャム） 7-9

メナン河畔（暹羅シャム） 11-5

湄南河畔（暹羅シャム盤谷） 12-7

メラピ火山（爪哇ジャワ） 9-6

メラピ火山（中部爪哇ジャワ） 19-1

メラピー火山（爪哇ジャワ） 17-2

緬　28-10、30-6

モルツカ群島　22-11

モロツカス群島　4-5

[ヤ行]

ヤップ島　7-5、20-4、20-4

ヤップ島（南洋群島） 14-3

ヤルート島　11-8、11-10

ヤルート島（南洋群島） 10-11

順化ユエ府郊外（仏領印度支那安南王国） 13-1

順化ユエ府城（仏領印度支那安南王国） 13-1

ユング・フラウ岳麓　14-11

横浜　13-10、22-6

欧羅巴(ヨーロツパ)　8-9

［ラ行］

ラウトカワル湖（スマトラ東海岸州）　19-11

ラオス村（仏領印度支那）　7-3

ラグナ　17-6

ラゴアン（セレベス島ミナハサ州）　9-3

ラソジオ（爪哇(ジヤワ)）　8-10

ラムボン州　23-2

ラムンアン高峰（セレベス島）　9-3

蘭　1-6、5-11、7-1、7-1、7-2、7-7、9-4、10-3、13-9、17-8、17-9、17-10、19-5、19-10、20-7、20-8、21-1、21-2、21-3、21-3、22-4、22-7、22-7、22-9、22-12、23-5、24-3、25-1、25-6、25-9、28-6

蘭印　2-8、8-11、8-12、9-1、9-2、9-3、9-4、9-5、9-5、9-6、9-7、9-8/9、9-8/9、9-10、9-10、9-11/12、9-11/12、9-11/12、10-1、10-1、10-2、10-2、10-11、10-12、11-3、11-4、11-5、11-6、11-6、11-7、11-8、11-9、11-11、11-12、14-1、14-3、14-8、14-8、15-2、15-3、15-3、15-4、15-5、15-6、16-3、16-4、16-5、16-5、16-6、16-7、16-7、17-3、17-5、17-6、18-1、18-2、18-7、18-9、18-9、18-11、18-12、19-5、19-6、19-10、19-10、19-11、20-5、20-5、20-5、20-5、20-5、20-5、20-7、20-8、20-8、20-9、20-10、20-11、20-11、20-12、20-12、20-12、20-12、21-1、21-1、21-1、21-2、21-2、21-2、21-2、21-2、21-2、21-3、21-3、21-3、21-3、21-4、21-4、21-4、21-4、21-4、21-4、21-5、21-5、21-5、21-5、21-6、21-6、21-6、21-6、21-6、21-6、21-6、21-6、21-6、21-6、21-7、21-7、21-7、21-7、21-7、21-7、21-7、21-7、21-7、21-7、21-8、21-8、21-8、21-8、21-8、21-8、21-8、21-8、21-8、21-8、21-9、21-9、21-9、21-9、21-9、21-9、21-9、21-9、21-9、21-9、21-10、21-10、21-10、21-10、21-10、21-10、21-11、21-11、21-11、21-11、21-11、21-12、21-12、21-12、21-12、21-12、21-12、21-12、22-1、22-1、22-1、22-1、22-2、22-2、22-2、22-3、22-4、22-4、22-4、22-4、22-4、22-4、22-4、22-4、22-4、22-4、22-4、22-4、22-5、22-5、22-5、22-5、22-5、22-5、22-6、22-6、22-6、22-6、22-6、22-7、22-7、22-7、22-7、22-8、22-8、22-8、22-8、22-8、22-8、22-8、22-8、22-8、22-8、22-8、22-9、22-9、22-9、22-9、22-9、22-9、22-10、22-10、22-10、22-10、22-11、22-11、22-11、22-11、22-11、22-12、22-12、22-12、22-12、22-12、

22-12、22-12、22-12、22-12、23-1、23-1、23-1、23-1、23-1、23-1、23-1、23-1、23-1、23-1、23-1、23-1、23-1、23-2、23-2、23-2、23-2、23-2、23-2、23-3、23-3、23-3、23-3、23-3、23-3、23-3、23-3、23-4、23-4、23-4、23-4、23-4、23-4、23-5、23-5、23-5、23-5、23-5、23-5、23-5、23-5、24-4、24-6、24-12、25-2、25-4、25-5、25-5、25-6、25-6、25-6、25-7、25-7、25-8、25-8、25-9、25-11、25-11、26-1、26-1、26-2、26-2、26-2、26-3、26-3、26-4、26-4、26-5、26-5、26-5、26-6、26-6、26-6、26-6、26-6、26-7、26-7、26-7、26-7、26-8、26-8、26-8、26-8、26-9、26-9、26-9、26-9、26-9、26-10、26-10、26-10、26-10、26-10、26-11、26-11、26-12、26-12、26-12、26-12、27-1、27-1、27-1、27-2、27-2、27-2、27-3、27-3、27-3、27-3、27-3、27-3、27-3、27-3、27-4、27-4、27-4、27-5、27-5、27-5、27-5、27-5、27-5、27-5、27-5、27-6、27-6、27-6、27-6、27-7、27-7、27-7、27-7、27-8、27-8、27-9、27-9、27-10、27-10、27-10、27-10、27-11、27-11、27-12、27-12、28-1、28-1、28-1、28-2、28-2、28-2、28-3、28-3、28-3、28-3、28-3、28-4、28-4、28-4、28-9、29-2、29-3、29-7、29-10、30-3、30-4、30-5

蘭印外領　22-7

蘭印東部諸島　23-4

蘭印領内　21-7、22-1

ラングカット（蘭領東印度）　9-5

ラングーン　16-7

蘭貢（ラングーン）　6-1、6-5、7-9、12-8

蘭貢河（ラングーン）　25-5

ラングーン市　15-10

ラングーン市（緬甸/ビルマ）　15-3

蘭貢市街（ラングーン）　25-5

蘭貢市街（ラングーン）（緬甸/ビルマ）　13-7

蘭国　14-8、23-10

ランダ州　10-6

蘭領　4-4、5-1、5-1、5-3、5-5、5-5、5-5、5-11、6-1、7-12、8-1、11-7、11-9、18-6、27-2

蘭領アロー島　19-2、19-3、19-4

蘭領印度　1-4、1-5、1-9、2-7、3-1、3-10、3-11、4-5、4-12、5-12、6-7、6-7、6-8、6-8、10-3、10-4、10-5、10-7、10-8、10-9、10-10、10-11、10-12、11-1、11-2、11-2、11-4、13-5、13-9、13-10、15-1、15-1、15-2、15-3、15-6、15-8、15-9、15-10、15-10、15-11、15-12、16-1、16-1、16-2、16-2、16-3、16-3、16-4、16-4、16-

4、16-5、16-6、16-6、16-8、16-8、16-9、16-10、16-10、16-11、16-11、16-11、16-11、16-12、16-12、17-2、17-3、17-3、17-4、17-6、17-8、17-8、17-8、17-9、17-9、17-9、17-10、17-10、17-10、17-11、17-12、18-1、18-1、18-2、18-2、18-2、18-2、18-3、18-3、18-3、18-6、18-6、18-7、18-7、18-7、18-8、18-9、18-10、18-10、18-10、18-11、18-11、18-11、18-11、18-12、18-12、18-12、18-12、18-12、18-12、18-12、19-1、19-1、19-1、19-1、19-1、19-1、19-1、19-2、19-2、19-2、19-3、19-3、19-3、19-3、19-4、19-4、19-4、19-5、19-5、19-5、19-6、19-6、19-6、19-6、19-6、19-7、19-7、19-8、19-8、19-9、19-9、19-9、19-9、19-9、19-9、19-10、19-10、19-10、19-10、19-10、19-10、19-11、19-11、19-11、19-12、20-1、20-1、20-1、20-2、20-2、20-3、20-3、20-3、20-3、20-4、20-4、20-4、20-4、20-5、20-5、20-5、20-5、20-6、20-6、20-6、20-6、20-6、20-6、20-7、20-7、20-7、20-7、20-7、20-7、20-8、20-9、20-9、20-9、20-9、20-10、20-10、20-10、20-11、20-11、20-11、20-11、20-11、20-12、20-12、21-1、21-1、21-2、21-2、21-4、21-4、21-4、21-4、21-4、21-4、21-5、21-5、21-6、21-6、21-7、21-8、21-8、21-9、21-10、21-10、21-10、21-10、21-10、21-11、21-12、21-12、21-12、22-1、22-1、22-2、22-3、22-3、22-3、22-6、22-6、22-7、22-7、22-7、22-7、22-8、22-8、22-8、22-9、22-9、22-9、22-9、22-9、22-11、22-11、22-11、23-1、23-1、23-1、23-1、23-2、23-2、23-3、23-3、23-3、23-4、23-4、23-4、23-5、23-5、23-5、23-6、23-6、23-7、23-7、23-8、23-8、23-8、23-8、23-9、23-9、23-11、23-12、23-12、24-1、24-2、24-4、24-4、24-6、24-6、24-7、24-7、24-7、24-8、24-8、24-8、24-8、24-9、24-9、24-9、24-10、24-10、24-11、24-12、25-1、25-1、25-1、25-2、25-3、25-4、25-4、25-5、25-6、25-7、25-7、25-8、25-8、25-9、25-9、25-9、25-9、25-10、25-11、25-11、25-12、25-12、25-12、26-1、26-2、26-3、26-3、26-3、26-4、26-4、26-4、26-5、26-5、26-5、26-5、26-6、26-6、26-6、26-6、26-6、26-7、26-7、26-8、26-9、26-9、26-9、26-9、26-10、26-10、26-11、26-11、26-12、26-12、26-12、26-12、27-1、27-1、27-1、27-1、27-1、27-1、27-2、27-2、27-3、27-4、27-4、27-5、27-5、27-6、27-7、27-8、27-9、27-9、27-9、27-10、27-11、27-12、28-1、28-1、28-2、29-3

蘭領印度外領　19-8

蘭領印度外領地　1-7

蘭領外領　26-7

蘭領キサル島　22-2

蘭領北ニユーギニヤ　9-4、9-4

蘭領諸島　4-12、6-9

蘭領スマトラ島　4-11

蘭領西部ボルネオ　13-8、13-9、13-10、13-11、13-12、14-1、14-2、14-3、14-5、14-6、14-8

蘭領東部ボルネオ　3-5

蘭領南洋　5-4、5-11、5-12、6-1

蘭領ニウギニア　21-3、21-4、21-5、21-6

蘭領ニウギネア　20-11

蘭領西ボルネオ　6-9、6-10、11-5

蘭領ニユウ、ギニア　6-4

蘭領ニユウギニア　4-5

蘭領ニユギニア　22-5

蘭領ニユーギニア　9-3、9-4、21-12、24-1、24-1

蘭領東印度　1-4、1-8、1-9、1-9、2-1、2-2、2-2、2-4、2-4、2-6、2-6、2-9/10、2-9/10、3-3、3-5、3-5、3-5、3-6、3-7、3-9、3-10、3-11、3-12、3-12、4-1、4-5、4-5、4-6、4-7、4-11、4-12、5-1、5-4、5-6、5-6、5-6、5-10、5-11、5-12、5-12、5-12、5-12、6-1、6-2、6-2、6-3、6-3、6-4、6-4、6-4、6-5、6-6、6-6、6-7、6-7、6-7、6-7、6-7、6-7、6-8、6-8、6-8、6-9、6-10、6-10、6-10、6-10、6-10、6-11、6-11、6-11、6-11、6-12、6-12、6-12、6-12、6-12、7-2、7-2、7-3、7-4、7-4、7-9、7-10、7-11、7-12、8-1、8-3、8-4、8-6、8-7、8-8、8-10、8-11、9-4、9-5、9-5、9-10、9-11/12、9-11/12、10-1、10-1、10-1、10-1、10-2、10-3、10-4、10-4、10-5、10-6、10-7、10-7、10-8、10-8、10-9、10-10、10-10、10-10、10-11、10-12、10-12、10-12、11-1、11-5、11-7、11-7、11-9、11-10、11-10、12-1、12-1、12-2、12-3、12-6、12-7、12-8、12-8、12-9、12-9、12-9、12-10、12-11、12-12、12-12、13-1、13-2、13-3、13-5、13-6、13-6、13-8、13-10、14-1、14-1、14-1、14-1、14-2、14-2、14-3、14-3、14-4、14-4、14-5、14-5、14-5、14-6、14-6、14-6、14-6、14-7、14-8、14-8、14-9、14-9、14-10、14-11、14-12、14-12、15-3、15-4、15-5、15-6、16-2、16-3、16-3、16-4、16-7、17-1、17-11、18-3、18-6、20-7、20-12、20-12、25-10、25-11、26-1、26-2

蘭領ボルネオ　5-10、5-11、8-1、8-1、10-2、28-2

蘭領ボル子オ　1-6

蘭領リオウ島　22-7

リオ　14-7、20-10

リオ・デ・ジヤネイロ（伯国首府〔ブラジル〕）　11-8

リーグレツト村（カメロン高原）　23-2、23-2

リベリヤ　11-12

リンガエン　28-5

呂宋〔ルソン〕　25-6

ルソン地方（比島）　25-4、25-4

ルソン島（比律賓）　15-2

ルペル・クルツール・マーツカペー・アムステルダム　14-2

レジストロ植民地　11-8

老大国　11-4

ロ市　5-4

ロシア　17-5、17-6

ロスアンゼルス　16-6

ロツテルダム　23-12

ロブスタ　6-3、6-4、6-4

ローヤル・レーク（ラングーン市）　15-10

倫敦〔ロンドン〕　6-3、14-1、14-1、28-7

［ワ行］

我国（我が国）　2-1、9-11/12、11-3、13-2、13-3、13-4、13-9、13-10、14-1、14-2、14-3、14-4、14-5、14-12、14-12、15-1、15-1、15-2、15-2、15-3、15-4、15-12、16-5、16-5、16-6、16-6、16-7、17-1、17-2、17-3、17-3、17-3、17-3、18-2、18-6、18-7、19-2、19-2、19-4、19-5、19-6、19-9、19-12、22-2、24-9、25-3、26-5、26-5、27-3、27-4

ワシントン　20-12

別紙Ⅱ．本誌中

地名索引10回以上

地名＼巻 発行年	1 1915年	2 1916	3 1917	4 1918	5 1919	6 1920	7 1921	8 1922	9 1923	10 1924	11 1925	12 1926	13 1927
安南						2	12	2			1	1	2
印度			1		3	21	12	12		4	3	1	1
印度支那				2	4	2			1	6	2		
英	1					4	1	1		2			
英国			2	1		4		3			2		
英領北ボルネオ	2	7	1	2				3		5	2	1	
英領ボルネオ				1		1	1				1		
英領馬来（マライ）						2			2		7	4	7
欧州	1								5	1		2	
和蘭（オランダ）			2		4	7		1		5	4		
海峡植民地			1							1	3	2	4
海峡殖民地	1	1	3	1	6	7							
海南島							8						
外領										1		1	
北ボルネオ				1	4	1	1	1	2				
豪州		1		1	5	25	11	13	6				
西貢（サイゴン）						1							
サラワク	1		1			3	1			2	1		
支									1				
支那						1	1				2	1	1
暹（シヤム）					1			1		5			1
暹羅（シヤム）			1	1	13	16	10	35	9	8	10	10	6
暹羅（シヤム）国								1			2	7	
ジヤワ													2
爪哇（ジヤワ）	1	4	7	29	30	21	18	8	3	12	14	22	18
食人島										7	5		
新嘉坡（シンガポール）	2	1	2	1	7	12				4	14	16	7	3
スマトラ			1		6	3	9	1		7	9	2	1	10
スマトラ島					5	3				2	1		

出現記事数一覧

| 14 | 15 | 16 | 17 | 18 | 19 | 20 | 21 | 22 | 23 | 24 | 25 | 26 | 27 | 28 | 29 | 30 | 合計 |
1928	1929	1930	1931	1932	1933	1934	1935	1936	1937	1938	1939	1940	1941	1942	1943	1944	
			1										2	2	1	1	27
		2			2		1			1			4	2	4		74
					1		2		1	2			5	3			31
1			3		1			2	3	1	2	1	1				24
1	1			1	6		4	2	5	4		1		1			38
1		2				1	3		1	3	3	1					38
						1				1	3	1					10
6	17	14	18	18	20	12	28	17	14	16	24	27	19	3			275
											2	8					19
	1	2		1	1		5	4	5	1	1	2		1		1	48
1			1	2	7	10	6	8	3		1	1	2				53
									2								21
										1	9	1	1				20
												7	7	1	1		18
															5	5	20
					1					12	18	16	11	4	9	1	134
3	1	2					2	1				2		1	2		15
	1			1	1	4	2	2	1	2							23
			1	1			1	4	14	12	13	8	1				56
3				1			1	3	5	4	15	14	19	2			73
								4	1								13
8	2	1	7	7	6	6	8	10	3	8	8						193
		1	2		2	2		3	4	1							25
						1		4	7	1			4	15	17		51
9	5	4	18	16	31	28	14	13	10	4	14	17	19	8	1		397
																	12
5	4	1	7	7	20	13	8	12	8	3	4	2	8				171
6	6	11	1	2	3	3	3	3	3				10	15	12		127
	4		1	2							1						19

地名＼巻（発行年）	1 (1915年)	2 (1916)	3 (1917)	4 (1918)	5 (1919)	6 (1920)	7 (1921)	8 (1922)	9 (1923)	10 (1924)	11 (1925)	12 (1926)	13 (1927)
スマトラ東海岸州					5	1	2		1	1			2
スラバヤ					1	7	1		1	1	1	2	3
セイロン			1		1	1				1	1		
世界						4		2		1	1	4	2
セレベス	2			1	5	4	1		3				6
泰（タイ）													
タイ国													
泰（タイ）国													
太平洋	1			1	1			1		2		1	
台湾	1	6		1		2	5						
ダバオ							1			1		2	5
独逸（ドイツ）			1	2	3	7	1	6		1	1	1	
南海・南海諸島						3							
南米							1		4		2		
南洋群島・諸島	7	5	1	1	3			1	1	4	3	7	
日	1	1		2	6	2	6	4	1	5	4		5
日本			4	1	7	8	3			9	10	4	8
ニューカレドニア													
ニューギニア					6	3	5	9	3	1	1	3	2
新西蘭（ニュージーランド）						11	2						
バタビア						2							
バタビヤ			1	7						2	1		
ハルマヘイラ島							4	2	5				
ハルマヘラ島						8	2	8	4		2		
盤谷（バンコク）						2	1				1	1	1
バンジャルマシン			2	1	1			1		1			
バンドン						1	5			2			
比	1				1					1			
東印度													
比島	2	7	14	7	8	13		3	4	1	3	5	1
ビルマ										1			1
緬甸（ビルマ）						7	11	7		1		1	1

3. 地 名

14	15	16	17	18	19	20	21	22	23	24	25	26	27	28	29	30	合計
1928	1929	1930	1931	1932	1933	1934	1935	1936	1937	1938	1939	1940	1941	1942	1943	1944	
1	4	4	5	14	7	1	2	3									53
6	1	1		1	3		2	9	2		1						43
1				1								4	3				14
1		3	4	2	2	6	4	7	3	1		1	6	2	2		58
1		1	1			1									8	12	46
										1	7	1	1	2			12
										12	10	12	7	8	13		62
										1	11	5	9				26
	1				1	2			1	1							13
1	3				2		2	3	1			2			1		30
2	7	3	3	2		1	6	3		3		1	2	3			45
	1	1				1		1					1				28
									3		1	7		1	1		16
1			1		2					1							12
1		2	3	1	2	6	4		1		3	1					57
11	1		5	6	6	3	4	8	6	18	25	24	13	3	3	1	164
9	7	4	5	13	18	19	16	16	10	5	9		3		7		195
									6	2	4	3		1			16
			1			1	10	1	2	6	4		2				60
						1			4	12	7	10	2			1	50
	1		1	1	5	4	10	3	1	1				1			30
4	1			1	3					1			1				22
																	11
																	24
		1		1	1	3		1	1	2				1			17
		3				2	1										12
	1							4									13
					1			2	3	1	1	2					13
								1	1		2			9	10	4	27
		2		4	3	7	3	12	5	11	9	14	11	14	13		176
							3	1	5	15	11	9	13	12	12		83
3	5	1			1					2	2	2					45

地名 \ 巻	1	2	3	4	5	6	7	8	9	10	11	12	13
発行年	1915年	1916	1917	1918	1919	1920	1921	1922	1923	1924	1925	1926	1927
比律賓（フィリピン）	5	4	7	12	11	9	18	7	3	6	2	6	4
比律賓（フィリピン）群島	3			3	2	3				1		1	2
仏					2		1	1	1	3			
仏印										1	3	2	
仏領印度支那				3	2	4	14	19	10	12	13	3	10
米	1					4				1	1	1	
米国	1			3	4	5	2	5	2	4	3	2	
ペナン						1	1		1			1	1
ボルネオ		2	3	7	2	7	7	7		3	1		
マカッサル	1				2		1						
マドラ						1					2		2
マニラ	1		3	1	1	10		1			5	2	4
マライ													
馬来（マライ）			1	5	2			2		2	1		1
馬来（マライ）半島	4		10		6	6	2		1	4	4	6	7
馬来（マライ）聯邦州	1	1	2	1	1	2	5		1				
マレー													
メダン					2	1	2	1	1	2			
蘭	1				1		4		1	1			1
蘭印		1						2	15	6	10		
蘭領				1	7	1	1	1			2		
蘭領印度	3	1	3	2	1	4				9	4		3
蘭領西部ボルネオ													5
蘭領東印度	4	9	11	7	11	35	9	8	6	22	7	15	34
我国（我が国）		1								1		1	5

3. 地 名　103

14	15	16	17	18	19	20	21	22	23	24	25	26	27	28	29	30	合計
1928	1929	1930	1931	1932	1933	1934	1935	1936	1937	1938	1939	1940	1941	1942	1943	1944	
7	8	6	3	11	5	9	13	18	6	11	18	20	22	10	3		264
	2	1	1			1											20
1	1												1	1			12
											2	6	15	15	15	8	67
3	3	4	5	9	6	6	8	6	3	5	16	9	12	1	9	11	196
1						1			4	1							15
	1								3		1	3	1				40
			1		1		2	1									10
	1	1					2	4	1	2				1	11	12	74
			2		3			2									11
			2	3		1		2					5				18
4					2		4	2	2	3	1		3				49
															11	14	25
1		1		1	3	4	7	7	18	1	5	28	32	4			126
4	3	1	2	4	2	6	1	1		4	6	4					88
1	2			9	16	17	7	2	4								72
														14			14
		7	1	3	1	2			2								25
			3		2	2	4	5	1	1	3			1			31
4	6	7	3	7	5	17	89	73	41	3	14	27	46	15	4	3	398
				1								1					15
	11	23	16	30	45	44	27	23	28	20	23	32	22	3	1		378
6																	11
26	4	5	2	2		3					2	2					224
7	7	5	6	3	7			1		1	1	2	2				50

4. 事項索引

太字は、特集記事項目

［あ］

アイタ人　8-2

亜鉛　28-12

亜鉛（ビルマ）　28-6

亜鉛鉱　28-12

亜鉛生産高　29-6

亜鉛鍍金板　13-10

亜鉛板　14-7

亜鉛板市況（爪哇）　19-1、19-2、19-3、19-4、19-5、19-6、19-7、19-8、19-9、19-10、19-11、19-12、20-1、20-2、20-3

亜鉛板市況（新嘉坡）　25-7

亜鉛板生産　29-6

亜鉛板輸入状況（蘭領印度）　18-10

青山会館　19-2

悪戦史　10-5

悪評（大阪製品）　14-2

麻　28-10

麻糸（比律賓）　3-4

麻糸輸入額　28-7

麻及椰子生産制限（比島）　19-9

麻織物輸入制限（蘭印）　21-9

麻栽培　4-8

麻栽培（比律賓）　3-2

麻栽培事業　12-3

麻栽培の助成事業（比島）　26-3

麻栽培邦人（ダバオ州）　10-11

麻産業（ダバオ）　28-5

麻倉庫（ダバオ）　16-11

麻農園（比律賓）　3-5

麻実〔あさみ〕　28-10

麻類輸出（スマトラ東海岸州）　18-11

亜細亜政策（日本）　20-5、20-6

アダツト研究　29-3

アタブ純輸入額　28-9

斡旋事項　5-6

アニーム会社（スラバヤ）　14-11、14-11

アニユーマス珈琲園（ブラジル国）　11-11

アバカ（マニラ、ヘンプ）　1-7

油締機械（蘭領印度）　6-8

油椰子　9-8/9、23-1、24-7

油椰子（スマトラ）　9-8/9、9-10

油椰子（苗床）　9-8/9

油椰子（馬来半島）　10-10

油椰子（蘭領東印度）　12-12

油椰子栽培業（スマトラ）　4-12

油椰子栽培事業（スマトラ）　21-1

油椰子栽培面積　28-7、28-7

油椰子実生産額　28-7

油椰子製品純輸出額　28-7

油椰子農場（馬来）　10-11

油椰子の花　8-4

油椰子油　14-6

油椰子幼樹　10-12

アフロス会　15-5、15-6

アフロス回答（メダン）　16-8

アフロス試験所　17-12

アフロス試験場　17-3

アフロス農事試験場　15-10

アフロス農事試験場（メダン）　15-10

阿片（蘭領東印度）　1-9、10-12

鴉片制限会議　11-4

亜麻　28-10

亜麻仁（あまに）　28-10

アモルフオアルス　18-5

綾木綿（蘭領東印度に輸入）　14-6、14-8、14-9
アラビカ珈琲　15-5、15-6、15-7、15-7
アラビカ珈琲工場　15-7
アラビカ珈琲苗床　15-7
アルコール　28-12
アルコール（英領北ボルネオ）　11-6
アルミニユーム　28-12
アルミニユーム（我国）　15-1、15-2
アルミニユーム製品（新嘉坡）　18-9
アルミニユーム取引（蘭領印度）　18-12
アレカナット輸出税改正（ジョホール）　20-5
行脚（暹羅）　7-11
アンコール　29-5
アンコールワット　23-9、25-1
アンコールワット（仏領印度支那）　23-9
アンコール・ワット（仏領印度支那）　25-1
アンコールワット石柱　23-9
アンチモニー鉱　28-12
案内記（南洋群島民）　5-10
安南国漂流物語　6-11、6-12、7-1
安南物語　7-2、7-3、7-4、7-5、7-6、7-7、7-8、7-9、7-10、7-11、7-12、8-1、8-2

[い]

医院（サイパン）　16-11
硫黄　28-12
医学　4-4、4-6
医学的問題（南方）　28-8
筏上の家（バンジヤルマシン）　8-8
イギリス北ボルネオ会社史　28-5、28-7、28-8、28-9
育種作業　16-12
イゴロット族家屋　7-4
イゴロット族少女機織　7-4
医事衛生事情（仏印）　29-12
医師開業手続（蘭領印度）　15-6

移住（ジヤヴアニーズ）　10-7

移住（日本民族）　9-6

移住（比島）　12-12

移住農業者（南洋群島）　17-5

衣食住（日本人）　28-9

衣食住物価（新嘉坡）　22-6

移植物（南洋群島）　19-11、19-12、20-2、20-3、20-4

移植民政策　9-4

移植民政策（我国）　13-9、13-10

移植民の欠陥（日本）　10-6

移植民不振　10-5

移植民問題　10-9

出雲艦（練習艦隊）　14-8

遺跡（邦人）　13-12、14-1

市場（英領馬来）　23-4

市場（カツパス河）　8-1

市場（暹羅）　11-7、12-3

市場（爪哇）　5-5

逸民（江戸将軍時代）　11-12

鋳鉄製鍋類輸入統計（蘭領印度）　21-2

糸及織物類輸入状況（爪哇）　20-5

糸及織物類輸入状況（スマトラ東海岸州）　20-8

糸及織物類輸入統計（爪哇）　19-11、20-3

糸需要（南洋）　6-11

稲運　8-8

田舎道　18-1

稲作状況　7-12

稲作付面積及び籾収穫高　28-7

稲作付面積累年比較　28-7

稲作面積（暹羅）　5-11

稲田　9-5

移入植物（南洋群島）　20-10、20-11、20-12、21-1、21-4、21-5、21-6

稲　10-9

稲の運搬（暹羅）　5-8

イフガオ族（比律賓）　7-6

衣服の色（爪哇）　16-12

移民　1-1、7-6、9-3、11-4

移民（加州、南洋転航）　6-11

移民（家族的）　7-8

移民（爪哇よりスマトラ）　21-12

移民（南洋）　9-3

移民（日本）　5-3

移民（ニューギニア）　22-1

移民（比律賓）　3-5、24-2

移民（ブラジル）　11-3

移民（本邦）　12-6

移民（南スマトラへの爪哇）　22-7

移民（蘭印向）　23-5

移民事務所（デリー）　10-10

移民奨励（爪哇人）　23-2

移民奨励（蘭印）　22-12

移民制限（亜爾然丁）　9-4

移民制限法（比律賓）　26-5

移民政策　9-4

移民地　12-7、23-2

移民評議会設置（ニューギニア）　22-11

移民法　5-1

移民法案（米国）　9-2

移民論　10-4

医薬及売薬繃帯材料商況（新嘉坡）　10-3

医療組織（英領馬来農園）　15-5

衣類輸入制限令（蘭印）　23-1

巌　16-2

鰯缶詰需給（我国）（英領馬来）　19-11

鰯缶詰標記文字（仏領印度支那）　20-7

隠逸者　11-10

印刷営業制限（蘭印）　21-3

印刷営業制限令（蘭印）　21-6

印刷機械及印刷インキ需給状況（新嘉坡）　17-11

印刷紙（英領馬来）　18-6

印刷物取締強化（輸入）（蘭印）　22-8

印刷用インキ（彼南）　6-12

印紙條令（蘭領印度）　25-9、25-10、25-11、25-12、26-1、26-2、26-3

印象（泰国）　26-9

印象（泰国市場）　27-6

印象（フローレス島）　7-4、7-5、7-6

印象（蘭領印度）　16-12

印象記（シヤム）　24-11

印象記（ジヤワ）　13-2、13-3

インターナショナル織布工場（蘭印）　21-8

印度移民（馬来半島）　3-10

印度貨留比為替法定価改訂　6-8

印度汽船設立計画　6-5

印度脅威　7-12

印度自治　8-2、10-3

印度支那米産　9-4

印度事務大臣辞職　8-3

印度事務大臣新任　8-4

印度人　8-12、13-4

印度人（馬来半島）　15-3

印度人苦力総罷業解決　23-3

印度人政治（英領馬来）　23-4

印度人デパート開店（新嘉坡）　21-1

印度炭　11-3

印度帝国銀行設立　6-3

インドネシア語　29-4

印度不安　7-10

印度蒲団　6-4

印度文明研究　10-3

インドラプーラ号サロン（タンジヨン・プリオク埠頭）　23-2

インボイス作製の注意　17-8

印棉課税問題　6-5

印緬交易将来　28-10

印緬国境踏査記　30-6

［う］

ヴイノ・デ・ココ蒸留装置（比律賓）　9-10

ウイルソン報告書（馬来半島）　19-7

魚市場（バタビア）　23-2

魚市場（マニラ）　14-4、14-4

魚売（比律賓土人）　4-3

魚売り（馬来人）　19-7

魚捕り（ソサイテー島）　8-11

ウオルフラム及重石生産高　29-6

浮稲（仏印）　29-11

浮橋（コーラカングサ）　19-7

浮橋（比律賓土人）　18-9

浮屋の奇観（暹羅）　7-9

兎皮革製造　6-12

牛　5-1

氏神（北部仏印）　27-10

腕輪　4-5

うどんこ病　17-6、18-4

鰻（ダバオミンタル河）　21-9

海　15-11

海ダイヤ族　7-2

海辺の巌　16-1

雨量（サラワツク）　6-3

漆（柬埔寨）　12-12

漆虫棲息　11-5

運賃（日本バタビア間）　5-5

運賃（蘭印諸港向）　23-1

運賃改正（釜山—蘭印）　23-2

運賃競争（南洋）　8-4

運賃協定　6-10

運賃協定（南洋）　5-3

運賃値上（豪州）　6-12

運賃値上げ（海峡殖民地）　23-5

運賃引上（爪哇）　4-4

運賃引上（爪哇線）　2-6

運賃引上（南洋）　4-4

運動会（ダバオ日本人会経営ミンタル小学校）　14-7

運動会（マニラ日本人小学校）　13-12、24-3

運搬（籾）　8-8、8-8

雲母（蘭領キサル島）　22-2

運輸・通信（セレベス）　29-10

［え］

絵（サロン用金巾）　4-2

映画　24-12

映画（護謨園）　14-11

英貨排斥　6-11

営業案内（蘭領諸島）　4-12

営業制限事務局（蘭印）　22-10

営業制限條令（蘭領印度）　21-4

営業制限令（蘭印）　26-8

営業制限令（蘭領印度）　20-11

英語教師　4-12

英国商業会議所（蘭印）　11-12

英国商業会議所設立（蘭領東印度）　6-10、6-10

英国商品陳列館新設（新嘉坡）　19-1

英国人　20-5、20-6

英国戴冠式　23-2

英国品（蘭印売込）　26-10

英国品週間（新嘉坡）　18-7

英国品貿易展覧会（新嘉坡）　23-4

英国理事官（スランゴール駐箚）　23-2

英国理事官（ブルネイ）　3-9

永借地規則（蘭領印度外領地）　1-7

英人　10-7、20-4

英人経営栽培地の収支概算　1-2

衛生　4-10、4-11

衛生（ジヤワ）　29-10

衛生（セレベス）　29-5

衛生（熱帯）　14-8

衛生（熱帯地）　3-11

衛生（比島）　29-8

衛生工作（セレベス）　29-6

衛生工作（南方）　29-1

衛生工作（比島）　29-9

衛生工作（ビルマ）　29-6

衛生事情（ジヤワ）　30-8、30-10

衛生事情（比律賓）　28-10、28-11

衛生施設（セレベス）　29-7

衛生施策（比島）　30-9、30-10

衛生陶器輸入制限（蘭印）　21-8

衛生陶器輸入統計（蘭印）　27-5

衛生陶磁器輸入制限（蘭印）　21-7

衛生復旧工作　28-12

衛生綿タオル輸入統計（蘭印）　27-5

衛生綿毛布輸入統計（蘭印）　27-5

永租借地面積並に植付済及び植付未済農業租借地面積　28-11

永租借権延長問題　14-3

永代借地所有者の国籍　28-11

英帝国産業博覧会　23-5

英帝国防備線（極東）　24-4

英帝戴冠式（新嘉坡）　23-5、23-7

英帝戴冠式奉祝品法案（海峡植民地）　23-2

英文月刊経済雑誌　4-8

英文雑誌（爪哇）　4-11、4-12

英雄僧　5-5

栄養価（バナナ）　10-3

エヴエレスト探検　8-7

液化天然瓦斯　29-4

液化天然瓦斯生産高　29-4

SS汽船座礁　23-2

エステート　28-6、28-6、28-6、29-9

エステート護謨　17-9

エステート護謨樹芽接面積　28-6、28-6

エステート農業　28-11

エステート農業（外領）　28-11、28-11、28-11、28-11

エステート農業（ジヤワ及マヅラ）　28-11

エステート農業永代租借地割当譲受（外領）　28-11

エステート農業永代租借地割当譲受（ジヤワ及マヅラ）　28-11

エステート農業登記租借区画面積　28-11

エステート農業土地権（外領）　28-11

エステート農業土地権（ジヤワ及マヅラ）　28-11

エチオピア政策（伊太利）　24-5

江戸将軍時代　11-12

エナメル器市況（蘭領印度）　17-10

エナメル製品（蘭領印度）　16-11

胡　9-7

沿革（馬来聯邦州）　7-7、7-8、7-9、7-10、7-11

沿革誌（西沙群島）　26-8

塩干魚及鱶鰭貿易事情（英領馬来対支那）　18-7

塩干魚市況（英領馬来）　17-8

塩干魚市況（新嘉坡）　20-3

塩乾魚需要（爪哇）　11-12

沿岸航路法（蘭領印度）　23-3、23-4

沿岸航路法案（蘭印）　21-12

沿岸貿易（ニユウギニア）　4-5

円形金網張篩需給（爪哇）　21-7

鉛鉱　28-12

援蒋ルート（ビルマ）　26-7

演説（クエーゾン）　6-12

演説（ス氏）　6-3

演奏　4-6

塩田（仏領印度支那）　13-8

燕麦　28-10

鉛筆（新嘉坡市場）　11-11

鉛筆（新嘉坡本邦製）　6-3

鉛筆及鉛筆用黒鉛（米国対東南洋輸出）　5-6

鉛筆需給（蘭領東印度）　11-10

[お]

オイルパーム（スマトラ産）　17-3

オイル・パーム工場　14-2

オイル・パーム栽培と予算　11-12

オイルパーム栽培予定地　14-5

オイル・パルム樹　8-11、8-12

王冠コルク需給（爪哇）　13-3

王冠コルク需給（新嘉坡市場）　13-3

王室御慶事奉祝（和蘭）　23-3

押収條令（蘭印）　22-12

欧州人　16-4

欧州人（蘭領印度）　21-10

欧州人待遇（蘭印）　26-2

欧州戦局　26-9

欧州戦後　8-11、8-12、9-1

欧州戦乱　26-6、26-8、26-9、26-12、26-12、26-12

欧州大戦　26-5

王女（タイチ島）　9-1

黄鉄鉱　28-12

欧米視察談　6-5、6-6

欧米商社（新嘉坡）　21-5

黄麻　28-10

黄麻袋製造工場（爪哇）　11-12

王立和蘭汽船会社　5-3

大蔵省令（泰国）　28-4

大阪支部　25-7、25-8、26-9、27-2、27-3

大阪商船　14-1、16-2、16-3

大阪優良品特売会　11-3、11-3

大阪優良品バザー　14-1

大阪輸出協会　14-1

太田恭三郎記念碑　12-5、13-3

太田恭三郎記念碑除幕式場　12-5

太田恭三郎記念碑銘　12-5

太田興業会社事業概況　2-6

太田興業株式会社創立者　13-3

大はいも　10-6

大麦　28-10

岡山県支部　28-12

小川（爪哇）　4-8

屋上遥拝場　19-2

オツタワ協定　18-11

オツタワ経済会議　18-11、19-1、19-2、19-3、19-4、21-9

窅（おとしあな）（サカイ族）　7-7

踊り（ヂヤンゲル）（バリー）　22-3

オホバ寄生木属研究　11-1

おやつ　4-6

和蘭汽船合併　6-5

和蘭汽船合同　6-7

オランダ語（蘭印）　28-3

和蘭公使（南洋物産展覧会会場）　6-11

和蘭公使賜暇離任　21-7

和蘭語講習会　4-3、4-5、5-6、12-1、14-4

和蘭人来訪　6-7

和蘭政府　21-12

和蘭船　25-6

オランダ文　6-2

織物　22-9

織物（英国）（対蘭印輸出激減）　22-8

織物（海峡殖民地）　6-4

織物（豪州）　6-4

織物及衣服類輸入税率改正（馬来聯邦州）　19-8

織物及製品市況（新嘉坡）　26-6、26-7

織物及製品新期割当（日本）　27-4
織物概況（爪哇市場）　17-12、18-1、18-2、18-9
織物会社工事（爪哇）　23-3
織物業（蘭印）　27-10
織物市況（馬来）　27-7
織物市況（蘭領印度）　26-12
織物市場（蘭領印度）　17-8、17-9、17-10
織物市場回顧（豪州）　29-3
織物集散（馬来）　22-11
織物製品市況（英領馬来）　25-10
織物製品市況（新嘉坡）　27-10
織物製品市況（馬来）　28-1
織物製品市場展望（英領馬来）　27-4
織物製品輸入割当と市況（英領馬来）　26-6
織物入札法案（馬来）　23-2
織物輸出検査　20-7
織物輸入（英領馬来）　9-11/12
織物輸入制限法（馬来）　20-8
織物輸入統計（英領馬来）　23-4
織物輸入統計（スマトラ東海岸州）　19-1
織物輸入（割当）法施行細則（海峡植民地）　21-11
織物輸入邦商社　25-9
織物輸入割当（英領馬来領）　21-1
織物輸入割当数　21-2
織物輸入割当制限政府報告書（英領サラワク）　21-7
織物輸入割当制限政府報告書（馬来、サラワク）　21-8
織物類（蘭領印度）　19-7
織物類新関税　20-4
織物類輸入情況（スマトラ東海岸州）　19-3
織物類輸入制限令　26-10
織物類輸入統計（蘭領印度）　18-11、18-11、20-8
織物類輸入統計（蘭領印度外部諸州）　18-11
織物類輸入統計表（蘭領印度爪哇）　18-11
オールメンハウス（南洋群島ヤツプ島）　14-3

音楽　25-8

音楽概説（爪哇）　25-9、25-10

恩給法（蘭印）　23-3

恩給令（蘭印官吏）　22-8

女（サカイ族）　21-5

女（バリー）　22-3

女（緬甸）　20-2

女（マカツサ）　23-11

女（馬来）　19-7

女漁夫（トラック島）　5-1

[か]

蚊　30-3、30-5

海運　13-10、14-11、28-8

海運（海峡植民地）　5-4

海運（爪哇）　5-5、8-4

海運（昭南港）　28-6

海運（南洋）　4-1、4-8

海運（比島）　3-7

海運（蘭領印度）　21-4

海運界（南洋）　5-11

海運界（蘭領東印度）　13-2

海運業　6-6

海運業（独逸）　11-7

海運業（蘭印）　25-7

海運業（蘭印の日本人の）　9-8/9

海運問題　25-10

外貨（暹羅政府の対英）　10-6

海外移住　16-7、17-8

海外移住（欧州人）　16-4

海外移住組合　13-4

海外移住民　11-11

海外移民　10-12、17-11、18-10

海外移民政策　11-5、11-6、11-7

海外移民問題　15-1、15-2

海外企業　10-8、11-7

海外企業（邦人）　14-10、14-11

海外企業家　11-9

海外企業論　9-5、9-5

海外産業　12-12

海外事情　17-9

海外思想　9-10

海外新航路開設　12-2

海外新市場　18-8

海外発展　5-6、6-10、9-10、11-1、13-3、15-8、18-2、18-3

海外発展館　23-6

海外発展短期講習会（日本力行会）　20-1

海外発展博覧会（日本）　5-2

海外発展論　9-11/12

海外貿易（緬甸）　5-9

海外貿易（蘭印）　26-4

海外貿易分析（英領馬来）　26-2

貝殻（蘭領印度）　19-10

貝殻取引（マカツサ）　17-2

海岸土人　4-5

階級制度（暹羅国）　7-10

回教　3-10、3-10、5-5、5-12

『回教』　4-1、4-5

回教（南洋）　3-2、3-8

開業医試験（蘭印）　22-8

回教研究　10-9

回教主義（米国）　7-8

海峡殖民地協会彼南支部　23-5

回教政策　29-7

回教徒　3-11、3-12、7-5

回教徒（印度）　8-11

回教徒政策（我が国）　25-3

回教渡来（東印度）　25-4

回教民族　9-11/12

海軍（和蘭）　10-1

海軍拡張（蘭領東印度）　9-11/12

海軍根拠地（新嘉坡）　22-11

海軍用重油積載（ボルネオの日本海軍）　6-12

回顧（シンガポール）　24-10

外交（タイ国）　29-6

外交界（暹羅）　13-7

開航計画（桑港と爪哇、マニラ間）　3-5

開国（日本）　10-10、10-11、10-12、11-5、11-6、11-7、11-9

外国織物製品及半製品の輸入割当　26-2

外国織物輸入制限法（海峡植民地）　20-8

外国会社法（ジヨホール）　12-5、15-7

外国為替　6-3

外国為替（蘭印）　22-9

外国為替管理法（泰国）　28-4

外国市場（比島物産）　26-3

外国人勤労條令（蘭領印度）　24-4、24-6

外国人入国規則（海峡植民地）　19-4

外国人入国許可数　26-6

外国人入国制限法（海峡植民地）　20-3

外国人入国並に居住規則（仏領印度支那）　16-1

外国人法（海峡植民地）　18-9

外国人法改正（海峡植民地）　19-11

外国人法立法会議（海峡植民地）　19-3

外国船寄港地限定（蘭印）　21-10

外国文化（安南）　28-12

外国貿易　5-6、19-5

外国貿易（印度支那）　10-5、10-6、22-2

外国貿易（英領馬来）　21-1、21-11、22-5

外国貿易（暹羅）　21-11、22-2

外国貿易（爪哇及マドラ）　18-5

外国貿易（比島）　23-4

外国貿易（ビルマ）　25-8

外国貿易（緬甸）　6-3

外国貿易（比律賓）　1-3、20-12、22-1

外国貿易（仏領印度支那）　10-7、10-8、10-9、10-10、10-11、10-12、11-1、11-2、11-3

外国貿易（馬来聯邦諸国）　23-6

外国貿易概況（英領馬来）　23-4

外国貿易概況（暹羅国）　24-11

外国貿易概況（比島）　3-10

外国貿易統計（英領馬来）　18-3、18-4、18-5、18-5

外国貿易統計（英領馬来対日本）　19-1、19-5、19-8、19-12、20-2、20-5、20-8、20-11、21-3、21-5、21-9、21-11、22-2、22-6、22-8、23-3、23-7、24-6、25-5

外国貿易統計（爪哇）　18-2、18-3、18-4、18-5

外国貿易統計（爪哇対日本）　19-5、19-8、19-11、20-2、20-5、20-8、20-11、21-3、21-5、21-9、21-11、22-2、22-6

外国貿易統計（蘭領印度対日本）　22-8

外国向小包料金（新嘉坡、馬来）　20-3

外国割当織物馬来輸入数量　21-7

外国割当織物輸入許可証発給（馬来）　23-3

懐古的風景（バンタム）　25-7

開墾（安南）　14-12

開墾（ダバオ）　17-9

開墾（タワオ地方）　4-6、4-7

開墾事業（暹羅）　8-4

開鑿工事（タールアン運河）　8-8

会社（蘭印）　9-11/12、10-1、10-2

会社税付加税（蘭領印度）　19-9

会社税令（蘭領印度）　24-10

会社設立（蘭印）　26-5

会社登録（海峡植民地）　22-11

会社法（ジヨホール国）　21-2

会社法改正案（蘭印）　23-4

海上雲遠（かいじょうくもとほし）（バリー島北岸）　22-1

海上雲遠（彼南（ペナン））　22-1

外相　19-10

海上交通　1-8

外人（セレベス島）　1-4

外人関係法案（比律賓）　24-3

廻船（南洋）　5-3

凱旋門（バタビヤ）　10-8

海草（マカツサ）　17-6

改造　6-1

海賊　27-2

開拓　7-12

開拓（ダバオ）　22-2

開拓史（豪州）　24-8

開拓者　29-8

開拓余地（蘭領東印度）　8-10

懐中電灯電池工場（バタビア）　21-8

海南産業株式会社東京事務所移転（蘭印）　22-7

概念（蘭領ボルネオ）　8-1

開発（海南島）　27-5

開発（スマトラ島）　15-5、15-6、15-7、15-9

開発（ニユウギニア）　10-6

開発（ニユーギニア）　22-4、22-12

開発案（蘭領ニユーギニア）　21-12

開発会社設立（ニユーギニア北沿岸）　22-11

開発策（比島）　2-9/10

開発問題　27-8、27-9

海浜（ボルネオ）　8-1

解放　6-1

開放論（仏領印度支那）　9-1

貝釦（南洋）　6-6

貝釦取引状況（我国）（蘭領印度）　19-9

外務事務官渡南　21-7

外務省　26-12

外油輸入　8-4

カイリ・カイリ族（英領ニユーギニア）　10-3

海陸産物（新嘉坡）　22-7

海陸物産市況（新嘉坡）　19-9

貝類（南洋産）　14-12

街路（スマトラ、パダン）　6-11

海路の地政学的戦略的重要性（蘭印）　28-4

カウリ樹脂産業（新西蘭）　6-8

蛙　10-5

家屋（バゴボ族）　13-3

家屋建築（蛮人）　7-9

顔剃（ダイヤ族）　7-11

カカオ　17-2、24-7

カカオ（爪哇産）　17-6

カカオ開花・幼果　6-12

カカオ果実　6-11

カカオ栽培　6-10、6-11、6-12、7-1、7-2、7-3、7-4、7-5、7-6

カカオ栽培（爪哇）　17-4、17-5

カカオ栽培（蘭領印度）　18-7

カカオ縦断面　6-11

カカオ樹根系　6-12

カカオ製造　6-10、6-11、6-12、7-1、7-2、7-3、7-4、7-5、7-6

化学工業（蘭印）　28-2

科学的知識　12-12

化学並医療薬貿易（暹羅）　5-6

化学薬品（緬甸輸入）　6-7

過観途聴記（仏領印度支那）　18-8

柿　12-3

花卉純輸入額　28-9

迦稀那祭　11-3

華僑　5-5、14-9、25-1

華僑（暹羅）　24-1、24-10、25-4

華僑（新嘉坡）　25-8、27-6

架橋（新嘉坡柔仏間）　6-1

華僑（南洋）　4-2、4-4、12-1、16-9、23-10、24-5、25-1、25-1、25-6、25-12、27-9、
　　　27-10、27-11、30-1、30-6

華僑（バタビア）　22-11

華僑（比島）　26-8

華僑（比律賓）　18-10、26-5、27-11、27-12、28-1、28-2

華僑（仏印）　27-1、27-12

華僑（福建）　25-2、25-4

華僑（仏領印度支那）　25-7、25-10

華僑（馬来）　26-3、26-3、26-11、27-8、27-9、27-11、28-6

華僑（馬来半島）　15-11

華僑（蘭領印度）　25-8、25-9

華僑（蘭領東印度）　11-7

華僑・印度人（マライ・スマトラ）　29-3

華僑銀行　4-4

華僑銀行（新嘉坡）　18-9

華僑銀行設立　4-3

華僑系銀行発達史（新嘉坡）　27-10

華僑経済　30-7

華僑経済（比律賓）　27-1

華僑研究　8-2、8-3、8-4、8-5、8-6

華僑史（蘭領印度）　26-6

華僑事情（比島）　28-6

華僑商業視察団（爪哇）　17-8

華僑人口（蘭印）　28-4

華僑人口動態　26-2

華僑送金　25-5

華僑対策（重慶政府）　26-7

華僑富（蘭印）　28-4

家禽、卵純輸入額　28-9

学術研究会　7-6

学術的調査　9-3

革新回教　25-12

学生　4-8、4-12、4-12、4-12

学生（新嘉坡学生会館）　4-8、4-10、4-11、5-9

学生団　10-3

革命（暹羅）　18-9

学友会（学生会館）　4-12

学友会（新嘉坡学生会館）　4-12

賭事課税（海峡植民地）　23-4
川口（新嘉坡川）　4-4
籠売　4-6
傘類　13-9
火山口（ボルネオ）　6-8
火山頂（爪哇）　4-9
菓子　21-4
菓子需給（蘭領東印度）　13-10
果実海外輸出（蘭印）　22-5
果実、果汁純輸入額　28-9
果実蔬菜並同加工品輸入状況（比律賓）　22-1
果実輸出計画（豪州）　8-1
果実輸入取締規則改正（仏領印度支那）　20-7
果樹栽培（シンド地方）　6-4
果樹栽培面積　28-7
瓦斯（海峡殖民地飾光用）　6-9
風　4-5
苛性曹達（蘭領印度）　22-1
肩掛輸入制限令（蘭印）　23-1
刀（爪哇）　4-9
刀製造　4-7
歌壇　25-6
カタン糸需給（新嘉坡市場）　15-10
家畜一斉調査　28-9
家畜減少（新西蘭）　6-12
家畜市場出荷頭数　29-3
家畜飼料純輸入額　28-9
家畜数　29-3、29-3
家畜伝染病　29-3
家畜輸出入数及価額　29-3
活火山　4-5
楽器（比律賓パコボス族）　7-6
楽器需給　15-5、20-7
学校　11-3

学校授業料（蘭印）　22-6

褐炭　28-12

家庭　11-3

家庭（ニユーギニア、パプア族）　12-4

家庭（緬甸人）　10-1

加糖煉乳（新嘉坡）　20-12

カドミウム　28-12

蚊取線香（英領馬来）　18-3

カトリック遺物　16-5

家内工業（仏印）　29-9、29-10

カナカ族婦人　16-11

神奈川県支部　28-2

神奈川県支部（南洋協会）　28-2

金物輸出取引（新嘉坡）　22-7

金物輸入制限（蘭印）　21-9

華南銀行　5-1

華南銀行支店増設　6-6

蟹缶詰（新嘉坡）　11-1

カーニバル（比律賓）　12-3

カーニバル（マニラ市）　25-5

カーニバル祭（比律賓）　12-3、12-3

カヌー（ニユーギニア）　18-7

カヌー（モロ族）　18-3

鞄類（新嘉坡）　6-4

株（蘭印）　23-1

株式会社（仏印）　28-1

株式会社（蘭印）　26-9

株式市場（馬来）　25-12

株式市場（蘭印）　22-9

貨幣（暹羅）　5-10

貨幣・金融（フィリッピン）　29-2

貨幣制度金融機関並に為替事情　15-4

画報（ダバオ）　22-7

画報（ニユー・カレドニア）　24-5

画報（ビルマ）　22-12

画報（比律賓）　22-9

画報（比律賓ビコール地方）　22-10

カポツク　24-2

カポツク（爪哇）　7-5

カポツク（比律賓）　6-6

カポツク（蘭領東印度）　3-5、3-10

カポツク工業（比島）　4-10、4-11、4-12、5-1、5-2

カポツク栽培　15-1、15-2

カポツク栽培（爪哇）　6-7、6-8、6-9

カポツク栽培（仏領印度支那）　21-12

カポツク樹及同種子輸出禁止（蘭印）　20-12

カポツク純輸入額　28-8

カポツク貿易（爪哇）　6-9

カポツク輸出（蘭領東印度）　6-10

カポツク輸出統制（蘭印）　21-9

鎌田梅屋敷　19-2

紙及紙製品需給（爪哇）　19-3

紙及び紙製品需要増加（英領馬来）　16-9

紙製品（新嘉坡市場）　11-11、18-10

紙製瓶（スラバヤ）　22-1

紙製品市場（英領馬来）　17-4

紙製品需給（爪哇バタビア）　19-3

紙巻煙草市場（スマトラ）　6-7

紙巻煙草製造業者営業制限（蘭印）　21-11

紙類（スマトラ輸入）　6-6

ガムビヤ　13-2

ガムビル　18-9

貨物需給（本邦）（新嘉坡市場）　15-2

貨物税　13-8

貨物税（ペカロンガン港）　20-1

貨物積換費用改正（蘭領印度外領）　19-8

貨物輸入割当制限及特許制実施　21-4

蚊帳地カイン・クランブ（蘭領印度）　16-11

カユプテ樹　15-9
カユプテ油　15-9
カユプテ油生産（蘭印）　22-11
ガラス（日本製）　25-8
硝子（蘭印）　22-12
硝子（蘭領印度）　16-11
ガラス及ガラス器市場（蘭印）　9-10
硝子及同製品（英領馬来）　16-9
硝子及び同製品（英領馬来）　16-10
硝子及同製品取引（蘭領印度市場）　15-8、15-9、15-10
硝子器（新嘉坡）　20-9
硝子器（新嘉坡市場、本邦）　15-6
硝子器輸入（英領馬来）　12-1
硝子光珠取引（爪哇）　12-3
硝子工場（スマラン）　22-2
硝子工場（バタビア）　22-2、22-5、22-11
硝子市況（蘭領印度）　17-10
硝子製造（比律賓）　19-5
硝子製品（海峡植民地市場）　13-5
硝子製品（新嘉坡）　22-7
硝子製品（スラバヤ）　14-11
硝子製品市況（爪哇）　14-2
硝子製品市況（新嘉坡）　19-8
硝子玉及珠需要（新嘉坡）　12-2
硝子壜（新嘉坡）　6-7
硝子輸入制限令（蘭印）　22-12
カラツパ椰子　7-3
咬噌吧〔ジャカトラ〕（カラパ）　6-1、6-2
カリヂヤチー飛行場（爪哇）（ジャワ）　22-1
加里肥料　27-7
カリンガ族の乙女（比律賓）　18-9
カルシユーム・カーバイド需給状況（爪哇）　18-10
カルスの研究　17-6
迦楼羅（暹羅）（かるら）　17-3

為替　5-4
為替（英領馬来）　25-10、28-2
為替（ジヤワ）　29-5
為替（ビルマ）　29-5
為替（ボルネオ）　29-5
為替（本邦対南洋）　12-5、12-6
革製品市場（英領馬来）　16-10
為替換算率（日・泰）　28-4
為替管理令（蘭領印度）　26-9
為替資金　6-5
為替取引決済（蘭印対日本）　27-5
為換変動（新嘉坡の日本）　10-1
為替変動（南洋）　4-4
官営エステート植付面積及生産量　29-1
官営及民営炭坑従業員数　29-4
官営質屋（東印度）　28-9
官営質屋（蘭印）　28-9
官営水力発電所　29-7
官営炭坑従業員数及採炭高　29-4、29-4
官営炭坑別坑夫　29-4
官営木材及木炭生産高　29-2
灌漑事業（ジヤワ、マヅラ）　28-10
灌漑事業（蘭印）　27-4
灌漑事業視察記（ジヤバ）　24-4、24-5、24-7
乾期　18-4
勧業館（バンドン市）　15-10
勧業博覧会（蘭領東印度）　2-9/10
監禁　28-10
玩具　30-11
玩具市場（緬甸）　6-5
玩具需給（爪哇）　12-2
玩具需給（盤谷）　20-7
玩具商店（在スラバヤ欧州）　12-2
玩具商店シヨウ・ウインドウ（在スラバヤ欧州）　12-2

玩具陳列状況（在スラバヤ欧州） 12-2

巌窟寺院（馬来聯邦州） 9-5

玩具取引（蘭印市場） 16-5、16-6、16-7

玩具輸入（蘭印） 23-4

玩具類（新嘉坡市場） 10-12

間歇温泉（新西蘭） 6-8

観光団（裏南洋島民） 5-8

観光団（爪哇） 2-5

観光団（ダバオ） 21-7

観光団（南洋） 2-5

観光団（南洋母国） 5-9

観光団計画（第二回） 2-8

眼光豆 5-4

冠婚葬祭（南国土民） 13-1、13-3

関西支部 9-5、9-6、9-6、9-7、9-8/9、9-11/12、10-3、10-4、10-9、10-12、11-8、11-11、12-11、12-12、13-1、13-3、15-12、16-1、23-2、23-3、23-4、25-2

関西日蘭協会 25-6

漢詩 25-5

甘蔗（かんしゃ）植付材料輸出禁止（蘭領印度） 20-11

甘蔗栽培園数及面積（蘭印） 29-1

甘蔗生産高（蘭印） 29-1

甘蔗糖 28-10

慣習法（東印度） 30-8

甘藷澱粉 14-3、14-4、14-5、14-6

関税（爪哇） 14-8

関税（比島） 3-2、3-7

関税（比律賓） 3-3、3-5、3-5

関税改正（英領北ボルネオ） 21-11

関税改正（仏領印度支那） 20-7

関税改正計画（蘭領東印度） 6-8

関税改正法案（豪州） 6-6

関税規約（比島） 20-8

関税協定（仏領印度支那） 19-4

関税政策 5-12

4．事　項　131

関税政策（蘭印）　20-11
関税増徴（印度）　7-3
関税定率並細則（柔仏州）　10-11
関税引上　17-7
関税引上（印度）　8-3
関税引上（暹羅）　20-1
関税引上（蘭領東印度）　7-4
関税引上法案（比島）　20-12
関税引下（仏領印度支那）　10-11
関税法（馬来聯邦州）　21-1
関税法改正（暹羅）　19-12
関税法改正（柔仏州）　19-8
関税法改正（馬来聯邦州）　18-9、18-10、19-12、21-11
関税法改正案（蘭印）　23-4
関税問題（比島）　21-1
関税問題（仏領印度支那）　7-10
関税率（英領馬来）　18-11
関税率（サラワツク）　21-2
関税率改正（英領北ボルネオ）　20-1
萼接護謨苗木か選択実生苗木か　22-6
乾燥果実（豪州）　6-3
艦隊司令官海軍少将（和蘭東印度）　19-3
カンダサリ（名花）　7-7、7-8
缶詰（新嘉坡）　6-1
缶詰（比律賓）　16-7
缶詰工業（蘭印）　22-10
缶詰食料品（馬来）　22-2
缶詰食料品需給状況（蘭領印度）　22-3
缶詰パイナツプル総輸出額　28-7
寒天（爪哇）　20-1、20-2
乾田及び海魚池所有権（ジヤワ、マヅラ）　28-10
乾電池及蓄電池需給（盤谷）　20-10
乾電池及蓄電池需要（英領馬来市場）　17-9
関東震災　9-11/12

観南洋　5-5、5-6

ガンニー袋（新嘉坡市場）　11-5

間伐　16-6

干魃（豪州）　6-8

ガンビル（蘭領東印度）　12-12

ガンビール純輸出額　28-9

灌木（護謨園）　21-2、21-3、21-4、21-5

官民（暹羅）　9-11/12

官民（我国）　18-2

官有地（外領）　28-11

官有地（ジヤワ、マヅラ）　28-10

官有地使用許可（仏領印度支那）　14-5

官有地小農業　28-11

官有地バウ当り　28-11

官吏月棒（蘭印）　21-8

管理通貨制採用（南方共栄圏）　28-3

顔料（彼南）　6-12

[き]

驥　8-7

生糸　28-10

議員　5-6

生漆（暹羅）　6-8

生漆（東京産）　11-11

気温（サラワツク）　6-3

帰化　4-5

機会　14-2

議会（タイ国）　26-1

議会（比島）　21-8

議会（比律賓）　19-6、24-3

機械・機具商況（蘭領東印度）　6-12

機械製造（米国製、蘭領東印度）　6-6

機械輸入（爪哇）　5-11

汽缶　29-6

奇観（爪哇）　14-7

機関雑誌改題　23-5

機関紙（マニラの日本案内所）　22-12

危機（欧州）　25-5

企業（印度）　12-2

機業（爪哇）　22-2

企業（対南）　13-1

企業（南洋）　11-1、11-2、11-3、11-4、12-8、15-1

機業（バンドン）　22-1

企業（仏領印度支那南部）　13-11

企業（蘭領）　5-5

企業（蘭領東印度）　17-1

機業計画（蘭印）　21-11

企業合同　16-2

企業地（スマトラ）　12-4

企業地（邦人、英領北ボルネオ）　14-11

企業地（本邦）　12-6、12-7、12-8、12-9、12-10、12-11、12-12

機業蘭印移転案（和蘭本国）　21-10

紀元二千六百三年　29-1

紀元二千六百年記念日本万国博覧会　21-11

紀行（サンバレス）　13-5、13-6

紀行（ジヤワ）　23-9

紀行（赤道）　27-2、27-3、27-4、27-5、27-6

気候（パラオ島）　10-8

紀行（比律賓サンバレス）　22-10

気候（蘭領印度）　10-3

気候概説（熱帯各地）　22-9

気候学　28-11

帰国　22-9

起債（米国）　8-1

記事　14-1

汽車　12-12、13-1

汽車旅行（印度）　25-6

奇習（比律賓）　8-5

奇習（マニラ）　8-5

技術者（蘭印）　22-12

技術大学設立（バンドン）　6-9

奇勝（アローン湾）　11-6

奇勝（爪哇）　8-9、8-10、8-10

気象（パラオ島）　16-7

寄生木（馬来半島）　12-7、12-8

汽船会社（和蘭）　3-7、5-12

汽船会社設立　6-5

貴族院議員南洋視察団　21-10

北ボルネオ会社　4-11、7-10

北ボルネオ会社事業報告　3-11

奇鳥（ジヤワ）　24-4

牛車（暹羅）　11-5

規那　29-2、29-3

規那塩工場（日本、バンドン）　6-6

規那栽培（比律賓）　18-7

規那栽培輸出條令（蘭領印度）　21-6

規那樹　7-6、7-7

規那樹栽培（台湾）　29-10

規那制限（蘭印）　29-1

規那皮　7-6、7-7

規那皮（蘭領東印度）　6-11

規那輸出制限（蘭印）　21-1

規尼涅（キニーネ）（蘭領東印度）　6-11

絹麻織物　10-12

絹糸紡績工場　16-2

絹及綿手巾需給状況（英領馬来）　21-2

絹織物需給（英領馬来）　21-6

絹織物需要　12-4

絹織物需要（英領馬来）　16-8

絹織物取引（蘭領印度）　16-1、16-2、16-3、16-4

絹織物輸入状況　13-3

絹織物輸入制限（蘭印）　21-9

絹製品　8-1

紀念塔（メダン市広場）　6-12

気魄（対外的）　13-11

岐阜提灯（アニーム会社）　14-11

基本条約（日仏印）　29-1

客批館（支那）　14-8

キヤデツトシツプ　4-9

キヤンバス靴（日本製）（スマトラ東海岸州）　17-5

キヤンバス沓用甲皮生地　20-8

キヤンブリツク（爪哇）　20-2

休日表（蘭領印度）　19-1、19-9

救出　28-10

牛乳営業制限（蘭印）　21-3

牛乳純輸入額　28-9

旧友　6-9

教育　29-2、30-11

教育（ジヤワ）　29-4、29-5、29-8、29-9、29-11

教育（セレベス）　29-5、29-6、29-8

教育（タイ国）　29-6

教育（南方一般）　29-4、29-5、29-6、29-7

教育（比島）　29-5、29-11、29-12

教育（ビルマ）　29-5、29-6、29-9

教育（仏印）　29-5

教育（仏領印度支那）　29-2、29-8

教育（ボルネオ）　29-4、29-5、29-8、29-10

教育（マライ・スマトラ）　29-5、29-6、29-7、29-8、29-9、29-10、29-12

教育界（爪哇）　24-9

教育制度（暹羅国）　23-10

教育制度（蘭印）　29-10

教育・文化（ジヤワ）　29-10

教育・文化（セレベス）　29-7、29-9、29-10

教育・文化（南方一般）　29-8、29-9、29-10、29-11

教育・文化（比島）　29-6、29-7、29-8、29-9、29-10

教育・文化（ビルマ）　29-8、29-11、29-12

教育・文化（仏領印度支那）　29-7
教育・文化（ボルネオ）　29-9
教育・文化（マライ・スマトラ）　29-11
教育方針（植民地）　6-8、6-9
教育・報道（マライ・スマトラ）　29-3
共栄圏建設　29-8
共栄の地　14-1
協会創立（馬来諸州）　18-12
教会堂（爪哇）　4-8
教会堂（爪哇バタビヤ）　4-4
競牛（マドラ）　17-10
競技用具（極東）　5-12
教訓　11-4
恐慌（印度）　8-11
行幸（暹羅国王陛下）　11-3
凶作（交趾支那）　5-6
共進会（スラバヤ）　6-2
共進会（蘭印）　2-8
行政（北ボルネオ）　29-9
行政（昭南）　29-1
行政拡張計画（蘭領ニユギニア）　22-5
行政・司法（タイ）　29-4
行政府長官　29-4
強制労働法　5-11
共存共栄　13-3、27-2
協同組合（泰国）　28-4
共同組合運動（英国人）　19-5
共同信用組合運動（暹羅）　15-11、15-12
教養　11-4
漁業（英領馬来）　15-11、15-12、16-1、16-2、24-2
漁業（北ボルネオ）　6-7
漁業（爪哇）　14-1
漁業（南洋）　4-4、7-12、13-12、17-3、17-4
漁業（ボルネオ）　4-6、7-1、8-1

漁業（マニラ）　11-7、11-8

漁業（馬来）　27-11

漁業（蘭印）　26-12

漁業界（新嘉坡）　19-12

漁業規定（蘭印）　24-4

漁業経営論　15-7、15-8

漁業者（西伯利{シベリア}）　5-3

漁業者保護対策（馬来人）　22-11

漁業状況（馬来領）　21-3

漁業状態（馬来半島）　26-7

漁業保存令（サラワク国）　21-1

漁具（英領馬来）　17-5

漁具（爪哇）　14-1

極東政策（列国）　25-11

漁菜市場（新嘉坡）　5-3

魚菜市場（マニラ）　5-5

巨樹（バタビヤ市中）　4-9

居住税令（比律賓）　25-9

漁場（南洋）　5-5

魚醬油製造（仏領印度支那）　18-4

魚醬油製造及取締規則（仏領印度支那）　18-4、18-5、18-6

去勢（ポナペ島）　3-2

漁村（バリ島）　18-1

漁村（馬来半島）　19-7

漁夫（モロ族）　18-3

漁夫（モロー族）　13-3、13-12

漁網（本邦）　13-12

魚類（海）　28-12

魚類塩蔵加業用塩（スマトラ）　18-11

魚類缶詰輸入（爪哇）　12-1

魚類輸入（蘭印）　11-9

帰来者　10-1

ギルダー　21-7、22-8

儀礼（回教）　3-10

138　Ⅲ．索　引

　　　金　28-12

　　　銀　28-12

　　　銀（ビルマ）　28-6

　　　銀及鉛産出額　29-5

　　　銀及鉛産出高（ニユー・サウス・ウエルス州）　29-5

　　　金銀出入（蘭領印度）　19-2

　　　金鉱（蘭領東印度）　5-12

　　　金鉱開発（バンタム）　22-11

　　　銀行為替相場　5-7

　　　銀行勘定（泰国）　28-1

　　　銀行業大観（蘭印）　10-11、10-12、11-3、11-4、11-5、11-6、11-7

　　　金鉱踏査（ニユギニア）　22-9

　　　銀行法（爪哇）　11-12

　　　金採掘（ニユーギニア）　21-11

　　　金産額（豪州）　6-4

　　　金、証券、為替管理法令（英領馬来）　26-6

　　　金生産額　29-5

　　　銀生産高　29-5

　　　金生産比率（対世界）　29-5

　　　金属及鉱石類輸出税率改正（馬来聯邦州）　19-8

　　　金属加工業（東印度）　29-3

　　　金属製品（英領馬来市場）　13-2

　　　金属製品輸入状況（新嘉坡市場）　10-12

　　　緊縮政策　15-8

　　　金本位停止（暹羅）　18-7

　　　金融　5-6、5-7、5-9、13-3

　　　金融（英領馬来）　28-2

　　　金融（サラワク）　6-1

　　　金融（爪哇）　4-9

　　　金融（スマトラ島）　5-8

　　　金融（セレベス）　29-6

　　　金融（タイ）　29-5

　　　金融（タイ国）　29-7

　　　金融（南方一般）　29-2、29-4、29-6、29-8、29-10、29-11

金融（南洋） 11-3
金融（比島） 29-6、29-9
金融（ビルマ） 29-6
金融（仏印） 29-5
金融（ボルネオ） 29-4
金融（マライ） 29-4
金融（マライ・スマトラ） 29-5、29-7、29-10
金融（蘭印） 22-9
金融界（英領馬来） 22-8
金融機関 25-2、25-4
金融機関（泰国） 26-12
金融救済銀行（蘭領印度） 18-7
金融梗塞（南洋） 9-2
金融事業（蘭領東印度） 9-10
金融事情 2-5
金融・商業（比島） 29-4
金融・商業（仏領印度支那） 29-4
金融制度（爪哇） 13-1
金融・通信（タイ国） 29-8
金融逼迫（北部スマトラ） 17-2
金融・物価（ジヤワ） 29-8、29-11
金融・物価（比島） 29-8
金融・物価（仏領印度支那） 29-10
金融・物価（マライ・スマトラ） 29-9、29-11
金融・物価・統制（比島） 29-11
金融・保険（比島） 29-7
金融問題 10-6、10-8、10-9
金輸禁（蘭印） 22-12
禁輸出解禁 15-10
金輸出禁止（蘭印） 22-12
金輸出禁止（蘭領印度） 23-9
禁輸理由（蘭領） 4-4

[く]

グアイユール灌木（北米合衆国）　18-1

グアユール護謨灌木栽培　16-7

クウイーン・オブ・ナイト　14-9

空港（バタビア・バスラ・シンガポール）　24-12

空中王（英）　6-7

空輸　5-6

空路計画（蘭印と仏領印度支那）　22-5

空路連絡（タラカン港へ）　23-3

釘需給状況（新嘉坡）　21-6

果物（ジヤワ）　23-12

果物海外新販路（蘭印）　21-12

クチン城塞　6-6

靴（米国）　5-6

グッドイヤー工場（蘭印）　23-5

グッドイヤー工場作業開始（爪哇バイテンゾルグ）　21-9

靴紐工場（ジヨクジヤ）　21-11

苦闘史　10-5

クーポン税令（蘭領印度）　25-12

クミスクーチン（蘭領印度）　24-6、24-8

倉敷料改正（馬来聯邦州）　19-11

苦力（爪哇）　23-5

苦力（スマトラ）　28-5

苦力條例及アッシスタント規則（スマトラ）　13-4

苦力條令改正案（メダン）　16-8

苦力條例修正追加條文　15-3

苦力條例修正問題（スマトラ）　22-7

苦力條例懲罰法縮少案（蘭領印度）　16-11

苦力数（スマトラ島）　6-9

苦力賃金（馬来聯邦州）　23-4

クリーム掬取器（豪州）　6-4

グリユコーズ製造（爪哇）　18-11

グリーン、スター汽船会社　6-7

グリーンピース缶詰発売禁止　21-5

黒胡椒・白胡椒貿易額　28-8

クローム鉱　28-12

クローム産地（ニユー・カレドニア）　26-4

クローム鉄鉱（比律賓）　27-7

グワム軍港論　9-4

軍艦北上　15-4

軍艦矢矧乗組員病没者慰霊祭　24-4

軍艦矢矧病没者慰霊祭　24-4

軍教問題論議（比律賓）　22-11

軍港問題（新嘉坡）　10-12

軍港論（グワム）　9-4

軍事的設備問題（新嘉坡）　9-3

軍状（南方）　28-5

軍政　28-5

軍政（ジヤワ）　28-9、29-4、29-5、29-6、29-7

軍政（セレベス）　29-5、29-6、29-7

軍政（比島）　29-4、29-5、29-6

軍政（ビルマ）　29-4、29-7

軍政（ボルネオ）　29-4、29-7

軍政（マライ）　29-4

軍政（マライ・スマトラ）　29-6、29-7

軍政財政（比島）　28-10

軍政・人事（南方一般）　29-2、29-4

群島観　5-3

訓練　11-4

[け]

K・P・M汽船　21-6

K・P・M社　22-4

KPM爪支日西社合併計画　22-5

経営組織（印度）　12-2

景観（英領馬来カメロン高原）　25-1

景観（フイリツピン）　28-5

景観（蘭領東印度）　5-12

Ⅲ. 索　引

景気（スマトラ東海岸州）　16-7

景気論　9-3

経済（世界）　10-3

経済（タイ）　29-5

経済（タイ国）　28-6

経済（泰国）　27-2

経済（土人）　10-12

経済（南洋）　27-9、27-10

経済（日本）　20-5、20-6

経済（ニューカレドニヤ）　27-12

経済（比島）　27-1

経済（仏印）　29-5

経済（馬来）　26-10

経済（蘭印）　26-1、26-10、26-11、27-10、28-1、28-2

経済（我国）　14-12、17-3

経済界（豪州及新西蘭）　24-3

経済界（ジヨホール州）　3-7

経済界（比島）　27-4

経済界（馬来）　25-9

経済界（蘭領印度）　16-9、18-6、19-2、19-6

経済概観（シヤン・ステート）　13-11

経済概観（スマトラ東海岸州）　13-9

経済概観（馬来）　26-3

経済概観（蘭領印度）　25-11

経済会議（オツタワ）　18-11、19-1、19-2、19-3、19-4

経済会議（世界）　20-2

経済概況（英領北ボルネオ）　21-11

経済概況（英領馬来）　25-1、25-7

経済概況（比島）　23-5

経済概況（比律賓）　23-1

経済概況（蘭領印度）　26-3

経済回顧（馬来）　27-4

経済回顧（蘭印）　27-2

経済観（独立後比律賓）　20-8

経済関係　15-12

経済関係（対南洋）　6-11、6-12

経済関係（蘭領印度と我国）　26-5

経済協定解説（日・仏印）　29-5

経済協定調印（日仏印）　27-6

経済現勢概観（蘭領印度）　26-5

経済国難　16-7

経済雑誌（爪哇島）　4-8

経済市況（豪州）　26-12、27-2

経済資源と開発（葡領チモール）　27-3、27-4、27-5

経済資源と貿易（仏印）　27-3

経済視察団（暹）　22-4

経済事情（スマトラ東海岸州）　17-6、18-5

経済事情（「タイ」国）　28-11

経済事情（タイ国北部地方）　25-9、25-10

経済事情（ダヴアオ）　12-7

経済事情（南洋）　24-1、24-2

経済事情（ニユーカレドニア）　29-2

経済事情（新西蘭）　26-11

経済事情（比島）　6-4

経済事情（緬甸）　5-5、5-6、5-7、5-8、5-9、5-10

経済事情（仏印）　28-11

経済事情（北部暹羅）　25-5

経済事情（馬来）　26-1

経済事情（蘭領印度）　18-7、19-1、19-2、19-3

経済事情（蘭領ニウギニア）　21-3、21-4、21-5、21-6

経済事情（蘭領東印度）　8-6、8-7、8-8、10-1

経済使節（暹）　22-3、22-4

経済省（蘭印）　22-10、23-3

経済小観（蘭印）　25-6

経済状況（スマトラ東海岸州）　17-1、18-1、21-8、22-12

経済省出張所設置（スラバヤ市）　22-9

経済情勢（英領馬来）　24-6

経済状勢（蘭領印度）　23-8

経済情勢（蘭領印度）　19-12、22-6、22-8、22-11
経済情勢概観（蘭領印度）　23-5
経済省組織改革（蘭印）　21-7
経済状態（蘭印）　25-8
経済状態（蘭領印度）　24-9
経済状態（蘭領東印度）　6-9
経済省長官（蘭印）　20-10、21-7
経済情報　26-2
経済情報（英領馬来）　25-11、26-5
経済情報（馬来）　25-8
経済資料　25-10、25-11、25-12、26-1
経済審議会（比律賓）　23-1
経済政策（豪州）　26-12
経済政策（ロハス）　25-7
経済的握手（大南洋）　22-2
経済的握手（日蘭）　7-1、7-2
経済的意義（爪哇）　10-4、10-5、10-7、10-8、10-9
経済的影響（蘭印）　26-6
経済的援助（英・蘭印間）　26-9
経済的価値　10-10
経済的価値（南洋）　3-8、3-9、3-10
経済的価値（南洋占領諸嶋）　1-5
経済的活動（仏印華僑）　27-1
経済的関係（我国と仏領印度支那）　16-5
経済的考察（護謨栽培事業）　14-9、14-10
経済的抗戦力（豪州）　29-1、29-4、29-11
経済的生活　25-3
経済的勢力（比律賓）　27-11、27-12、28-1、28-2
経済的前途（馬来）　26-3
経済的相互関係（蘭印豪州新西蘭）　28-3
経済的損害（日本）　10-7
経済的地位（海南島）　25-7
経済的地位（南洋華僑）　23-10
経済的地位（馬来半島及新嘉坡）　3-5

経済的地位（蘭領東印度）　7-2

経済的地盤（英国）　24-5

経済的南進　27-5

経済的発展　24-11

経済的発展（印度支那）　4-2

経済的不況　7-6

経済的連絡（南北）　8-7、8-8

経済点描（馬来）　26-10

経済問題（比律賓）　23-11

経済力（南洋華僑）　25-6

警備強化（蘭印東部諸島）　23-4

京浜南洋雑貨輸出組合　21-4

軽便鉄道（タピオカ園）　4-2

契約苦力待遇改善問題（蘭領東印度）　14-5

契約破棄（蘭印）　22-1

契約不履行（蘭領印度向）　19-10

毛織物需給状況（英領馬来）　21-2

毛織物取引事情（新嘉坡）　22-3

毛織物輸入制限（蘭印）　21-9

劇芸術（シヤム）　24-7、24-8

劇と舞踊（タイ国）　25-11

化粧石鹸並洗濯石鹸輸入（暹羅）　20-1

化粧石鹸貿易（蘭領東印度）　6-12

化粧品（外国製）（新嘉坡市場）　11-8

化粧品（下級）（馬来半島）　14-1

化粧品（爪哇）　12-7、12-8

化粧品市場（馬来）　27-2

化粧品需要（新嘉坡市場）　12-12

結婚（インドネシア）　28-11

結婚儀礼（爪哇バリ島）　4-4

月明（ジヤワ）　23-7

ゲテウー寺院（バリー島）　26-1

ケノポデイウム　5-10

ケーブル其他ワイヤ製品（英領馬来）　14-3、14-4

権益（米国）　26-8、26-9

研究　5-8

研究資料（蘭領東印度）　2-1、2-2、2-4

言語（印度支那）　25-5

言語・教育（ジヤワ）　29-3

言語・教育（マライ）　29-4

健康地（セレベス島）　9-3

原産国名記載規定　21-3

原産地証明書法令　26-2

原始圏（南海）　26-1

原始生活（ダヤク族）　24-10、24-11

絹糸紡績工場（安南）　16-2

原始民族の怪奇と芸術　25-9、25-10

原住民族（ボルネオ）　24-10、24-11

原住民対策（ジャワ）　29-3

建設（共栄圏）　29-8

建設（大東亜道義共栄圏）　29-10

建設（東亜）　25-5、28-4

建設（南洋）　27-11

建設（ボルネオ・セレベス）　30-7

建設進展（マレー）　28-11

建設政策　29-2

建設戦期　28-5

建設途上（ビルマ）　30-8

建築材料市況（被南〈ペナン〉）　17-6

現地自活　30-5

現地視察報告　28-11

見聞記（グアム）　25-4

原棉自給策（共栄圏）　28-3

原油　28-12

原料（比島）　29-6

原料糖　23-8

言論界　5-2

言論統制　23-1

[こ]

興亜文化会館（ジヤワ）　30-3
抗英闘争史（ビルマ）　29-9
交易（タイ国）　29-7、29-12
交易（南方一般）　29-7
交易（比島）　29-7
交易（マライ・スマトラ）　29-7
交易・海運（比島）　29-10
交易・金融（タイ国）　29-9
交易・金融（仏領印度支那）　29-9
交易図（安南）　12-3
公園（爪哇）　6-8
公園（プノンペン）　11-7
講演会　4-4、4-5、5-6
公休及銀行法定休業日（海峡植民地）　19-3、20-2
公休日（海峡植民地）　20-10、21-12、22-10
公休日（柔仏王国〔ジヨホール〕）　22-11
公休日（柔仏国〔ジヨホール〕）　22-1
公休日（蘭領印度）　20-10
公休日表（蘭領印度）　21-10
鉱業　5-10、29-2
鉱業（英領馬来）　24-6
鉱業（英領馬来パハン州）　26-9
鉱業（暹羅）　13-3
工業（新嘉坡）　9-11/12
鉱業（南洋）　17-2
工業（比島）　24-3
鉱業（ビルマ）　10-1
鉱業（フイリツピン群島）　14-3、14-4、14-5
工業（仏印）　27-4
鉱業（仏領印度）　29-2
鉱業（仏領印度支那）　4-9、29-2
鉱業（馬来）　26-4、26-11
鉱業（マライ・スマトラ）　29-3

148　Ⅲ. 索　引

鉱業（馬来半島）　19-6

工業（蘭印）　22-10、26-7、26-8、27-7、28-3、28-4、29-2

鉱業（蘭印）　21-9、29-3

工業（蘭領印度）　19-9、24-8

鉱業（蘭領印度）　22-9、23-8

工業化（印度）　28-6

工業化（日本）　21-10

工業化（比律賓）　21-8

工業化（仏印）　29-12、30-1、30-2

工業化（蘭印）　20-11

工業化（蘭領印度）　21-10

工業概観（仏印）　28-6

工業概観（蘭領東印度）　13-3

鉱業会議所報（馬来聯邦州）　4-4

鉱業概況（柔仏〔ジョホール〕）　22-10

鉱業会社設立法案（ニユギニア）　22-9

工業概要（英領馬来）　22-4、22-5

工業化運動（フィリピン）　27-10

工業化計画（蘭印）　23-3

工業化政策（蘭領印度）　23-6

公共機関　6-10

工業企業（蘭印）　27-5

工業企業地（外領）　29-4

鉱業現況（蘭印）　26-7

工業建築材料ライセンス制度　26-2

工業産物　28-12

工業試験室　16-6

工業時代　14-8、14-9

工業従業者指数　29-3

工業状態（蘭領印度）　25-1

工業所有権（蘭領印度）　19-3

工業製品陳列館開設（蘭印）　22-9

工業製品販路（ジヤワ）　29-4

工業地帯（バタビア市）　22-4

工業中枢点（英領馬来）　18-7
工業電化調査委員会（蘭印）　22-11
工業統制法（蘭印政府）　22-4
工業肉類貯蔵作業（比島）　24-3
砿業法（蘭領印度）　15-3
鉱業法（蘭領印度）　16-3、16-4
航空安全設備（チモール島）　22-9
航空会社時間改正（蘭印）　23-1
航空会社新空路（蘭印）　21-6
航空会社設立案（馬来）　23-2
航空條約（比島政府和蘭）　23-4
航空発着時間（新嘉坡）　21-9
航空便（馬来対米）　23-5
航空網（太平洋）　24-12
航空問題（南方）　28-5
航空郵便連絡（爪哇・日本）　22-7
航空輸送（蘭印）　18-11
航空連絡（爪哇新嘉坡間）　19-6
航空路（ジヤバ、ボルネオ）　22-4
航空路（爪哇比律賓）　21-12
航空路（東亜）　27-5
航空路（バタビア、サイゴン）　23-5
航空路（パダン—メダン間）　22-2
航空路（バンジヤルマシン—マルタプーラ間）　21-9
航空路（ボルネオ）　22-1
航空路（ボルネオ、タラカンへ延長）　22-7
航空路（蘭印—マニラ）　22-4
航空路開設（爪哇、マニラ）　23-5
皇軍入城（マニラ）　28-5
光景　5-2、5-3、5-5
工芸品海外進出策（蘭印）　22-4
皇后（暹羅）　17-5、17-5
広告　11-9
皇国意識　29-2

広告宣伝　6-3
皇国農民指導層　30-10
広告法（新嘉坡市）　19-7
耕作機（比島）　6-4
耕作機（馬来半島）　6-2
鉱産（ニユー・カレドニア）　26-4
鉱産業（比島）　25-11
工産業及乾塩漁業　29-4
鉱産国（南洋）　26-4
鉱産資源（英領北ボルネオ）　26-6
鉱産資源（英領馬来）　27-8、27-9
鉱産資源（タイ国）　27-1
鉱産資源（ニユーカレドニア）　27-3
鉱産資源（比島）　26-4、27-6
鉱産資源（ビルマ）　27-5、28-8、28-9
鉱産資源（蘭印）　27-2
鉱産資源図（仏印）　27-4
鉱産統計（仏印）　27-11
鉱産物　28-12
鉱産物（英領馬来）　20-8
鉱産物統計（英領馬来）　22-4
鉱山労働事情（ビルマ）　28-9
公使（和蘭）　6-10、6-11
公使（駐日暹羅）　23-12
工事（蘭領東印度）　7-2
豪紙　5-2
交趾支那米産額　15-10
孔子廟進士碑（安南国）　13-1
豪州鉱産統計　29-5、29-6
豪州人　23-11
豪州炭産出船積　6-3、6-7
工場（蘭印）　21-9
工場委託経営（マレー）　28-7
工場及作業場　29-6、29-6、29-6

工場視察記（ジヤワ）　29-5、29-9、29-10
公娼廃止　6-4
工場保安條令（蘭領東印度）　16-7
工場法　29-6、29-6
香水（英領馬来）　18-3
香水原料植物　14-11、14-12、15-1、15-2
合成護謨（独逸）　6-2
合成ゴム発明　18-2
礦石輸出税改正（馬来聯邦州）　20-5
抗戦力（豪州）　29-11
貢租金額（外領）　28-11、28-11
貢租金額（ジヤワ及マヅラ）　28-11
皇太后陛下　19-2
皇太子（英国）　6-3
耕地配分表（比律賓群島）　6-3
紅茶　23-8
紅茶（ジヤバ）　16-9
交通　2-1
交通（セレベス）　29-7
交通（タイ国）　29-6
交通（南方一般）　29-5、29-7
交通（比島）　29-5
交通（仏領印度支那）　29-2、29-4
交通（マライ・スマトラ）　29-5
交通機関　12-12、13-1
交通機関（新嘉坡）　11-9
交通現状（蘭印）　27-12
交通現勢（比律賓）　26-2
交通事情（スマトラ島）　4-11
交通政策　27-9、27-10
交通・通信（ジヤワ）　29-3、29-4、29-6、29-7
交通・通信（タイ国）　29-2
交通・通信（南方一般）　29-2、29-4
交通・通信（比島）　29-4、29-6、29-8

交通・通信（ビルマ）　29-3、29-4、29-8
交通・通信（フィリッピン）　29-2
交通・通信（仏領印度支那）　29-10
交通・通信（ボルネオ）　29-4
交通・通信（マライ）　29-4
交通・通信（マライ・スマトラ）　29-3、29-6、29-7、29-8
交通・通信・運輸（比島）　29-7
交通通信事業　19-2
皇帝（暹羅）　12-2、17-5、17-5
公定価格（新嘉坡）　27-12
鋼鉄生産（ニユーカツスル）　6-6
高等農林師範学校（暹羅）　11-5
紅土鉄鉱（セレベス）　5-4
興南地元会便り　29-12
港費改正（ポートスキツテンハム港）　19-12
鉱物資源（英領北ボルネオ）　26-6
鉱物資源（ビルマ）　28-6
鉱物資源（ボルネオ）　3-9、3-11、4-1
鉱物生産額　29-5、29-5、29-5
鉱物生産高　29-5
鉱物生産統計（仏印）　27-7、27-7
神戸支部　25-7、25-8、26-9、27-7
合弁事業（南洋日支）　8-10
黄麻（コウマ）　28-10
黄麻繊維（コウマ）（印度）　6-12
紅毛文　6-1、6-2
小売商権国民化運動（比律賓）　27-2
公立学校（比律賓）　24-6
小売物価（海峡植民地）　17-11
交流（共栄圏）　28-11
香料　28-9
香料原料栽培面積　28-7
香料植物（爪哇島）　10-3、10-4、10-5、10-6
香料バニラ　7-5

4. 事　項　153

公路　30-6

航路　5-5

航路（加奈陀豪州間）　6-4

航路（K・P・M社）　22-4

航路（台湾南洋間）　2-5

航路（台湾海防間）　7-1
　　　　　　ハイフォン

航路（智利）　6-2

航路（南阿）　11-12

航路（南洋）　2-7、5-4、6-4、6-7

航路（比島和蘭間）　6-12

航路（本邦・蘭領印度間）　1-5

航空（蘭印・波斯）　23-1

航路（蘭領東印度）　6-7

航路開設（海峡―紐育）　20-10

航路開設（本邦・新西蘭）　21-11

航路サービス（暹羅）　22-6

航路増配（日本）　20-1

講話の問題　4-2

港湾（スマトラ島）　5-5

港湾（蘭領東印度）　3-5

港湾設備（爪哇）　8-4

コオラカンサ宮城（ペラ州）　8-3

古柯　14-5、14-6、14-7

語学補習科設置　4-12

コカ研究　10-4、13-7

小型発動機需要　16-11

国営会社活動開始（比島）　28-6

国王の訃（サラワツク）　3-7

国語　29-4

国語（比島）　25-11

（新）国語（比律賓）　25-2

国際愛　13-10

国際移民会議　10-2

国際関係（海南島）　25-3

国際管理　5-2

国際汽船　20-10

国際経済　24-11、24-12

国際経済事情（仏領印度支那、蘭領印度、暹羅）　19-4

国際ゴム協定　21-8

国際護謨限産協定案　20-8、24-6

国際ゴム制限　22-7

国際護謨制限協定　23-4、23-5

国際護謨制限率　21-12

国際栽培護謨会社設立　8-10

国際市況（護謨）　21-12

国際市場（馬来）　26-4

国債支払統制法（和蘭）　21-1

国際収支（蘭領印度）　21-10、22-9

国際商標協定（蘭印）　23-1

国際人口会議　23-12、24-1

国際親善　23-1

国際親善（日蘭）　19-10

国際錫カルテル　22-10、23-2

国際錫限産協定書　23-3

国際錫生産制限新協定　20-2

国際政局　19-8、19-9、19-10

国際生産制限令　22-6

国際難局　20-2

国際見本市（仏領印度支那河内）　13-2

国際連盟　5-2

国策　23-6

国策（我）　13-5、17-2

国策樹立（南洋）　8-11

黒人（在米）　12-3

黒人（本土）　12-3

黒水熱　30-2

国税（比律賓）　3-5

国籍　22-4

国是国策　10-2

穀倉信用制度（蘭領東印度）　12-9

黒檀　4-5、5-5、5-6

黒檀（セレベス）　17-4

国鉄減収（蘭印）　22-8

国鉄収入（蘭印）　23-5

国防（新西蘭）　24-9

国防国家　26-7

国防熱（蘭印）　22-12

国民　5-6、8-12、10-7、11-6、17-8、20-2

国民（泰）　26-1

国民（日本）　11-1、11-4

国民議会議員（比島）　24-5

国民教育　9-10

国民経済　21-2、21-3

国民参議会（爪哇）　8-7

国民参議会（蘭印）　21-7、21-9、22-7

国民参議会議員（蘭領印度）　19-11

国民性（比律賓）　24-2

国民党員（東印度）　23-1

国民党解散（東印度）　22-9

国務院総理施政方針演説（暹羅）　20-12

国名（タイ）　25-6

極楽鳥　6-1、6-1、6-2、17-4、17-5、17-7、17-8、17-9、17-10、17-11、17-12、18-1、18-2、18-3、18-4、18-5、18-6、18-7、18-8、18-9、18-10、18-11、18-12、19-1、25-6

極楽鳥（蘭領ニユーギニア）　9-3

極楽鳥市価　6-5

国立測候所（爪哇バタビヤ）　4-9

穀類強徴（比島）　5-11

互恵的精神　19-11

ココア　28-10

故国　25-1

ココナツト・オイル　5-3

156　Ⅲ. 索　引

コヽナット及コプラ輸出税撤廃（馬来聯邦州）　20-9

古々椰子　1-1、27-7

古々椰子（比律賓）　7-1、7-2

古々椰子栽培収支予算（非律賓）　1-10

古々椰子栽培予算（英領北ボルネオ）　1-10

ココ椰子栽培面積（マレー）　28-6

ココ椰子汁液採集　9-10

ココ椰子製品純輸出額（マレー）　28-6

ココ椰子製品総輸出額（マレー）　28-6

ココ椰子製品総輸入額（マレー）　28-6

ココ椰子油総輸出額（マレー）　28-6

莫蓙及筵需給状況（英領馬来）　17-11

蓙及び筵純輸入額　28-7

小姓（緬甸）　7-6

胡椒（蘭領印度）　18-12、19-3

胡椒（蘭領東印度）　6-11、6-12、13-5

胡椒栽培　15-1、15-2、15-3、15-4、15-5、15-6、15-7、15-8、15-9

胡椒純輸出額　28-8

胡椒輸出税（蘭領印度）　19-6

個人諸税（蘭領印度）　18-3

湖水（爪哇）　7-7

古代カンボジア　29-5

古代劇（暹羅）　17-5

古代宗教（爪哇）　9-8/9

古代文化　25-1

（新）国家（満洲）　18-6、18-7

国家観念　20-4

国旗（独逸）　6-7

国境（ニユウ、ギニア）　6-11

国境問題（印度）　28-10

国交親善（日蘭）　19-10

国庫収入（蘭印）　22-8、23-5、27-6

国庫予算　23-3

骨牌（スマトラ輸入）　6-6

コツプ輸入制限（蘭領印度）　21-4
古典舞踊（暹羅）　24-7
古陶磁（日本）　24-6
子供（パラオ島民）　20-3
小林使節帰朝　26-12
コパル　23-5
コバルト及カドミユーム生産高　29-6
コパル輸出（蘭領印度）　16-12
湖畔の夕景（爪哇）　7-10
コーヒー　23-8、28-10
珈琲（蘭領東印度）　6-10
珈琲（ロブスタ）　6-4、6-4
珈琲園（ロブスタ）　6-3
珈琲海外宣伝委員会（蘭印）　23-2
珈琲栽培園（爪哇）　6-8
珈琲栽培救済策（蘭印）　22-4
珈琲栽培業（スマトラ島）　5-3
珈琲栽培面積　28-7
珈琲実精選工場　4-7
珈琲樹　10-5、10-12
珈琲純輸入額　28-7
コフイー綺談　23-10
コプラ　1-3、5-3、19-4、28-10
コプラ（比島）　2-8、26-11
コプラ（蘭領印度）　18-12、19-3
コプラ工場建設費説明書　3-3
コプラ市場（蘭領東印度）　6-7
コプラ製造　12-5、12-6
コプラ総輸出額（マレー）　28-6
コプラ輸出額（マレー聯邦州）　28-6
コプラ輸出禁止（比律賓群島）　4-11
コプラ輸出税（蘭領印度）　19-6
コプラ輸出と消費（蘭領印度）　21-12
コプラ輸出入制限解禁（豪州）　6-7

III. 索　引

コプラ輸出表（比島）　6-6
コプラ輸入表（日本）　6-4
胡麻　28-10
胡麻純輸入額　28-9
ゴム　21-4
護謨　4-6、10-5、10-8、11-12、12-4、13-5、13-7、13-8、13-9、13-10、16-3、16-11、17-5、22-3、28-10
護謨（英領印度）　10-1
護謨（暹羅輸出）　5-6
護謨（爪哇輸出）　5-6
護謨（ジヨホール王国密輸出）　9-8/9
護謨（人造）　12-7
護謨（土人）　14-2、17-9
護謨（土人）（ヂヤムビ）　11-9、11-10
護謨（土人）（南東ボルネオ）　11-12、12-4、12-5、12-6
護謨（土人）（蘭領東印度）　14-2、22-3
護謨（南洋）　2-7、7-7
護謨（緬甸）　6-2
護謨（米国と）　9-11/12
護謨（馬来半島輸出）　5-6
護謨（馬来聯邦州）　6-10
護謨（馬来聯邦州輸出）　5-7
護謨（野生）　1-5
護謨（野生）（東南ボルネオ州）　15-7、15-8
ゴム行脚（世界）　22-8、22-9、22-10
護謨植付総面積（世界）　19-6
護謨液採取（ジヨホール州）　5-8
護謨園　13-6、13-11、14-11、21-2、21-3、21-4、21-5、22-4
護謨園（スマトラ島）　4-11
護謨園（馬来半島）　14-1
護謨園（蘭領東印度）　10-10
護謨園改良　14-3
護謨園価値　13-1
護謨園苦力賃金値上　23-4

ゴム園苦力罷業（馬来聯邦州）　23-3
護謨園更新　18-2
護謨園収支計算（英人経営）　3-10
護謨園植生　19-7
護謨園森林化　18-4、18-5
護謨園森林施業化　18-3、18-12
護謨園森林撫育法　19-11
護謨園タッピング停止　18-9
ゴム園タッピング停止（蘭印）　18-7
護謨園タッピング停止（蘭領印度）　18-10、18-11
護謨園地租並輸出税（海峡植民地）　23-4
護謨園地方増進作　17-8
護謨園地方挽回策　17-7
護謨園天然下種更新　20-4
護謨園年中行事（ボルネオ東南州）　15-1
護謨園之土壌（馬来半島）　1-3
護謨園売買　12-2
護謨園売買制限令　3-9
護謨園標準生産量再査定規則（柔仏王国）　10-3
護謨園面積（マレー）　28-6
護謨王国（南洋）　10-10
護謨価　13-11、23-3
護謨価（英領馬来）　15-4
護謨界　16-4、16-9、17-4、19-4、19-12、22-6
護謨界（南洋）　2-6、14-4
護謨会社営業政策　17-7
護謨会社株式　16-9
護謨会社創立　6-5
護謨価格　10-1
護謨価格調節（和蘭提案）　16-1、16-2
ゴム株　12-6
護謨株　12-7、13-11、23-7
護謨株価（英領馬来）　15-4
護謨価暴騰　11-7

160　Ⅲ. 索　引

　　　護謨玩具（日本製）　20-2
　　　小麦　17-6、28-10
　　　小麦（加奈陀）　16-3
　　　小麦粉（我国）　14-1、14-2、14-3
　　　小麦耕作（蘭領東印度）　9-11/12
　　　小麦粉輸入（蘭領東印度）　14-1、14-2、14-3
　　　小麦産額（豪州ビクトリア州）　6-8
　　　小麦産額予想（印度）　6-7
　　　護謨救済　8-2
　　　護謨業　3-8
　　　護謨業（邦人）　2-8
　　　護謨業（蘭領東印度）　10-9
　　　護謨業界　18-11
　　　護謨供給者と需要者　11-9
　　　護謨供給調節　14-2、14-3、14-4
　　　護謨競売高　1-3
　　　護謨切付停止面積（蘭印）　23-2
　　　ゴム靴（爪哇）　17-5
　　　護謨靴（日本）　16-10
　　　ゴム靴工場設立（蘭印）　23-5
　　　護謨欠乏　3-10
　　　護謨減産協定（爪哇）　20-5
　　　護謨限産條例（1934年）（柔仏国）　20-10
　　　護謨減産率（国産）　21-4
　　　護謨工業（仏国）　15-7
　　　ゴム工業統制（独逸）　20-1
　　　ゴムコパル（蘭領東印度）　14-7
　　　護謨採液カップ不足（馬来）　23-3
　　　ゴム在庫（世界）　21-1
　　　護謨栽培　3-6
　　　護謨栽培　6-6、14-9、17-2
　　　護謨栽培（英領馬来）　25-10
　　　護謨栽培（爪哇）　7-3
　　　護謨栽培（熱帯アメリカ）　12-2

護謨栽培（比島）　3-5、3-5、3-7
ゴム栽培（比律賓）　27-7
護謨栽培（仏領印度支那）　12-8、12-9
護謨栽培（ボルネオ地方）　6-6
護謨栽培（馬来）　21-2、27-2、27-10
護謨栽培（蘭領東印度）　12-2
護謨栽培（リベリヤ）　11-12
護謨栽培会社　17-2
護謨栽培会社（米国系）　12-6
護謨栽培会社営業成績（外人）　11-8
護謨栽培界の恩人　18-3
護謨栽培業　12-3、12-4、12-5、18-6、23-9
護謨栽培業（スマトラ東海岸州）　4-8
護謨栽培業（馬来）　4-7
護謨栽培協会（倫敦）　14-1
護謨栽培業危機　8-11
護謨栽培業者　11-5
護謨栽培業者（新嘉坡）　5-4
護謨栽培業統計（蘭領東印度）　4-5
護謨栽培事業　10-2、14-5、14-7、14-8、14-9、14-10、19-7、19-8、19-9、19-10
護謨栽培事業（ソヴエート・ロシア）　21-3
護謨産業（英領馬来）　21-7
護謨産業（馬来）　22-2
護謨産業概況（馬来）　18-5
ゴム産業統合対策（共栄圏）　28-3
護謨産出数量　16-6
護謨三大市場　13-8、13-9、13-10
護謨市価　10-3、17-2
護謨市価大暴落　17-7
護謨市価低落　16-2
護謨市価暴落　14-7
護謨市況　11-8
護謨市況（米国）　25-3
護謨事業　5-2、9-8/9、9-10、12-1、14-7、16-1

護謨事業（伊太利国）　14-8

護謨事業（英領馬来）　18-10

護謨事業（瑞典）　14-9、14-10

護謨事業（世界）　20-7、22-10

護謨事業（ソヴイエツト露西亜）　14-9、14-10

護謨事業（比律賓群島）　12-9

ゴム事業（馬来）　27-8、27-9

護謨事業救済問題　7-4

護謨事業統制　22-8

護謨事業発展史　22-12、23-1、23-2

護謨市場　13-11

護謨事情（世界）　20-7

護謨事情（ハンガリア）　14-11

護謨市場救済問題　4-12

護謨事情と統制　22-9

護謨樹　12-3、13-11、15-9、17-12

護謨樹（馬来半島）　16-10

護謨樹更生　19-7

護謨樹栽培　14-1

護謨種子　5-10、5-11

ゴム需給（世界）　22-4

ゴム需給概要　18-8

護謨需給関係　6-12、12-1

護謨樹種改良　12-11

護謨樹種子純輸出額（マレー）　28-6

護謨樹乳液産出作用　19-6

護謨樹芽接(めつぎ)　14-10、14-11、14-12、28-6、28-6

護謨需要増加　6-6

護謨樹落葉病（馬来半島）　16-10

護謨純輸出額（マレー）　28-6

護謨巡礼（馬来半島）　18-4

護謨商況（蘭領東印度）　6-4

護謨消費　14-6

護謨消費増進　16-5

護謨消費高　13-5

護謨消費量　20-7

護謨将来　6-12

護謨植民地払下及び売買制限　3-9

護謨新生産制限法　17-3

護謨森林造園法　18-4

護謨ストック　13-7

護謨制限（蘭印）　29-1

護謨制限案（蘭印側）　19-10

護謨制限緩和（蘭印）　23-1

護謨制限令（蘭領印度）　20-9、20-10、20-11

護謨生産　14-6、14-9、18-5

護謨生産（世界）　6-2

ゴム生産（マレー）　28-7

護謨生産及消費　10-12、13-3、15-4、18-12

護謨生産界　20-12、23-3

護謨生産額　28-6

護謨生産額（世界）　19-6

護謨生産額予想　9-6

護謨生産計画（比律賓）　27-1

護謨生産原価　14-9

護謨生産者（比律賓）　3-4

護謨生産者（蘭領東印度）　12-3

護謨生産状況　18-5

護謨生産状況（馬来）　25-12

ゴム生産消費（世界）　20-12、21-1、21-3

護謨生産消費予想　19-5

護謨（ゴム）生産制限　8-6、19-2、20-7、20-10

護謨生産制限（仏領印度支那）　23-4

護謨生産制限（蘭領東印度政府）　8-11

護謨生産制限問題　10-4、10-7、11-5、20-2

護謨生産制限問題（馬来）　4-7

護謨生産調節問題（蘭国）　14-8

護謨生産高　21-4

護謨生産高（南洋）　5-8

護謨生産高（馬来半島）　3-6

護謨生産統制と事業の整理　18-10

護謨生産予想　21-10

護謨生産量　13-5

護謨生産量（英領馬来）　19-10

護謨製造業　15-6

護謨製造業（米国）　15-12

護謨製箱純輸入額（マレー）　28-6

ゴム製品（英領馬来）　19-3

護謨製品（英領馬来）　17-10

護謨製品（世界）　20-3

ゴム製品輸入（英領印度）　20-1

護謨船積表（世界）　6-11

ゴム専売案　29-3

護謨相場　4-4

護謨総輸出額（マレー）　28-6、28-6

護謨総輸入額（マレー）　28-6

ゴム底キヤンバス靴（新嘉坡市場）　20-4

護謨底キヤンバス靴（英領馬来）　17-5、18-11

ゴム底靴消費市場（比律賓）　20-1

護謨対策　22-7

ゴムタイヤ製造高（米国）　5-12

護謨中心地　16-10

護謨調査　10-2

護謨調査期間設置法案　11-3

ゴム貯蔵問題（米国）　26-10

護謨統計　28-6

護謨統計（馬来聯邦州）　15-9、15-10

護謨統計規定（柔仏国）　21-11

護謨投資額（スマトラ）　2-9/10

護謨取引　15-8

護謨成金　11-11

護謨乳液凝固用硫酸　20-8

護謨年報（馬来半島）　1-10

護謨販売統一計画　10-9

護謨粉末発明（和蘭）　18-9

護謨豊産樹　14-10

護謨豊産樹芽接　14-2

護謨暴落　6-11

コムミユニケ（暹羅）　18-7

護謨芽接　14-6

護謨芽接費、砧木及土壌　13-8

護謨輸出（海峡殖民地）　5-7、5-9、6-10

護謨輸出（爪哇）　5-8、5-9、5-9、5-11

護謨輸出（スマトラ）　5-9

護謨輸出額及輸出先　5-6

護謨輸出課税額（海峡植民地及馬来聯邦州）　21-8

護謨輸出制限　9-1

護謨輸出制限（英領馬来）　13-12

護謨輸出制限（錫倫）　10-7

護謨輸出制限（馬来）　10-7

護謨輸出制限規定（1934年）（柔仏国）　20-10

護謨輸出制限條令（1924年）　14-1

護謨輸出制限撤廃　14-4、14-5

ゴム輸出税査定額（柔仏国）　23-2

ゴム輸出税査定額（馬来聯邦州）　23-2

護謨輸出税制度案（英国）　8-10

護謨輸出税率改正（ジヨホール）　20-6

護謨輸出税率改正（馬来聯邦州）　20-3

護謨輸出高（海峡殖民地）　5-8

護謨輸出高（爪哇）　5-5

護謨輸出高（爪哇、スマトラ）　5-8

護謨輸出高（南洋）　5-8

護謨輸出高（バタビア）　5-3

護謨輸出付加税（馬来聯邦州）　20-3

ゴム輸出付加税低下　19-4

護謨輸出量（蘭領土人）　18-6

護謨輸送貨車　9-4
ゴム輸入表（日本）　6-4
護謨林　23-9
護謨老木　19-6
護謨割当輸出許可量　23-5
米　28-10
　（印度支那）米　24-12、25-1、25-3
　（暹羅）米　5-3、6-1、6-2、8-2、8-3、8-4、8-5、8-6
　（緬甸）米　16-1
　（比律賓）米　22-8
　（仏印）米　28-4
　（北部仏印）米　29-3
　（蘭印）米　27-5
米小売商　26-10
米市況（暹羅）　10-11
米純輸入額　28-7
米生産額、輸入額及び消費額　28-7
米生産状況（英領馬来）　20-3
米相場（蘭貢[ラングーン]）　6-1
米搗（暹羅）　8-7
米搗（土人自家用）　8-10
米搗（蛮人婦女）　7-11
米の代用品（比島）　6-3
米プール令　26-10
米輸出（蘭貢[ラングーン]）　6-5
米輸出禁止（暹羅）　6-2
米輸入（英領馬来）　20-3
米藁包装（比島）　19-6
ゴロテ族（比島パラワン島）　21-12
婚姻関係（南洋華僑）　25-1
混血児（支那人ポリネシア人）　8-11
混血児（仏印）　26-7
混血児（仏人タヒチ人）　8-11
コンデンスミルク輸入（メダン）　6-5

コンモンウエルス　23-1
コンモンウエルス（比島）　22-12、23-2
婚約（インドネシア）　28-11
婚礼貧富図（ジヤワ）　24-1

[さ]
サイアム研究流行　11-2
財界（印度）　6-12
在外華僑献金　25-7
災害義捐（印度支那に於ける日本）　10-2
財界不況　11-5
採金事業（比島）　20-4
再建構想（マレー及スマトラ）　28-7
西貢米解禁虚報　6-11
サイゴン米取引　16-9
西貢米輸入途絶説　3-10
財産税令（蘭領印度）　25-7、25-9
祭祀（ジヤワ）　29-5
祭祀（セレベス）　29-9
祭祀（タイ）　29-5
祭祀（比島）　29-4
祭祀（ビルマ）　29-6
祭祀（ボルネオ）　29-5
祭祀（マライ）　29-4
歳出入予算（蘭印）　21-2
財政（豪州）　29-11
財政（暹羅）　6-12
財政（ジヤワ）　29-6
財政（柔仏王国）　11-4
財政（仏領印度支那）　11-7
財政（蘭印政府）　22-8
財政・金融（ジヤワ）　29-3
財政・金融（タイ）　29-4
財政・金融（タイ国）　29-2、29-11

財政・金融（南方一般）　29-5

財政・金融（ビルマ）　29-3、29-4、29-12

財政・金融（仏領印度支那）　29-2

財政・金融（ボルネオ）　29-3

財政・金融（マライ・スマトラ）　29-3、29-6

財政・金融・統制（ビルマ）　29-11

財政・金融・物価（ジヤワ）　29-9

財政・金融・物価（比島）　29-10、29-12

財政・金融・保険（ビルマ）　29-10

財政経済（蘭領印度）　20-10

財政経済（我国）　24-9

財政経済事情（蘭領印度）　20-6、20-7

財政・交易（マライ・スマトラ）　29-8

再生ゴム　21-2、21-3

財政政策（和蘭及蘭領印度）　23-5

財政々策（蘭印）　28-1

財政・税政（ジヤワ）　29-4

財政・税政（フィリッピン）　29-2

財政的窮乏　8-1

財政・物価（タイ国）　29-10

財政・物価（比島）　29-4

財政・物価・配給（仏領印度支那）　29-7

財政報告（英領北ボルネオ）　4-3

祭壇　19-2、19-2

採炭会社別金銀生産高　29-4

採炭業（仏領東京）　10-8

採炭高　29-4

採炭高総計（蘭領印度）　29-4

歳入概況（蘭印政府）　22-11

歳入概況（蘭領印度）　23-5

歳入財政（蘭印）　27-12

歳入不足（和蘭）　21-12

栽培（南洋）　11-1、11-2、11-3、11-4

栽培園最低賃金案（蘭印）　23-2

栽培園組織（爪哇）　6-10
栽培家　14-2
栽培界（スマトラ）　9-11/12
栽培界彙報　12-5、12-6、12-7、12-8
栽培界労力払底（馬来）　20-8
栽培企業　13-10、13-11、16-9、22-10
栽培企業地（邦人）　11-2
栽培業　17-6
栽培業（スマトラ）　8-1、8-4、9-5、13-12
栽培業（仏領印度支那南部）　13-9
栽培業（蘭印）　25-11、26-8、26-9
栽培業（蘭領東印度）　18-3
栽培教会聯合会護謨園苦力賃金（馬来）　23-4
栽培業者　11-10
栽培業統計表（スマトラ）　9-6
栽培護謨（爪哇）　5-11
栽培護謨（南洋）　6-5
栽培護謨株（英国）　15-8
栽培護謨産額予想　1-3
栽培護謨争覇戦　11-10
栽培事業　4-4、13-3、14-5
栽培方法（護謨）　14-2
サイパン小学校（南洋群島）　16-11
再輸出禁止　4-6
在留外国人資産概況（比島）　27-8
在留日本人　15-4
在留邦人　26-2
在留邦人（泰国）　25-9
在留邦人（バタビヤ）　15-3
在留邦人（ペラ州）　20-6
在留邦人数（南洋各地）　19-12
材話（比律賓）　14-2、14-3、14-4、14-5
サカイ族　7-7、21-5、21-5
サカイ族（馬来半島）　24-3

170　Ⅲ. 索　引

　　　サカイ族の樹上家屋　18-10

　　　盛り場（コーランポ市）　18-10

　　　策源地（裏南洋）　12-7

　　　酢酸需要（蘭領東印度）　2-6

　　　搾乳業制限令（蘭印）　21-6

　　　作物栽培面積（マレー）　28-6

　　　酒輸入特恵税率変更（海峡植民地）　19-1

　　　サゴー集散（新嘉坡）　11-10

　　　サゴ椰子　11-6、11-7

　　　サゴ椰子（ハルマヘイラ島）　7-5

　　　沙胡椰子栽培並製粉　10-4、10-5

　　　サゴ椰子純輸出額　28-8

　　　サゴ椰子総輸出額　28-8

　　　サゴ椰子総輸入額　28-8

　　　サゴ椰子澱粉　5-11、11-6、11-7

　　　ササンドー楽器（チムール）　15-6

　　　雑貨取扱商（マニラ）　6-9

　　　雑貨輸出組合移転（神戸蘭印）　23-5

　　　雑鉱物（ビルマ）　28-8、28-9

　　　雑作物作付面積（カメロン高地）　28-8

　　　雑商品輸入制限（蘭印）　21-4

　　　雑草（護謨園）　21-2、21-3、21-4、21-5

　　　サーデン（トマト）（新嘉坡市場）　17-6

　　　砂糖　23-10

　　　砂糖園（スマトラ）　6-11

　　　砂糖工場（蘭印）　22-6

　　　砂糖栽培及製糖業（交趾支那）　28-4

　　　砂糖栽培面積（比島）　6-9

　　　砂糖作損害（比律賓）　3-3

　　　砂糖純輸入額　28-8

　　　砂糖商況（比律賓群島）　1-2

　　　砂糖消費税課税範囲拡大問題（比島）　21-3

　　　砂糖制限（蘭印）　29-1

　　　砂糖製造所　6-5

砂糖貿易（爪哇） 5-11

砂糖問題（比律賓） 22-1

砂糖椰子 9-10、13-12

砂糖椰子（南洋） 10-3

砂糖輸出（爪哇） 5-9

砂糖輸出表（比島） 6-6

砂糖輸入禁止 20-7

砂糖輸入制限令（蘭印） 20-5

更紗（爪哇） 5-10、6-1、6-1、11-9、11-10、12-3、17-11、17-11

更紗模造品（爪哇） 13-11

晒粉（蘭領印度） 22-1

晒綿布（日本製）（蘭領印度） 18-2

晒綿布（蘭印） 23-2

晒綿布（蘭領印度） 20-4、20-5

晒綿布保護策（和蘭） 22-4

晒綿布輸入許可（蘭印） 20-5

晒綿布輸入情勢（蘭領印度） 18-12、19-1

晒綿布輸入制限（蘭印） 22-2

晒綿布輸入制限令（蘭印） 21-3

晒綿布輸入統計（外領） 27-3

晒綿布類輸入制限（蘭領印度） 20-5

サラワク・ビーン 15-1

猿 8-2

猿島（バンジヤルマシン） 16-4

サルタン王子結婚式 9-5

サルタン在位四十年記念（スランゴール） 23-11、23-11

サルタン諸侯（馬来） 23-2

サルタン殿下（ジヨホール、柔仏） 20-3、22-6、22-6

サロン（爪哇） 20-2

サロン（蘭領印度） 20-4、20-6

サロン・カインパンジヤン・カインカパラ類輸入統計（蘭印、蘭領印度） 20-7、20-8、20-9、20-11、20-12、21-1、21-2、21-4

サロン工場生産能力（爪哇） 20-12

サロン需給状況（英領馬来） 18-2

サロン輸入許可数（蘭印）　21-1
サロン輸入制限（蘭領印度）　20-3
サロン輸入制限令延長　20-6
サロン用金巾　4-2
サワダ族　7-10
サンガニズム　10-12
産業（一般）　29-2
産業（海南島）　25-3
産業（ジヤワ）　29-3、29-4、29-5、29-6、29-7、29-8、29-9、29-10、29-11、29-12
産業（爪哇）　3-7、3-8、3-9
産業（スマトラ島）　6-3
産業（セレベス）　29-6、29-7、29-8、29-9、29-10
産業（タイ）　29-4
産業（タイ国）　29-2、29-6、29-9、29-10
産業（南方一般）　29-4、29-5、29-6、29-7、29-8、29-11
産業（南洋）　6-9、6-10、7-6
産業（南洋群島）　11-5
産業（日本）　22-4
産業（比島）　28-2、29-4、29-5、29-6、29-7、29-8、29-9、29-10、29-11
産業（ビルマ）　29-3、29-8、29-9
産業（フィリッピン）　29-2
産業（比律賓）　4-5、4-6、4-7、4-8、4-9、4-10、4-11
産業（仏印）　29-5
産業（仏領印度支那）　29-2、29-4、29-6、29-7、29-9、29-10、29-12
産業（ボルネオ）　2-8、29-3、29-4、29-7、29-8、29-11
産業（ボルネオ・セレベス）　29-12
産業（マライ）　29-4
産業（馬来）　23-5
産業（マライ・スマトラ）　29-3、29-5、29-6、29-7、29-9、29-12
産業（蘭領印度）　17-12
産業（蘭領東印度）　3-12、4-1、6-2、11-5
産業（蘭領ボルネオ）　28-2
産業一般（ジヤワ）　29-3
産業一般（マライ・スマトラ）29-3

産業及び資源（海南島）　25-3
産業及貿易（ボルネオ、ブルネオ王国）　23-1
産業開発（満洲）　18-8
産業概覧（新西蘭）　6-10
産業・金融（ビルマ）　29-7
産業脅威（馬来）　23-5
産業組合化　29-9
産業・経済（マライ・スマトラ）　29-10
産業現勢（ニユー・ジーランド）　25-6
産業・交易（タイ国）　29-8
産業・交易（仏領印度支那）　29-11
産業・交易・物価（南方一般）　29-9
産業・交通（マライ・スマトラ）　29-11
『産業合理化』　16-3、16-4、16-5
産業視察（比律賓ビコール地方）　22-10
産業視察記（比島ルソン地方）　25-4
産業・造船（仏領印度支那）　29-8
産業調整　30-5
産業・通信（南方一般）　29-10
産業博物館（蘭印）　22-5
産業・物価（セレベス）　29-11
産業・物価（ボルネオ）　29-9
産業貿易（比律賓）　18-1
産業貿易（仏領印度支那）　11-6
産業保護（印度）　8-6
産金（フイジー）　26-4
サンクリラン便り　25-1
三国　8-9
山獄鉄道　11-2
三国統治（ニウギニア島）　5-1
山獄美　7-2
産児制限　10-12
三大市場（英領馬来）　19-3、20-4、23-3
産炭（蘭領東印度）　5-10

暫定独暹協定　10-10

産糖大制限（爪哇）　18-12

サンド・シー（砂海）（東部爪哇）　14-7

桟橋　4-5

桟橋（マカツサー港）　5-2

桟橋税課徴案　21-2

産物（蘭領東印度）　11-5

桑港雑感　16-5

産米政策　17-6

ザンボアンガ城塞　6-5

山林局販売高（ジヤワ及マヅラ）　29-2

三輪車登記税並に鑑札税（新嘉坡）　22-12

山林面積及木材生産高（外領）　29-2

山林面積表（ジヤワ及マヅラ）　29-2

酸類純輸入額　28-9

[し]

寺院（比律賓）　13-7

シーエル油　28-12

塩（安南）　11-4

塩（暹羅）　6-10、6-11

塩市価　29-4

塩消費高総計　29-4

塩生産高（蘭印）　23-2

市価統制條令（蘭印）　21-7

シガレツト工場（バイテンゾルグ）　20-1

次期大統領問題（ケソン大統領）　25-1

磁器貿易（暹羅）　6-8

敷物類（新嘉坡）　10-12

自給策検討（比律賓）　28-4

自給自足論　7-3

市況（英領馬来）　26-10

市況（新嘉坡）　6-6

事業（南洋）　17-12

4．事　項　175

事業家　14-3

市況概観（比島）　27-7

事業概観（比島）　25-7

事業功労者　14-11、14-12

事業促進（対南）　12-9

資金運用　5-5

資金貸付（蘭領東印度）　10-10

資金問題　5-8

資源　16-6

資源（海南島）　25-3

資源（台湾）　26-2

資源（南洋）　25-6、26-2

資源（パハン）　15-7

資源開発（ボルネオ）　29-7

四国協定　7-12

事故件数　29-6

視察　29-6

視察（南米）　20-5、20-6

視察（南方）　29-6

視察（南北中米）　11-12、12-2、12-3

視察（南洋）　12-5、14-11、23-2

視察（南洋各地）　26-7

視察（比律賓ケソン大統領）　22-7

視察（仏領印度支那）　8-12、10-10、10-11

視察（満洲）　19-2

視察（蘭印）　23-3

視察記（ジヤワ）　29-6

視察談（欧米）　6-5、6-6

視察談（豪州）　6-3

視察談（セレベス島）　6-4、6-5

視察談（独領ニユーギニヤ）　3-8

視察談（比律賓）　4-2、4-6、4-7、15-7、15-8、15-9

視察団（蘭領印度）　23-8

視察談（蘭領印度）　4-12

シサル麻栽培（パプア島） 6-8

獅子 9-10、12-3

時事（仏領印度支那） 10-12、11-1、11-2

仕出国別輸入貿易額（スマトラ東海岸州） 18-11

市場（印度） 8-12

市場（英印） 23-5

市場（英領馬来） 13-2、14-3、14-4、15-9、17-2、17-3、17-4、17-5、17-8、17-9

市場（海峡植民地） 13-5、13-7、13-9

市場（極東） 5-12

市場（支那） 22-8

市場（暹羅） 11-7、12-3、18-11、18-12、19-1

市場（爪哇） 7-8、8-1、12-6、12-6、17-12、18-1、18-2、18-9、19-2、24-12、26-5

市場（爪哇バタビア） 19-2、19-3

市場（新嘉） 11-3

市場（新嘉坡） 6-7、10-6、10-7、10-10、10-10、10-11、10-12、10-12、10-12、10-12、11-1、11-2、11-2、11-5、11-8、11-9、11-11、11-11、11-12、12-3、12-5、12-9、12-11、12-12、13-3、14-12、15-2、15-2、15-6、15-10、16-12、17-5、17-6、18-8、18-10、19-11、19-12、20-4、20-6、20-7、22-1、22-3、27-12

市場（世界） 22-7、22-11、28-4

市場（泰国） 27-6

市場（南洋） 2-6、8-5、8-6、11-4、18-5

市場（バタビア） 20-2、20-3

市場（比島） 21-4、21-5、25-11

市場（ビルマ） 23-11、24-1

市場（緬甸） 12-9

市場（比律賓） 17-1、17-2、17-3

市場（比律賓マニラ） 13-7

市場（マニラ） 6-6

市場（馬来） 14-11、22-2、23-2

市場（蘭印） 16-3、16-4、16-5、16-5、16-6、16-7、17-6、18-1、18-2、19-5、19-6、21-9

市場（蘭貢〔ラングーン〕） 12-8

市場（蘭領印度） 13-10、15-8、15-9、15-10、15-10、15-11、15-12、16-1、17-2、17-3、17-4、17-11

市場（蘭領東印度）　12-10、14-8

事情（裏南洋）　7-8、7-9

事情（英領北ボルネオ）　24-2

事情（英領南洋）　13-3

事情（英領馬来）　17-3、17-11

事情（英領馬来ケダ王国）　25-2

事情（海峡植民地）　5-11

事情（海南島）　7-4、7-5、7-8、7-9、7-10、7-11、7-12

事情（北ボルネオ）　10-7、10-8、10-9

事情（ケランタン王国）　23-9

事情（山東省）　8-5

事情（暹羅）　5-7、5-9、16-10、17-5、17-6、22-6、23-3

事情（ジヨホール国）　15-10

事情（柔仏王国）　20-9

事情（スマトラ東海岸州）　14-2

事情（錫蘭島）　26-11、26-12

事情（タイ国）　26-1、28-9、28-9

事情（ダバオ）　13-1、15-7、21-9、27-8、27-9

事業（トレンガヌ）　23-6

事情（南米）　7-7

事情（南洋群島）　10-5、10-6

事情（ニユー・カレドニア）　24-5

事情（ニユーギニア）　6-10、6-11、6-12

事情（ビルマ）　24-1

事情（緬甸）　7-3、14-5、14-6、14-7、15-5、15-6、25-5

事情（比律賓）　5-2、12-2、16-11

事情（仏領印度支那）　9-7、13-4

事情（仏領ニユー・カレドニア）　26-7

事情（ブルネー王国）　8-1

事情（北部セレベス）　25-8

事情（馬来ケダ王国）　24-8、24-12

事情（馬来半島）　18-7

事情（南太平洋諸島）　5-4、5-5、5-6、5-10

事情（蘭印）　23-1

III. 索　引

事情（蘭領ボルネオ）　5-10、5-11
事情（蘭領東印度）　10-1、10-2、12-11、17-11
市場管見（豪州）　26-4
市場人気（新嘉坡）　19-4
市場平均値段（バタビア）　18-12、20-3
詩聖　10-7
施政（英領馬来）　11-4、11-5、11-6
施政（蘭領印度）　20-10
始政記念式（比島ザンボアンガ市）　23-4
自然的環境　29-2
自然の理法適合　11-5
慈善博覧会　5-5
自然力　18-7
思想界（比律賓）　25-5
思想交流　28-4
思想的悪化（蘭領土民）　7-12
思想的研究　11-7
時代錯誤　11-4
羊歯園（バイデンゾルグ植物園）　4-7
紫檀　5-3、5-4
自治（印度）　8-2
自治州認可租借地面積（外領）　28-11
市長（スラバヤ）　14-6
市庁（ボルネオ・バンヤルマシン）　3-12
市長邸宅新築反対論（新嘉坡）　23-2
自治領（外領）　28-11
自治領ヘクタール当り　28-11
漆器需要（爪哇の本邦）　12-2
実況（欧米）　6-12、7-1
漆器類（本邦製）　12-3
失業及救済事業（蘭印）　22-8
失業救済　6-7
実業協会（新嘉坡）　5-1
失業者（蘭印）　21-11、23-1

失業者統計表　29-3

実業同志会役員改選（新嘉坡）　21-6

失業問題（比律賓）　25-5

失敗者　7-9

疾病予防　28-12

子弟教育（在南洋邦人）　8-7

指定業者（南方棉花栽培）　28-5

史的考察（タイ）　28-5

自転車（爪哇）　12-10

自転車（日本製）　25-8

自転車及三輪車取締法（新嘉坡）　22-11

自転車及其部分品（我国製、蘭領東印度）　14-12

自転車及タイヤ市況（タイ国）　28-1

自転車及び同付属品（英領馬来市場）　17-2、17-3、17-4

自転車及同部分品（英領馬来）　21-5

自転車及同部分品輸入特許制（蘭印）　21-5

自転車及付属品（新嘉坡市場）　12-11

自転車及び部分品（英領馬来）　21-4

自転車及び部分品市況（比島）　27-8

自転車及部分品輸入制限　21-4

自転車工場（スラバヤ）　22-1

自転車需給状況（暹羅）　21-7

自転車需要（スマトラ）　16-10

自転車製造所（スラバヤ）　22-3

自転車タイヤ工場（バイテンゾルグ）　22-1

自転車取引（蘭領印度）　19-1

自転車取引状況（蘭領印度市場）　17-2、17-3、17-4

自転車付属品（英領馬来）　18-8

自転車輸出組合法（南洋向）　21-7

自転車輸入税（馬来聯邦州）　20-7

自転車類輸入制限令（蘭印）　22-12

自動自転車（英領馬来）　6-8

自動車（暹羅）　6-4

自動車（蘭印）　17-5

自動車及付属並に部分品（蘭印）　15-2、15-3、15-4、15-5、15-6

自動車工業（米国）　25-3

自動車市場　6-5

自動車事情（豪州・ニユージランド）　30-2

自動車事情（フイリツピン）　29-9

自動車、自動自転車タイヤ輸入統計（蘭印）　27-1

自動車需給（英領馬来）　20-1

自動車需給状態（英領馬来）　24-11

自動車商況（錫蘭）　6-2

自働車数　14-8

自働車数（スラバヤ）　6-5

自働車生産概況（世界）　18-12

自動車製造業　13-4

自動車宣伝隊（スラバヤ邦商）　19-4

自動車タイヤー需給状況（蘭印市場）　18-1

自働車展覧会（バンドン）　6-8

自動車部分品及付属品（英領馬来）　17-6

自動車輸入統計（スマトラ東海岸州）　19-1

自動車輸入貿易（爪哇）　6-11

自働電話（馬尼剌市）　6-3

児童の舞踏（パラオ島）　5-1

シトロネラ　12-1、12-4

シトロネラ油　14-6

シトロネラ油（蘭領印度）　22-8

シトロネラ油純輸入額　28-9

支那移民（比島）　4-12

支那移民（馬来半島）　3-10

支那街（スマトラメダン市）　4-4

支那革命　25-12

支那事変　26-5

支那商（南洋）　2-6

支那商品進出策研究会（バタビア）　22-1

支那人　1-6、7-3、7-4、7-5、13-10

支那人（印度支那）　4-4

支那人（海峡殖民地） 6-6

支那人（在南） 18-4

支那人（仏領印度支那） 4-3

支那人（マーキサス島） 8-11

支那人（蘭領印度） 21-11

支那人漁業（馬来） 26-12

支那人人力車夫の昼食（新嘉坡） 18-10

支那人入国許可数（馬来） 23-3

支那人入国数（蘭印） 21-8

支那人排斥（比律賓） 9-7

支那製品展示会（新嘉坡） 23-5

支那糖 22-3

支那動乱 11-7、12-1

支那南洋向海外放送 25-6

支那・南洋向海外放送　24-10、24-11、24-12、25-2、25-3、25-4、25-5、25-7、25-8、
　　25-9、25-10、25-11、25-12、26-1、26-2、26-3、26-4、26-5、26-6、26-7、26-8、
　　26-9、26-10、26-11、26-12、27-1、27-2、27-3、27-4、27-5、27-6、27-7、27-8、
　　27-9、27-10、27-11、27-12

支那南洋向放送 24-9

支那・南洋向放送 25-1

支那向軍資金寄付金（馬来） 23-3

芝居（爪哇土人） 7-8

紙幣（米国製） 6-2

事変 25-10

事変発生後 14-6

至宝（和蘭） 26-4

司法（ジヤワ） 29-3

司法（マライ・スマトラ） 29-3

司法・行政（タイ国） 29-6

死亡者（新嘉坡） 5-8

司法制度（南洋植民地） 4-10

司法制度（蘭領印度） 29-3

死亡統計 29-3

死亡率表 29-3

資本（印度支那）　28-2、28-3
資本（仏印）　28-1
資本（米国）　7-11、11-6
資本家（独逸）　8-1
資本万能　5-9
縞黒檀　12-1
縞サロン　18-6
縞サロン（英領馬来）　19-7
縞サロン第三次輸入制限（蘭印）　21-2
縞サロン並綿布等第五次輸入制限（蘭印）　21-9
縞サロン輸入制限　20-8
縞三綾及び捺染ジエーンス（爪哇）　17-2、17-3、17-4
縞綿布（蘭領印度）　20-6
事務大臣（印度）　8-3、8-4
事務用機械商況（蘭領東印度）　6-7
使命（南洋協会）　16-8
使命（日支両国）　25-7
使命（本会）　26-10
ジヤヴアニーズ　10-7
社会（比律賓）　29-1
社会正義政策（ケソン大統領）　25-1
社会本質（支那）　14-2、14-3
ジヤガタラ文　6-1、8-3
ジヤガタラ文書　23-12
市役所（新嘉坡）　15-10
市役所（彼南〈ペナン〉）　20-5
市役所諸税率（新嘉坡）　23-3
市役所土木課使役（新嘉坡）　23-2
借地（蘭印）　26-9
ジヤクン族（馬来半島）　18-10
シヤコ貝　17-3
借款（日泰）　27-9
謝肉祭（比律賓）　10-5
車馬家畜税（新嘉坡）　20-3

シヤープペンシル（スラバヤ）　13-1

シヤーミン・ストライキ問題　10-9

暹羅官立大学〔シヤム〕　10-10

暹羅議員団歓迎茶会　21-6

暹羅語　23-4

暹羅室創設　22-8

暹羅政府　10-6

暹羅晬米輸入（蘭印政府）　22-3

暹羅中央農事試験場　12-7

暹羅認識　24-11

暹羅米産額　6-11

シヤム米収穫　16-10

爪哇会〔ジヤワ〕　14-5

爪哇銀行　6-9、9-10

爪哇銀行総裁　19-12、20-5

爪哇銀行利子引上　11-1

爪哇時間　18-12

爪哇人移民奨励　23-2

爪哇・スンダ情趣　25-3

爪哇支部　8-1、8-3、8-6、8-8、9-5、9-6、10-2、10-7、12-9、12-11、13-3、13-4、13-6、13-12、14-3、14-4、14-6、14-7、14-8、14-10、14-11、14-12、15-2、15-6、15-7、15-8、15-9、15-10、15-11、15-12、16-1、16-2、16-3、16-4、16-5、16-6、16-6、16-7、16-8、16-11、17-1、17-6、17-7、17-7、19-3、19-12、20-1、20-5、21-4、21-5、21-9、21-9、22-7、22-12、22-12、24-1、24-2、24-4、24-5、24-7、24-7、24-8、24-10、24-12、25-3、25-4、25-5、25-6、25-7、25-11、25-12、26-1、26-2、26-3、26-4、26-5、26-7、26-9、27-1、27-2、27-6、27-7

ジヤワ糖　21-3

爪哇糖　5-8、5-8、6-5、23-1、23-5、25-11、26-12、28-5

爪哇糖植付高　23-4

爪哇糖界　23-5

爪哇糖工場操業開始　21-11

爪哇糖在庫高　20-10

爪哇糖在庫量　22-8

爪哇糖産出　22-2

爪哇糖実収高　21-4

爪哇糖新建相場　21-6

爪哇糖ストック　21-4

爪哇糖生産高　20-10

爪哇糖販売統制と計画生産　28-5、28-6

爪哇糖輸出　5-8

爪哇糖輸出激減　22-8

爪哇糖輸出高　21-4

爪哇物産商状　14-11

爪哇明治会　23-7

ジヤンゲル踊りの乙女　24-6

シヤン族　25-5

市邑（スマトラ島）　5-5

自由　11-3

住家（ダヤク族）　24-10

集会所（ヤップ島民）　20-4

収穫予想（泰米）　26-4

縦貫鉄道（暹羅領馬来半島）　10-5

衆議院議員南洋方面視察　21-7

住居（マレー）　28-12

宗教（ジヤワ）　29-6、29-8、29-11

宗教（タイ国）　29-8、29-9

宗教（南方一般）　29-6、29-8、29-9

宗教（南洋）　5-3、5-4

宗教（比島）　29-5、29-6

宗教（ビルマ）　29-1

宗教（仏領印度支那）　29-2

宗教（ボルネオ）　29-4

従業員送還令　26-2

従業員入国数（蘭印）　22-10

宗教芸術（爪哇）　25-5

宗教・祭祀（ジヤワ）　29-3

宗教・祭祀（ビルマ）　29-7

宗教・祭祀（マライ・スマトラ）　29-3、29-8

修業式記念写真　15-6

宗教思想（ボルネオ土人）　4-6、4-7

醜業婦　5-4

醜業婦駆逐問題　6-2、6-2

宗教文化（南方）　30-11

宗教文化（バリー）　24-3、24-4、24-5、24-6

重切付法　16-11

従軍手帳（比島）　29-2

自由港　6-4

舟　揖（マライ人）　4-3

収税増進（印度支那支那人）　4-4

住宅（バタビヤ）　4-7

住宅概観（英領馬来）　24-3

住宅税（蘭印）　22-4

集団移民助成（蘭印）　23-4

私有地　28-10、28-10

私有地会社（ジヤワ）　28-10

私有地購買（蘭領）　5-1

私有地水力発電装置　29-7

酋長（仏領印度支那）　14-12

酋長即位式（爪哇）　7-7

自由通商（蘭領東印度）　14-10

獣肉　28-12

獣肉輸出（タスマニア）　6-3

住民（スマトラ）　29-2

住民と文化（ソロモン群島）　29-4

重油タンク（新嘉坡）　22-11

重要商品商況（マニラ）　6-8

重要商品商況（馬尼刺）　6-7

重要農産物（比島）　2-9/10

重要品別輸出統計（仏領印度支那）　21-6

重要物産（スマトラ東海岸州）　18-9

重要物産（タイ国）　27-7

重要物産輸出統計（蘭領印度）　20-7

186　Ⅲ. 索　引

手簡（寿三郎）　6-3
手巾(しゆきん)輸入制限（蘭印）　21-9
（新）熟語　11-9
手工業（仏印）　29-9、29-10
手工業者（印度支那）　29-9、29-10
樹脂コーパル業　20-1
首相（豪州）　5-2、5-2
首相（蘭）　7-7
首相辞職希望（暹羅国）　23-4
種姓（印度及緬甸）　7-10、7-11、7-12
酒税率　6-2
繻珍木　6-1
出産（インドネシア）　28-11
出産及死亡数（馬尼剌）　3-2
出生統計　29-3
出生率表　29-3
出入船舶数（海峡植民地）　21-9
出版物　5-6
出品者記念撮影　5-5
出品陳列室の光景　5-5
首都　1-11
首都（アラビヤ新王国）　3-10
首都（パレンバン市）　20-10
首都（ブラジル）　20-11
首都（ヘーグ）　23-11
趣味　19-2
樹木　1-3
需用家数及需用量　29-7
主要生産（比律賓）　6-3
主要都邑（仏印）　27-6
主要農産物（比律賓群島）　6-9
主要物産（新西蘭）　27-2、27-3、27-4
主要物産国別輸出統計（蘭領印度）　22-7
主要物産平均市価表（英領馬来）　21-6、22-4

主要物産輸出状況（印度支那）　20-4
主要物産輸出統計（スマトラ東海岸州）　22-6
主要物産輸出貿易額　29-12
主要物産輸出貿易数量　29-12
主要物産輸出貿易表　15-8
巡閲使　21-7
巡回販売制度（独逸）　4-11、4-12、5-1、5-2
巡航記（南洋蛮島）　8-10、8-11、8-12
巡航続記（南洋蛮島）　9-1
巡遊（比島総督）　6-7
巡洋艦（日本）　6-6
シヨウ・ウインドウ　11-9、11-9、12-2、14-1
シヨウ・ウヰンドウ　14-11
正月（爪哇土人）　12-1
正月（新嘉坡）　12-1
正月（比律賓）　12-1
小学校（サイパン）　16-11
正月風景（泰国）　26-4
生　薑（しょうが）輸入額　28-8
上下両院議長（比島）　10-11
蒸気汽缶数　29-6
蒸気装置　29-6、29-6
商況（海峡植民地及英領馬来）　27-1、27-2
商況（爪哇）　5-11、7-2
商況（新嘉坡）　6-7、6-8
商況（セレベス島マカツサ港）　1-4
商況（南洋各地）　12-2、12-3、12-4、12-5、12-6、12-7、12-8、12-9、12-10、12-11、
　　　12-12、13-1、13-2、13-3、13-4、13-5、13-6、13-7、13-8、13-9、13-10、13-11、
　　　13-12、14-1、14-2、14-3、14-4、14-5、14-6、14-7、14-8、14-9、14-10、14-12、
　　　15-1、15-2、15-3、15-4、15-5、15-6、15-7、15-8、15-9、15-10、15-11、15-12、
　　　16-1、16-2、16-3、16-4、16-5、16-6、16-7、16-8、16-9、16-10、16-11、16-12、
　　　17-1、17-2、17-3、17-4、17-5、17-6、17-7、17-8、17-9、17-10、17-11、17-12、
　　　18-1、18-2、18-3、18-4、18-5、18-6、18-7、18-8、18-9、18-10、18-11、18-12、
　　　19-1、19-2、19-3、19-4、19-5、19-6、19-7、19-8、19-9、19-10、19-11、19-12、

20-1、20-2、20-3、20-4、20-5、20-6、20-7、20-8、20-9、20-10、20-11、20-12、
21-1、21-2、21-3、21-4、21-5、21-6、21-7、21-8、21-9、21-10、21-11、21-12、
22-1、22-2、22-3、22-4、22-5、22-6、22-7、22-8、22-9、22-10、22-11、22-12、
23-1、23-2、23-3、23-4、23-5、23-6、23-7、23-8、23-9

商況（盤谷）　7-8、19-10

商況（マニラ）　6-8

商況（馬来半島）　5-9

商況（南ニユーギニア）　5-5

商況（蘭領印度）　1-4

商業（スマトラ東海岸）　12-1

商業（仏領印度支那）　29-5

商業（マライ）　29-4

商業（マライ・スマトラ）　29-5

商業街（ラングーン）　15-3

商業会議所（英国）　6-8、11-12

商業会議所（新嘉坡）　3-12

商業会議所（馬来聯邦）　3-6

商業会議所（蘭領東印度）　6-4

商業会議所（ロ市）　5-4

商業協会（スラバヤ）　15-6

商業・交易（マライ・スマトラ）　29-3

商業実習生（新嘉坡商品陳列館）　5-9、6-9

商業政策（海峡殖民地の対ドイツ）　3-5

商業青年　14-10

商業的地盤開拓（海外）　20-4

商業投資（比律賓）　26-5

商業・物価（ビルマ）　29-3

商業・貿易（ジヤワ）　29-3

商業・貿易（フイリッピン）　29-2

正金新嘉坡出張所　2-7

商権（独逸）　7-4

商権独立　6-7

商工会議所（名古屋）　14-8

商工業（新西蘭）　6-4

4．事　項　189

小工業助成金融機関設立（蘭印）　23-5
商工共進会（比律賓カーニバル祭）　12-3
小工場（蘭印）　22-6
商工省大阪貿易通報事務所開設　13-7
商工省旅商第一班主催日本風景及製造工業商会宣伝活動写真並本邦食料品試食会　14-6
商工省旅商第一班商品見本展覧会　14-6、14-6
商工省旅商第一班新嘉坡展示会　14-5
商工省旅商第二班見本市　13-5
商工省旅商第二班見本展示会　13-6
商工省旅商邦商華僑招待会　14-5
商工省旅商見本市展覧会　14-6
城砦（クチン）　6-6
縄索輸入額　28-7
商相　17-5
常設委員会（メダン）　16-8
商船（比律賓）　3-5
商船新航計画　2-8
肖像（クラルス氏）　6-2
譲渡土地面積（マレー）　28-6
譲渡問題（仏領南洋諸島）　7-10
商取引取締條令案（蘭印）　21-9、21-10
小児（ドソン土人）　3-11
鍾乳洞（馬来半島）　6-6
商人（ニユウギニア）　4-5
小農業登記租借地区画面積　28-11
小農借地規則要領（蘭領印度）　1-9
樟脳独占時代　6-5
消費組合法（海峡植民地）　18-7
常備手持高制定　26-10
商標及特許条例（蘭領東印度）　3-5
商標條例（蘭領印度）　13-5、21-12
商標登録（海峡植民地）　11-5、14-1
商標登録（馬来聯邦州）　14-1
商標登録（蘭領印度）　16-8

商標登録手続（錫倫）　18-4
商標登録手続（蘭領印度）　17-9
商標保護問題（暹羅）　8-10
商品（チエツコ国）　20-2
商品商況（馬尼剌）　6-7
商品地盤（日支）　23-7
商品陳列館　12-9
商品陳列館（新嘉坡）（英国）　19-1
商品見本（英領馬来）　20-9
商品見本陳列会（シンガポール商品陳列所）　13-8
商品見本展示会　14-6
商品輸入制限延長　22-4
商品輸入統計（蘭印）　27-3
商務官　5-2
商務官派遣案（蘭印）　22-9
條約　19-4
條約並協定　29-9
醬油（蘭領印度）　17-3
醬油輸入制限（蘭印）　20-5
将来（東西両共栄圏）　28-11
将来（南洋群島）　8-4
将来（南洋ゴム企業）　27-1
将来（比島）　28-2
将来（比律賓）　26-7
将来（仏印）　26-10
将来（満洲）　18-4、18-6、18-7
将来（蘭印鉱産資源）　27-2
将来（蘭領印度）　17-8、17-9、17-10
将来性（比島コプラ）　26-11
上流婦人（ジヨクジヤカルタ）　5-3
昭和　13-2
昭和維新　16-1
女王戴冠式（比律賓カーニバル祭）　12-3
女学校　5-10

職業調（在暹羅邦人）　7-12

食事（交趾支那土人婦女）　11-7

食人種　4-5

食人島探検記　9-3、9-4、9-5、9-6、9-7、9-8/9、9-11/12、10-1、10-2、10-3、10-4、10-5

植生　19-12

嘱託員派遣　4-10

織布営業制限（蘭印）　21-3

織布業（アチユ地方）　21-8

織布工場設立（爪哇）　21-8

織布工場設立（スラバヤ）　21-6

織布工場設立（バタビヤ）　19-9

織布工養成（東部爪哇）　22-3

織布新輸入制限（蘭印）　21-7

織布制限令（英領馬来）　20-9

織布大工場（スラバヤ）　21-9

植物園（バイテンゾルグ）　4-7、4-7、4-9

植物検査燻蒸消毒手数料（海峡植民地）　20-3

植物採集目録（パラオ島）　22-6、22-7

植物生産扶助（比律賓）　3-5

植物性油工業（熱帯地方）　12-1

植物性油製造業　5-2

植物性油・同原料品貿易（蘭領東印度）　6-11

植物繊維（タイ国）　27-7

植物油（世界）　17-6

植物油界現勢（英領馬来）　21-10

織布輸入割当（馬来）　21-3

織布割当制限（英領馬来）　21-4

植民教育論　9-6、9-6

植民史（支那・仏印間）　28-1

植民私案（比島）　11-8

殖民省（英国）　8-10

植民相（蘭印）　22-6

殖民政策　3-11、3-12

192　Ⅲ．索　引

植民政策　10-8

植民政策私見　11-1、11-2

植民大臣（英国）　23-5

殖民地　6-9

植民地　5-2、5-3、6-8、10-8、10-8、10-8

植民地（英）　24-11

植民地（南洋）　4-10

植民地開発（伊太利）　24-5

植民地経営政策（英帝国）　3-5

植民地再分配論　22-2

植民地並資源問題　24-7、24-8

殖民発展　4-4、4-6

殖民問題（和蘭）　3-3

食物　16-2、16-3、16-4、16-5、16-6、16-7

食物（マレー人）　28-5

食用作物作付面積　28-7

食料（爪哇）　5-4

食糧自給（蘭領南洋）　5-4

食糧増産　30-9

食糧対策（英領馬来）　27-11

食糧対策（共栄圏）　28-3

食料品（爪哇）　4-4

食糧品及薬剤（海峡植民地）　19-5

食料品価格（比島）　27-12

食料品市価（メダン）　17-8

食料品市況（暹羅）　17-6

食料品物価（英領馬来）　19-3、20-4、21-6、21-10、22-6、23-4

食料品物価（メダン）　18-4

食料品物価（メダン市）　19-3

食料品物価騰貴　23-2

食料品問題（海峡植民地）　3-8

食料品問題（馬来半島）　3-10

食料品輸入状況（スマトラ東海岸州）　18-10

食糧問題　10-10、12-8

食糧問題（世界） 11-2

食糧問題（南洋） 5-8

食糧問題（我国） 13-2、13-3、13-4

植林地招魂碑（南亜） 23-4

所見（ジャワ） 23-10

処女林（ジャワ） 24-4

処女林開墾（馬来半島） 7-8

女性（爪哇） 24-9

女性（日本） 19-3

女性（バリー島） 24-12

女性（比律賓） 19-3

助成事業（仏印） 26-7

所得税（蘭印） 21-2

所得税（蘭領東印度） 15-3

所得税法 3-2

所得税法（蘭領東印度） 15-4、15-5、15-6

所得税令（蘭領印度） 25-4

庶民銀行（ビルマ） 28-12

庶民金融（蘭印） 26-2

シリヤ人回教徒 3-10

飼料資源（南方圏） 28-10

史話（マレー半島） 28-9

人為的箝制 17-8、17-9、17-10、17-11、17-12

新会社税令（蘭印） 11-6、11-7、11-8、11-9

新嘉坡学生会館 4-3、4-6、4-6、4-6、4-8、4-9、4-9、4-10、4-10、4-10、4-10、4-11、4-11、4-11、4-11、4-11、4-12、4-12、4-12、5-1、5-2、5-3、5-4、5-5、5-6、5-6、5-7、5-8、5-9、5-9、5-10、5-11、5-12、6-2、6-3、6-6、6-7、6-9

新嘉坡学生館 4-7

新嘉坡産業館 24-7、24-9、24-10、24-11、24-12、25-1、25-2、25-3、25-4、25-6

新嘉坡支部 4-6、4-10、4-10、5-2、5-4、5-6、5-10、6-11、7-2、7-7、8-1、8-2、8-6、9-6、10-10、11-11、14-5、14-9、14-9、15-8、15-8、16-7、16-9、17-8、17-8、18-12、18-12、19-3、19-11、19-11、21-2、21-3、21-3、21-7、21-10、22-2、22-6、22-7、22-7、23-1、24-3、24-9、26-1、27-12

新嘉坡市役所三輪自動車税 21-11

新嘉坡商業会議所　1-3

新嘉坡商品陳列館　4-3、4-6、4-6、4-6、4-7、4-7、4-8、4-8、4-9、4-9、4-9、4-10、4-10、4-11、4-11、4-12、4-12、4-12、5-1、5-2、5-2、5-3、5-3、5-4、5-5、5-6、5-6、5-6、5-6、5-9、5-9、5-10、5-11、5-12、6-1、6-2、6-3、6-4、6-6、6-7、6-7、6-8、6-8、6-9、6-9、6-10、7-1、7-2、7-4、7-6、7-7、7-8、7-8、7-8、8-1、8-6、8-9、9-2、9-2、9-2、9-2、10-11、10-12、10-12、11-2、11-6、11-7、11-8、11-9、11-10、11-11、11-12、12-2、12-9、12-10、12-12、13-1、13-2、13-3、13-5

新嘉坡商品陳列所　13-7、13-8、13-8、13-9、13-10、13-11、13-12、13-12、14-1、14-1、14-2、14-3、14-3、14-5、14-6、14-7、14-8、14-10、14-10、14-11、14-11、14-12、15-2、15-3、15-4、15-4、15-5、15-6、15-8、15-9、15-10、15-11、15-12、16-1、16-2、16-3、16-4、16-5、16-6、16-7、16-8、16-9、16-10、16-11、16-12、17-1、17-2、17-3、17-4、17-5、17-6、17-7、17-8、17-9、17-10、17-11、17-12、18-1、18-2、18-3、18-4、18-5、18-6、18-7、18-8、18-9、18-10、18-11、18-12、19-1、19-2、19-3、19-4、19-5、19-6、19-7、19-8、19-9、19-10、19-11、19-12、20-1、20-2、20-3、20-4、20-5、20-6、20-7、20-8、20-9、20-10、20-11、21-1、21-2、21-3、21-4、21-5、21-6、21-7、21-8、21-9、21-10、21-11、21-12、22-1、22-2、22-3、22-4、22-5、22-6、22-7、22-8、22-9、22-10、22-11、22-12、23-1、23-2、23-3、23-4、23-5、23-6、23-8、23-9

新嘉坡スラバヤ商品陳列所　14-10

新嘉坡製造品展覧会場　18-3

新嘉坡日本商品陳列館　11-1

新刊紹介　29-7

新刊予告　4-9

新規出品物特別展示室　15-4

人絹　28-12

人絹（本邦）（新嘉坡市場）　19-11

人絹織物輸入（蘭領東印度）　14-9

人絹織物輸入制限（蘭印）　21-9

人絹市場（タイ国）　28-1

新建設運動（タイ国）　30-4

人絹布（英領馬来）　18-3、22-2

人絹布輸出入割当（馬来及サラワツク）　23-1

人絹布輸入割当（馬来及サラワツク）　22-11、22-12

人絹輸入統計（爪哇）　19-3、19-5、19-6、19-7、19-8、19-9、19-10、19-12、20-1、20-

2、20-3、20-4、20-7
人口（英領馬来）　22-6、23-5
人口（世界）　11-2
人口（台湾）　2-6
人口（バンドン市）　6-6
人口（比律賓群島）　4-2
人口（仏領印度支那）　22-11
人口（我国）　13-3、13-4
人口過剰　17-11
人口状態（大東亜共栄圏）　28-8
人口食料問題調査会設置　13-8
人口増加調査摘要　13-8
人口統計（英領馬来）　26-6、26-11
人口動態　29-3
人口動態（海峡植民地）　22-11
人口動態（泰国）　26-6
人口動態（馬来）　27-12
人口配置（南方）　30-2
人口表　29-3、29-7
人口表（英領馬来）　21-6
人口問題　9-2、14-4
人口問題（南方圏）　28-8
人口問題（我国）　13-2、13-3、13-4
震災　10-1、10-1
震災（台湾）　21-5
人材教育　9-7
震災復興　10-1
人事消息　20-5
真珠　17-3
人種　1-4、4-5
人種（ジヤワ）　25-2
真珠貝（濠洲）　5-4
人種的基底（豪太利亜細亜海）　27-3
真珠採り（アロー島）　8-3

人種別推定総人口（英領馬来）　25-5
新條約（日暹）　10-2
新税関法（仏領印度支那）　9-1
新生国家　29-10
新生南方　29-8
新船　6-4
親善　22-5
人造絹糸応用織物　16-9
人造絹糸織物（蘭領印度）　16-10
人造肥料（スマトラ東海岸州）　16-1
人造肥料輸入制限（蘭印）　21-6
人造肥料輸入統計（蘭印）　27-3
新態勢（タイ国）　25-7
人的資源　28-3
新土地法（比島）　6-4
新土地法（比律賓）　5-11、5-12
新入生（南洋学院）　28-10
信念　14-3
新年（暹羅）　12-1
新比島建設　29-7
人物（蘭領東印度）　10-1、10-6、10-7、10-12
人物養成　8-2
新聞（蘭印）　9-11/12、14-1
人文（スマトラ）　10-1、10-3、10-4
新聞界（蘭領印度）　24-1
新聞紙（老大国）　11-4
新民法法案（蘭印）　9-11/12
新モス（爪哇市場）　12-6
信用取引（蘭領東印度）　6-3
人力　18-7
人力車夫　18-10
新領土航路（南洋）　2-8
森林（比律賓）　5-2、5-3
森林（ボルネオ）　8-1

森林化　18-6、19-2

森林作業化　18-7

森林政策（暹羅）　22-12

人類の生活　29-2

神話（豪州）　7-2、7-3、7-4、7-5、7-6、7-7、7-8、7-9、7-10、7-11、7-12、8-1、8-2、8-3、8-4、8-5、8-6、8-7、8-8、8-9、8-10、8-11、8-12、9-1、9-2、9-3、9-4、9-5

神話（ミンダナオ）　5-6

[す]

水運（南洋）　7-12

水運（仏領印度支那）　16-2

水管契約（独逸商会）　6-2

水牛　23-11

水牛（暹羅）　20-1

水銀　28-12

水郷（爪哇）　7-11、13-2

水郷（スマトラ）　7-11

水郷（パラオ内港）　20-3

水産　1-9

水産（南洋）　12-8

水産局長（海峡植民地）　19-6

水産小企業（裏南洋）　12-5

水産物　28-12

水産物類缶詰需要（爪哇）　16-10

炊事（ダイヤ族）　7-11

水車（暹羅）　8-7

水上家屋（モロー族漁夫）　13-3、13-12

水上家屋街（暹羅盤谷）　6-12

瑞西商工業組合陳列館（爪哇）　6-10

水族館（マニラ）　11-11

水田（比律賓）　8-2

水田国有論　9-5

水田所有権（ジヤワ、マヅラ）　28-10

水田論（西比利〈シベリア〉）　10-7

198　Ⅲ．索　引

水稲移植面積　29-1
水稲収穫地及非総不作地面積　29-1
水稲収穫地及不作地面積　29-1
随筆　25-5
水平溝　16-5
水平社運動　9-4、9-4
水浴（緬甸女）　20-2
水門　8-10、8-10
水力使用料金（蘭領東印度）　5-12
水力電気事業（中部爪哇）　22-11
水力電気事業（東印度）　28-4
水力発電装置　29-7
水力利用許可　29-7、29-7
蘇方木（スオウノキ）　6-2
スクラップ、ブツク　6-9、6-12、7-2、7-5、7-6、7-8、7-9、8-2
スケツチ（ジヤワ）　24-7
錫　4-4、14-4、23-6、28-12
錫（英領馬来）　15-10
錫（暹羅）　5-11
錫（南洋）　15-10、15-11、15-12
錫（馬来）　25-12、26-4
錫（馬来半島）　15-3、19-6
錫（蘭印）　29-4
錫会社従業員数及採掘高（蘭印）　29-4
錫価昂騰　3-12
錫業（南洋）　2-5
錫鉱　28-12
錫鉱業（英領馬来）　21-7
錫鉱業（世界）　17-11
錫鉱業（南洋）　3-12
錫鉱業（馬来）　19-6、28-6
錫鉱業（蘭印）　23-4
錫鉱業（蘭領東印度）　3-6
錫鉱山（バンカ島）　9-5、9-6

錫鉱山（馬来半島）　12-11

錫鉱山閉鎖（バンカ島）　21-8

錫鉱洗浄所（馬来半島）　6-6

錫鉱露天掘（馬来半島）　6-6

錫採掘（暹羅）　9-11/12

錫採鉱（バンカ島）　9-5

錫産額（世界）　23-4

錫産出（バンカ）　5-5

錫商況（蘭領東印度）　6-4

錫制限　23-2

錫制限率　23-3

錫生産額　29-5

錫生産制限　20-11

錫生産割当　23-4

錫輸出税（馬来聯邦州）　20-2

錫輸出高（馬来聯邦州）　3-8

硯　19-2

スチックラック培養資料（仏印）　12-10、12-11

スチツクラツク養殖（暹羅国）　22-5

ステイツクラツク（暹羅）　11-5

ステイブル・フアイバー　28-12

スマトラ支部　15-12、16-4、16-4、16-12、17-1、17-10、18-2、18-12、19-11、19-12、19-12、20-8、20-12、21-12、22-8、24-10

スマトラ出張員事務所　15-12、16-2、16-3、16-4、16-5、16-6、16-7、16-8、16-9、16-10、16-11、16-12、17-1、17-2、17-3、17-4、17-5、17-6、17-7、17-8、17-9、17-10、17-11、17-12、18-1、18-2、18-3、18-4、18-5、18-6、18-7、18-8、18-9、18-10、18-11、18-12、19-3、19-4、19-5、19-6、19-7、19-10、20-1、20-6、20-7、20-10、20-11

スマラン博覧会　1-2

スラバヤ市長　14-6

スラバヤ商品陳列所　10-11、10-12、10-12、11-11、11-11、12-7、14-11、14-12、15-5、15-12、15-12、16-1、16-2、16-3、16-3、16-4、16-5、16-6、16-6、16-7、16-8、16-9、16-12、17-1、17-3、17-4、17-5、17-6、17-9、17-10、17-11、17-12、18-1、18-2、18-3、18-4、18-5、18-6、18-7、18-8、18-9、18-10、18-12、19-1、19-2、

19-3、19-4、19-5、19-6、19-7、19-8、19-9、19-10、19-11、19-12、19-12、20-2、20-3、20-4、20-5、20-6、20-7、20-8、20-9、20-10、20-11、20-12、21-1、21-2、21-3、21-4、21-5、21-6、21-7、21-8、21-9、21-10、21-11、21-12、22-1、22-2、22-3、22-4、22-5、22-6、22-7、22-8、22-9、22-10、22-11、22-12、23-1、23-3、23-4、23-5、23-6

スラバヤ日本商品陳列所　11-1、11-2、11-9、11-9、11-9、11-9、11-12、12-11、12-12、13-1、13-2、13-6、13-6、13-10、13-10、13-11、13-11、14-1、14-1、14-2、14-6、14-6、14-8、14-11、14-12

スラバヤ年市　14-6

スンダ人（爪哇）　25-3

［せ］

生液護謨輸送貨車　9-4

製塩業（タイ国）　25-8

製菓（日本）　5-9

政界（豪州）　24-1

政界（暹羅）　13-8、22-7

生果市場（馬来）　23-2

政界名士（暹羅）　13-9、13-10、14-10、14-11

生果実（南阿聯邦）　23-4

生果需要（英領馬来）　17-1

生活（ハルマヘラ島）　6-5、6-6、6-7、6-8、6-9、6-10、6-11、6-12、7-1、7-2、7-3、7-4、7-5、8-1、8-2、8-4、8-5、8-6、8-7、8-8、8-10、8-11、8-12、9-1、9-2、9-3、9-4、9-5、9-6、9-7、9-8/9、9-10

生活（仏印）　28-12

生活費（新嘉坡）　23-5

生活費指数（蘭印バタビヤ）　28-3

生活費指数動向（新嘉坡）　25-9

生活費調査（豪州）　6-3

税関　4-5

税関（日本）　19-4

税関法（仏領印度支那）　9-6

政局（全欧）　9-1

税金（比島）　12-9

西沙島問題　24-10

生産　28-12

生産（ダヴオ麻）　26-5

生産（蘭領東印度）　11-7

生産業（蘭領東印度）　10-12、11-1

生産制限（印度茶）　6-12

生産手控へ　6-7

生産品（静岡県）　6-6

生産品（北部スマトラ）　16-9

生産本格化（マレーゴム）　28-7

政治（ジヤワ）　29-8、29-9、29-10、29-11、29-12

政治（セレベス）　29-8、29-9、29-10、29-11

政治（タイ）　29-5

政治（タイ国）　29-7、29-9、29-10、29-11、29-12

政治（南方一般）　29-7、29-8、29-9

政治（比島）　29-7、29-8、29-9、29-10、29-11、29-12

政治（ビルマ）　29-5、29-6、29-8、29-9、29-10、29-11

政治（仏印）　29-5

政治（仏領印度支那）　29-4、29-7、29-10

政治（ボルネオ）　29-9、29-10、29-11

政治（ボルネオ・セレベス）　29-12

政治（マライ・スマトラ）　29-8、29-9、29-10、29-11、29-12

政治及南方対策（南方一般）　29-5

政治・外交（タイ国）　29-2、29-8

政治・外交（南方一般）　29-10、29-11、29-12

政治・外交（ビルマ）　29-12

政治・外交（仏領印度支那）　29-2

製紙会社（暹羅）　21-1

政治季（比律賓）　8-9

政治・金融（仏領印度支那）　29-8

政治経済　24-3

製紙原料　10-12、15-4

政治的安定（南洋）　16-11

政治的性格（南洋華僑）　30-1

税政（セレベス）　29-7

税制（蘭領東印度）　11-9

税政・金融・物価（ジヤワ）　29-10

税政・物価（比島）　29-6

税政・物価・配給（比島）　29-7

正装（土人）　7-10

製造家　11-5

製造業者（我国）　14-4、14-5

政体組織（蘭印）　9-5、9-6、9-7、9-8/9、9-10、10-1、10-2

製炭業　4-6

製茶機（蘭領東印度）　6-12

製茶業（印度）　13-2

製茶工場　4-3

製茶工場（爪哇プレアンゲル）　12-10

政庁（英領北ボルネオ）　16-9

政庁（新嘉坡）　4-4

政庁（バンドン）　5-7

政庁（南スマトラ）　6-11

製鉄業（印度）　8-2

製鉄業（セレベス）　6-5

製鉄業（南洋）　12-2

製鉄業（ボルネオ）　10-2

製糖業（豪州）　9-7、23-10

製糖業（中部爪哇）　22-1

製糖業（比律賓）　3-9

製糖所（サイパン）　16-11

税に関する査定額改正　19-7

青年探検家（米国）　23-11、23-11

性病（南方）　28-12

製品（大阪）　14-2

製品（チエツコ）　23-3

政府（重慶）　26-7、30-6

政府（蘭印）　27-5

政府案　5-5

政府案可決（爪哇島）　22-4

征服（サント・トーマス山）　20-5

政府専売塩消費高　29-4

生物分布状態（馬来半島）　20-9、20-10、20-11、20-12、21-1

政府認可租借地面積　28-11

政府納入向塩田産塩高　29-4

政府報告書（サラワク）　21-7、21-8

政府米（蘭印）　22-12

政府令（蘭領印度）　24-6

成文憲法（泰国）　26-3、26-4、26-5

製帽業（爪哇）　6-2

製帽業（比律賓）　7-7、7-8、7-9、7-10、7-11、7-12

精米（比律賓人）　11-10

精米所（暹羅）　8-2、12-7

精米場（暹羅）　11-5

製油界（世界）　20-9

製酪業（新西蘭）　6-5

税率（改定）（馬来聯邦州）　1-4

清涼飲料水需給　15-6

勢力回復（独逸）　6-3

世界運送大路建設　16-5

世界恐慌　18-1

世界経済会議　20-1、20-2

世界経済新秩序　26-12

世界情勢　27-9、27-10、27-11

世界的過剰生産　16-3

世界的地位（栽培護謨）　6-5

世界的名称　7-7

世界の動き　23-10

石貨（ヤップ島）　20-4

石筍（せきじゅん）（馬来半島）　6-6

赤心　22-12

石炭　28-12

石炭（暹羅）　5-11

石炭（南洋）　10-7、10-8
石炭（蘭領東印度）　14-1
石炭産額（蘭領）　5-5
石炭産出高（豪州）　6-6
石炭貯蔵庫（スマトラ、サバン港）　6-11
石炭輸出　9-5
赤道　27-2、27-3、27-4、27-5、27-6
石仏（ビルマ）　26-3
石油　7-7
石油（世界）　27-1
石油（太平洋諸島）　6-3
石油（南洋）　10-7、10-8
石油（比律賓島）　8-2
石油（仏領印度支那）　14-4
石油（ボルネオ）　4-2
石油（輸出）（蘭印）　22-8
石油（蘭印）　21-8、26-12、27-1
石油（蘭領印度）　5-12
石油会社別原油生産高　29-4
石油企業（蘭領東印度）　12-8
石油業（蘭領東印度）　1-4
石油坑（サラワク）　10-6
石油抗業（スマトラ島）　5-7
石油工場（バリクパパン）　5-2
石油採掘問題（蘭領東印度）　9-4
石油産出高（蘭印）　22-10
石油事業（蘭領東印度）　8-3、8-4
石油試掘（マドラ）　22-9
石油資源（ビルマ）　28-3
石油事情（ビルマ）　28-4
石油消費税（蘭印）　21-12
石油政策　11-8
石油生産税（蘭印）　22-4
石油生産高（世界）　27-6

石油生産品（北スマトラ）　17-9

石油製品　28-12

石油戦史（東印度）　30-3、30-4

石油租借條件（葡萄牙領）　22-7

石油タンク（バリクパパン）　5-4

石油探査会社出資割当（蘭領ニウギネア）　20-11

石油調査（埋蔵）（マドラ島）　22-8

石油物産生産高　29-4

石油問題　9-5

石油輸出税賦課案（蘭印）　21-8

世襲借地條例（蘭領印度）　16-5、16-6

ゼセルトンホテル　4-4

石灰（蘭領キサル島）　22-2

石灰需要（比島）　2-6

石鹸工業（東印度）　29-6

石鹸工場（バタビア）　21-8、21-8

石鹸純輸入額　28-9

石鹸製造（比島）　29-6

石鹸輸入制限令（蘭印）　21-10

石鹸類需給状況（蘭領印度市場）　17-11

絶勝（トバ湖）　11-5

絶勝（フオルト・デ・コツク）　10-10

セーブル條約　8-10

セメント　11-9、28-12

セメント（新嘉坡）　17-6

セメント（パダン）　18-10

セメント（本邦）（暹羅）　20-1

セメント（本邦製）（蘭領東印度）　14-12

セメント需給（英領馬来）　15-11

セメント貿易（スマトラ）　6-5

洋灰輸入（暹羅）　20-1

セメント輸入制限延長（蘭領印度）　20-5

セメント輸入制限期間延長（蘭印）　21-6

セメント輸入制限更新（蘭印）　21-5

セメント輸入制限数量改正（蘭印）　19-11

セメント輸入制限令（蘭印、蘭領、蘭領印度）　20-9、20-12、22-12

セメント輸入税引上（暹羅）　19-11

セメント輸入統計（蘭領印度）　27-1

セルロイド製品（新嘉坡市場）　10-10

セルロイド製品需要（爪哇）　12-1

世論　3-8

繊維工業（蘭領印度）　18-3

繊維工業品（新嘉坡）　19-11

繊維工業品（本邦）（英領馬来）　19-7、19-8、19-9、19-10

繊維工業品輸入税率表（蘭領印度）　20-3

繊維工業品輸入統計（蘭領印度）　23-1、23-2

繊維輸入額　28-7

船員同盟罷業（比律賓シブ港）　21-1

戦火（馬来）　28-1

占拠（海南島）　25-3

戦局　30-9

船渠竣工式（新嘉坡）　24-4

船渠大拡張（タンジヨン・プリオーク）　22-7

戦後（欧州）　8-12

善光寺詣　10-9

戦時下（馬来）　25-12

先人努力の跡　19-6、19-10、19-11、19-12

戦争　27-2

戦争の影響（比律賓）　27-9

洗濯（爪哇土人）　3-12

洗濯石鹸（新嘉坡）　20-4

洗濯石鹸（蘭領東印度）　6-11

銑鉄及び鉄合金　28-12

銑鉄及鋼生産高　29-6、29-6

銑鉄課税　12-2

宣伝　11-3

宣伝（ビルマ）　29-5

宣伝効果　24-9

船舶（我国）　14-12

船舶国営主義　8-6

船舶法（米国）　6-8

船舶法（蘭印）　22-2

扇風機（爪哇）　13-6

暹仏新條約　10-11

戦乱の影響（馬来）　26-12

戦略上地位（南洋）　23-6

戦略線（地中海）　24-9

戦略的立場（アメリカ）　28-3

占領（南洋群島）　4-10

占領（彼南島〔ペナン〕）　22-11

染料製造工場設立計画（爪哇）　20-4、20-5

[そ]

象（暹羅）　6-12

象（仏領印度支那）　14-12

象追（暹羅名物）　7-9

葬儀　19-2、19-2

送金　25-2、25-4

送金（支那向け）　26-11

送金（ジヤバ）　28-7

送金（南洋諸島に）　2-7

象群（仏領印度支那）　14-12

倉庫営業制限令（蘭印）　21-6

総人口（マレー）　28-6

造船（ジヤワ）　29-7、29-8

造船（タイ国）　29-12

造船（比島）　29-8

造船（ボルネオ）　29-6

造船計画（爪哇盤谷間）　6-3

送電及配電網　29-7

総督　17-4

総督（台湾）　15-6、15-9、22-10

総督（比島）　13-8

総督（比律賓）　14-2、15-7、19-7

総督（仏印）　10-6

総督（仏領印度支那）　15-11、22-10

総督（蘭印）　20-12、20-12、22-6、22-7、22-12

総督（蘭領印度）　22-7

総督（ロ）　9-2

総督官庁庭園（ツユヂパナス）　6-8

総督官邸（バイデンゾルグ植物園）　4-8

総督更迭（印度）　6-12

総督更迭（蘭領東印度）　6-10

総督巡遊（比島）　6-7

総督長逝（仏領印度支那）　9-2

総督府東亜事務局（蘭領印度）　22-11

総督訪問記（仏領印度支那）　15-9

象の労役（印度支那）　4-3

送別晩餐会（和蘭公使）　8-12

僧侶（緬甸）　7-6

総領事館副領事（在神戸和蘭国）　21-8

造林　30-1、30-2、30-3

造林様式　13-1

賊　4-7

俗謡（ジヤワ）　24-6

祖国　20-8、22-10

祖国経済　28-6

蔬菜純輸入額　28-8

蔬菜類（英領馬来）　27-11

粗生原料品　22-1

租税制度（蘭領東印度）　10-11

粗製品供給　17-8、17-9、17-10、17-11、17-12

粗製邦品輸入（蘭領印度向）　19-10

粗製濫造　5-1、5-3

曹達工業（蘭印）　23-3

曹達灰（蘭領印度）　22-1

素描（英領馬来） 28-1
素描（比島ルソン地方） 25-4
素描（ビルマ） 26-3
蘇方木 6-2
ソルタン退位 8-11
ソロー王宮 25-6
ソロー応急二〇〇年記念博覧会 25-6
村落共同体（ジヤワ） 28-10

[た]

ダイアン、サワダ族 7-10
対伊太利（聯盟）制裁（蘭印） 22-1、22-1、22-1
対外政策（タイ） 28-5
対外政策（我国） 22-2
対外貿易統計（仏領印度支那） 18-4
大観（仏領印度支那） 8-5、8-6、8-7、8-8、8-9
代議士（我） 13-3
台銀 2-9/10
台銀在南支店 13-6
台銀出張所 2-9/10
対支関係 17-10
対支問題 18-3
太守施政方針（印度） 7-5
タイ人 26-1
大震災（ラングーン） 16-7
対人税令（蘭領印度） 25-1
大豆 28-10
大豆栽培輸入状況 19-6
大豆自給自足（爪哇） 20-10
大豆需要（蘭領東印度） 12-1
大豆輸出制限（蘭印） 20-5
大豆輸入許可料金（蘭印） 20-5
大豆輸入手数料（蘭領印度） 20-7
台拓南拓両会社設立 22-8

210　Ⅲ．索　引

タイチ人　8-11
大東亜戦　29-2
大東亜戦後　28-11
大東亜戦争　28-2、28-12、29-3、29-12
大東亜統計要覧　28-10、28-12、29-3
大道会　6-6
大統領（比律賓）　24-8、25-1、25-5
対南事業　14-4
対南進展　17-3
対南施策　28-3
対南発展　10-8、10-9、13-9、14-6
対南方針　26-3
対南方針（日本）　25-11
大南洋共栄体制　27-9
対南洋輸出振興策　25-9
対日感情　19-4、19-5
対日感情（比律賓）　25-4
対日感情（仏領印度支那）　25-2
タイピン公園（馬来半島ペラ州）　25-11
タイプライター商況（蘭領東印度）　6-7
対米依存性（蘭印）　26-3
太平洋学術大会　15-5
太平洋汽船　6-4
太平洋新航路　21-6
太平洋問題　12-12
泰米　26-4、26-4、26-5
大麻輸出（ニユージーランド）　6-3
タイヤ工場（ボルネオ）　22-1
タイヤ製造　16-8
ダイヤ族　7-11、7-11、16-3、21-2、25-1
ダイヤ族（武装）　8-3
ダイヤ族結婚式　7-2
ダイヤ族剣舞　5-12
ダイヤ族戦士　6-2

　　　　　　　　　　　　　　　　　　　　　　　　　　　　4．事　項　211

　　ダイヤ族戦闘法　5-12
　　ダイヤ族花嫁　6-4
　　ダイヤ族美人　6-4
　　ダイヤ族吹矢　6-2
　　ダイヤ族若武者　6-2
　　タイヤ取引（中華民国）　18-4
　　ダイヤモンド採掘（ボルネオ）　7-12
　　代用植物　5-12
　　大洋丸　13-10
　　タイル需給（英領馬来市場）　15-9
　　タイル類（新嘉坡市場）　12-9
　　台湾勧業共進会　1-8
　　台湾銀行　13-5
　　台湾支部　2-6、2-8、3-1、3-4、4-4、4-9、5-1、5-2、5-3、5-4、5-6、5-6、5-9、5-10、
　　　　6-1、6-5、6-7、6-9、6-10、6-11、6-12、7-1、7-2、7-4、7-5、7-7、7-8、7-10、8-
　　　　1、8-1、8-3、8-5、8-6、8-7、8-8、8-12、9-3、9-5、9-6、9-7、9-8/9、9-11/12、
　　　　10-1、10-2、10-3、10-4、10-7、10-8、10-10、10-11、11-6、12-2、12-8、12-10、
　　　　12-11、13-2、13-3、13-5、13-6、13-8、13-11、14-1、14-2、14-5、14-6、14-7、
　　　　14-8、14-10、14-11、15-6、15-8、15-9、15-10、15-11、16-4、16-8、16-9、17-2、
　　　　17-5、17-8、18-2、18-3、18-11、19-6、19-7、20-4、20-10、22-2、22-7、22-10、
　　　　23-2、23-3、23-8、23-10、24-1、24-6、24-10、24-12、25-3、25-6、26-3、26-5、
　　　　27-1、27-3、27-7
　　台湾総督府　4-7、5-4
　　台湾糖　22-3
　　台湾博覧会　21-10
　　台湾民政長官時代　19-2
　　ダヴアオ麻耕地　18-9
　　ダヴオ麻　26-5
　　ダヴオ支部　25-8、26-5
　　タオル需給状況（バタビア市場）　20-3
　　蛇蠍（だかつ）　30-8、30-9
　　タガル真田工業（比律賓）　3-3
　　タガログ　25-2
　　拓相　17-5

拓殖銀行（蘭領東印度） 2-7

拓殖研究所 28-4

拓殖研究所及博物館設置 15-4

拓殖務省 10-11

拓務省 23-3、26-12、28-4

ダグラス機（バタビアよりスラバヤへ） 22-12

竹（比律賓） 16-6

竹細工類（新嘉坡市場） 10-12

竹製品（爪哇土人） 5-11

竹橇（稲運用） 8-8

竹橋 7-10

竹帽子編み（爪哇婦人） 5-11

タツピング・ナイフ（日本製） 14-11

楯 8-12

楯（パプア土人） 4-5

種米改良（比律賓） 3-3

ダバオ麻 28-10

ダバオ支部 16-1、16-3、16-4、17-4、17-12、18-2、18-2、18-4、19-12、21-3、21-8、22-3、23-7、24-7

煙草 1-1、28-10

煙草（豪州） 6-4

煙草（爪哇） 22-11

煙草（スマトラ） 9-1、16-6、22-7

煙草（新西蘭） 6-10

煙草（マニラ） 11-10

煙草（蘭印） 27-5

煙草（蘭領東印度） 6-8

煙草営業制限（蘭印） 21-3

煙草会社（暹羅） 20-3

煙草業者消費税（爪哇） 23-2

煙草工場（爪哇） 7-12、7-12

煙草栽培（スマトラ） 5-2、10-4、10-6、11-12

煙草樹 3-11

煙草純輸入額 28-8

4．事　項　213

煙草消費税（蘭印）　22-4

煙草生産及需給状況（馬来半島）　22-1

煙草船積（スマトラ）　6-3

煙草増産計画　28-12

煙草大輸出（馬尼剌）　3-3

煙草投資額（スマトラ）　2-9/10

煙草葉（爪哇土人女）　7-12

煙草苗圃（びょうほ）　5-9

煙草輸出表（比島）　6-6

煙草輸入税　22-4

煙草輸入特恵税率変更（海峡植民地）　19-1

旅（北暹）　11-5

旅（北呂宋）　18-7、18-8、18-9、18-10、18-11

旅（南方）　24-12

旅（南方映画工作）　29-5

タピオカ　5-10

タピオカ（マラヤ）　10-4

タピオカ園　4-2

タピオカ屑純輸入額　28-8

タピオカ粉製造（蘭印）　23-1

タピオカ栽培　4-12

タピオカ栽培事業　5-4、5-5、5-6

タピオカ生産と輸出　13-4

タピオカ生産物純輸出額　28-8

タピオカ総輸出額　28-8

タピオカ総輸入額　28-8

タピオカ澱粉　14-3、14-4、14-5、14-6

タピオカ輸出無制限（蘭領東印度）　6-4

タピオカ輸入表（日本）　6-4

玉葱需要（英領馬来）　17-1

ダマル　4-5、17-12、23-5

タミール人苦力罷業（新嘉坡）　23-2

ダヤク族　24-10

ダヤク族（ボルネオ）　24-10、24-11

他力本願主義　10-2
タングステン　6-3
タングステン鉱　28-12
タングステン鉱（ビルマ）　28-5
探検（内南洋）　29-4、29-5
探検（ニユーギニア）　24-10
探検隊（ニユーギニア島）　13-4
探検飛行機（ニユーギニア）　22-1
炭坑業者　5-2
炭坑罷業（馬来）　23-2
タンジヨンパガー停車場　18-3
男女各生命表　29-3
団体税法（海峡植民地）　22-10
タンニン原料（南洋所産）　3-10
単寧工業（蘭領印度）　27-12
探訪（比律賓）　21-11
談話会　4-4

[ち]

血　11-10
チア鳥（新西蘭）　7-4
治安取締法（海峡植民地）　25-9
地位（豪州）　29-6、29-6
地位（日・英）　27-2
地位（日本）　6-3、6-4、13-6、14-4、14-5、14-6、17-6、25-6
地位（南洋）　15-1
地位（南洋群島）　25-11
地位（蘭領東印度）　20-7
チーク　6-3、6-4、6-5、6-6
チーク（暹羅）　13-4
チーク（緬甸）　16-1
蓄音機需給状況（英領馬来）　21-2
蓄音機並にレコード輸入状況（蘭領印度）　18-1
チーク材（シヤム）　16-10

4．事　項　215

チーク材（暹羅）　5-8、22-12
チーク材（爪哇）　27-6
チーク材（蘭領東印度）　5-12
畜産物　28-12
チーク造林（台湾）　6-3
竹林（バイデンゾルグ植物園）　4-7
チーク林　5-8
チーク類似木　6-7、6-8
地質鉱産研究　13-8、13-9、13-10、13-11、13-12、14-1、14-2、14-3
地質別地方別鉱床分布状況（ビルマ）　28-2
チーズ　28-12
地政学的統一性（豪太利亜細亜海）　27-3
地租（海峡植民地）　20-6
地租軽減（ジヨホール州）　18-9
地租引上げ（柔仏国）　20-2
地租不可地面積並に該土地所有権（外領）　28-10
地租不可地面積並に該土地所有権（ジヤワ、マヅラ）　28-10
乳　28-12
築港計画委員会調査報告書（盤谷）　24-2、24-3
地被植栽　16-5
チーフコムミツシオナー　23-2
地方行政機構（ジヤバ）　28-9
地方小売雑貨邦商　10-1
地方材料　6-4
地方自治制（暹羅）　21-6
チムペタ　6-2
地名改称　29-2
地名改称（ジヤワ）　29-3
地名改称（ボルネオ）　29-4
地名改称（マライ・スマトラ）　29-3
茶　28-10
茶（印度）　6-12、8-9
茶（豪州）　5-5
茶（爪哇）　5-1

茶（スマトラ）　5-5、16-11

茶（日印）　8-9

茶（馬来）　26-7

茶園（爪哇プレアンゲル）　12-10

茶園（蘭領東印度）　6-12

茶関税引上（仏領印度支那）　21-2

茶況（蘭領印度）　6-7

茶況（蘭領東印度）　10-8

茶業国際会議　5-7

茶業者（台湾）　2-6

茶共進会（バンドン）　10-10

茶共進会（晩敦）　10-10

茶業大会（バンドン）　10-10

茶業大会（晩敦）　10-10

茶栽培（蘭領印度）　22-1

茶栽培業（スマトラ）　5-1、5-2

茶栽培業者聯合会設立（蘭領印度）　18-12

茶栽培事業（世界）　27-1

茶栽培事業（仏印）　28-11、28-12

茶栽培面積　28-7、28-7

茶純輸入額　28-7

茶消費額　28-7

茶制限（蘭印）　29-1

茶生産（馬来）　27-11

茶生産額及び輸出額　28-7

茶月別平均価格（マレー）　28-7

チヤツクリー宮殿　17-5

茶摘み（ジヤワ）　24-3

茶輸出許可量（蘭印）　23-5

茶輸出制限（蘭印）　20-5

ヂヤンク（新嘉坡）　25-10

中央市場（メダン）　19-5

中央市場食料品小売値段（西貢）　27-7

中央行政機構（北ボルネオ）　30-4、30-5

中央交趾支那館　14-5
中央職場拡張（蘭印）　22-9
中央ボルネオ横断記　10-3、10-4
中華商品陳列所（爪哇）　22-8
中華総商会（タイ）　25-11
仲裁々判條約（日蘭）　19-5
中小事業保険政策（蘭領印度）　19-11
籌賑運動（馬来）　26-3
中東英帝国建設の偉人　22-11
中流家庭未婚婦人　9-3
チユラロンコンの水門　8-10
調査　5-6
朝栽夕採　9-6
調査員（新嘉坡商品陳列館）　4-10
調査研究機関（マライ）　30-6
調査研究機関（蘭印）　30-3、30-4、30-5
調査報告書　5-6
丁字貿易額　28-9
庁舎（東部爪哇州）　19-1
庁舎新築（東部爪哇州）　19-1
徴税（比律賓）　3-4
朝宗　22-6
チヨーク需給（新嘉坡）　21-3
直通航路（スマトラ）　16-2、16-3
貯蓄（印度支那）　28-2、28-3
チンカ　6-2
賃銀指数表　29-3
陳列館　5-6、5-6、9-8/9、9-10
陳列展示　14-1
陳列品　4-8

[つ]

追悼会（田男爵）　18-12
追悼号　19-2

追悼詩　19-2

通貨（英領馬来）　28-2

通貨（海峡植民地）　10-12、11-9

通貨（泰国）　26-12

通貨（蘭印）　23-1

通貨（蘭領東印度）　6-5

通貨及発行制度（比律賓）　28-2

通貨準備高（泰国）　28-2

通貨新交換制（マレー・スマトラ）　28-10

通貨政策（和蘭）　22-12

通貨法（泰国）　28-4

通貨問題　28-5、28-5

通交初期（東印度）　25-6

通行税廃止（比律賓）　6-9

通交録（南海諸島）　27-2、27-3、27-4、27-5、27-6、27-8、27-9

通事（暹羅）　18-1

通商（豪州）　6-3

通商（スマトラ）　6-6

通常議会（比律賓）　24-3

通商競争（対豪州）　6-9

通商局（豪州）　6-6

通商障碍（世界）　24-5

通商条約（日仏）　5-3

通商條約関係類別（日本対諸外国）　20-7

通商制限（蘭領）　27-2

通商政策（比島）　22-12

通商政策（蘭領印度）　21-4

通商宣伝（独逸）　6-3

通商貿易（日印）　6-8

通商報復法（蘭印）　22-8

通商問題（仏領印度支那）　13-7

通商擁護法案国民参議会（蘭印）　21-12

通信（セレベス）　29-6、29-9

通信（タイ国）　29-10

通信（南方一般）　29-5、29-6、29-7、29-8、29-9、29-11、29-12

通信（巴城〈バタビヤ〉）　8-1、8-4、8-5、8-8

通信（比島）　29-5、29-9、29-10、29-11、29-12

通信（フィリピン）　3-1

通信（仏印）　29-5

通信（ボルネオ）　29-5、29-6、29-7

通信員（新嘉坡商品陳列館）　4-10

通信・運輸（ジヤワ）　29-11

通信及運輸業務検閲條令（蘭印）　21-6

通信・放送（ボルネオ・セレベス）　29-12

辻公園　4-6

ヅスン族（北ボルネオ）　29-10、29-12、30-1

[て]

提堰〈ていえん〉（暹羅）　12-7

デイオラマー　14-1

定期航空（日泰）　25-12

定期航路（爪哇直行）　13-11

帝劇見物記（南洋母国観光団）　5-9

帝国協会（倫敦）　14-1

帝国建設の偉人（中東英）　22-11

帝国主義　16-1

帝国名誉総領事（ロツテルダム）　23-12

帝国領事会議（南洋）　8-5

帝国領事館（新嘉坡）　6-9

帝国領事館開設（チエンマイ）　27-12

停車場　18-3

停車場（スマトラ）　10-2

帝都（日本）　10-1

ティンプレート屑（新嘉坡市場）　19-12

テウムラワ（蘭領印度）　24-6、24-8

敵人待遇法（馬来半島）　5-11

デザイン（英本国）　24-11

鉄　4-5

220　Ⅲ. 索　引

鉄（印度）　10-9

鉄（セレベス）　5-3、5-3

鉄（南洋）　10-7、10-8、15-10、15-11、15-12

鉄鉱　28-12

鉄鉱（ビルマ）　28-7

鉄鉱（馬来）　25-6

鉄鉱（蘭領東印度）　6-4

鉄鉱業（東京）　25-9

鉄鉱山（東埔寨[カンボジア]）　12-9

鉄鉱山（ジヨホール州）　17-1

鉄鉱山鉱石搬出用桟橋（ジヨホール州）　17-1

鉄鉱処理（蘭領印度）　26-4

鉄鉱発見（マドラ）　6-7

鉄材自給自足　10-1

鉄道（印度）　6-1

鉄道（印度支那）　6-3

鉄道（暹羅）　6-1

鉄道（爪哇）　4-8、12-9

鉄道（南洋）　4-8

鉄道（蘭領）　6-1

鉄道（倫敦[ロンドン]豪州間）　6-3

鉄道及道路建設計画（タイ国）　28-2

鉄道概況（ビルマ）　25-6

鉄道計画（蘭領東印度）　5-4、6-12

鉄道成績（台湾）　2-6

鉄道線（印度緬甸間連結）　6-7

鉄道線（蘭領東印度）　6-10

鉄道本部（スマラン）　5-7

鉄鍋制限令（蘭領印度）　20-12

鉄不足（世界）　23-5

鉄木　4-5、5-7、5-8、5-9

テニス　25-9

テレース式栽培植林地　9-4

デリス根増産計画（マレー）　28-12

デリス根輸出入額　28-8

田家朝(でんかのあした)　15-1

テンカワン果実産出状況（蘭領東印度）　1-9

電気供給区域　29-7

電気供給事業者　29-7

電気業者　3-7

電気事業（英領馬来）　13-3、16-2、16-3

電気事業（スマトラ）　16-8

電気事業（馬来）　21-3

電気事業会社　29-7

電気事業視察談（南洋）　4-2

電気製作品（新嘉坡）　11-8、11-9

電気蓄音機（新嘉坡）　19-9

電気用品販売部（アニーム会社）　14-11

電球（英領馬来）　19-8、19-9

電球及電気器具取締法（海峡植民地）　22-8

電球工場設立（スラバヤ）　22-8

電球需要（スマトラ）　16-9

電球製造工場（チエリボン）　22-5

電球取引（我国）　19-5、19-6

電球輸出警戒（蘭印）　18-12

電球輸入（蘭印）　20-7

電球輸入制限（蘭印）　21-4、21-6、22-4、23-3

電球輸入統計（蘭印）　27-3

天国　25-2

澱粉　11-6、11-7

澱粉工場（比島）　23-8

澱粉需給（新嘉坡地方）　4-9

甜菜糖　28-10

甘菜糖(てんさい)（豪州）　6-3

電信電話料（蘭印）　22-6

天水　21-5

伝説（ボルネオ土民）　6-7、6-8、6-10、6-11、6-12、7-1

伝説（馬来）　5-1

伝説と物語（安南）　28-1
電線輸入状況（盤谷）　20-10
デンタル・ラバー（新嘉坡市場）　15-2
デンデレス政策　5-6
電灯（蘭領東印度）　14-11
天然ガス　28-12
天然保蔵　21-2
電波　26-9
点描（タイ国）　27-11
点描（比島）　29-7
点描（仏領ニュー・カレドニア）　26-5
点描（蘭領印度バリー島）　26-5
電報（南洋占領地）　2-6
電報（マレー・スマトラ、和文）　28-7
展覧会（粗製濫造）　5-11
展覧会（馬来ボルネオ）　8-6
電力亜鉛工業（タスマニア）　6-8
電力使用（新西蘭）　6-4
電話制度（スマトラ）　6-7

［と］
独逸商会　6-2
独逸商会（蘭領東印度）　6-7
独逸商業会議所（バタビア）　22-10
独逸品（英領馬来）　15-2
籐　14-8、14-9、14-10、14-12
銅　28-12
塔（支那名物）　7-9
籐（新嘉坡市場）　10-12、14-12
籐（セレベス）　16-1
糖（台湾産）　2-5
東亜共栄圏　26-8
東亜局（蘭印）　22-11
東亜局長（蘭領印度）　23-4

東亜建設　28-4

東亜新秩序　25-5

糖価　5-3、6-4、9-3

同化　11-3

道歌　12-1

糖菓（新嘉坡）　11-2

糖界（世界）　8-4、8-6

糖界現勢（世界）　21-10

東海支部　14-8、14-8、14-8、15-11、23-7、24-11、26-5、26-10、27-1、27-2、27-5、27-6

糖菓業（豪州）　6-5

糖菓市場（暹羅）　6-3

荳科植物　18-3

陶器工業（蘭印）　21-7

陶器製造工場（ジヨクジヤ）　22-3

登記租借地区割面積　28-11

投機熱（南洋）　6-1

登記年度　28-11、28-11

道義の昂揚　30-6

糖業（爪哇）　10-4、10-5、10-6、10-7、10-8、10-9

糖業（タイ国）　25-8

糖業（台湾）　14-9

糖業（南方圏）　29-8

糖業（南洋群島）　11-11

糖業（日本）　29-8

糖業（フイリツピン）　28-3

東京漆　10-10

糖業界暗黒時代　6-10

東京外語速成科　23-4

糖業関係機関（爪哇）　28-3

糖業関係機関（比律賓）　28-3

糖業経済的意義（爪哇）　10-4、10-5、10-7、10-8、10-9

東京商品見本市（マニラ）　20-8

東京製品バザー成績　6-2

糖業統制（蘭印）　22-4

糖業統制計画（蘭印政府）　22-5

糖業問題（大東亜共栄圏）　28-2

東京旅商　20-11

東京旅商団見本市　18-6

糖業聯合会　21-6

統計　15-8、16-2、16-4、18-8

統計（ニューギニア）　28-4

統計（新西蘭）　28-3

統計（蘭印）　29-2

銅鉱　28-12

銅鉱業（比島）　27-7

等高台地　14-5、14-6

踏査記（蘭領西部ボルネオ）　13-8、13-9、13-10、13-11、13-12、14-1、14-2、14-3、14-5、14-6、14-8

投資（米国）　10-9

投資（蘭領東印度）　10-7、10-8

投資家（海外）　12-3

陶磁器（爪哇市場）　12-6

陶磁器（新嘉坡）　20-9、22-7

陶磁器（新嘉坡市場、本邦）　15-6

陶磁器（比律賓）　16-4

陶磁器（蘭領印度）　16-11

陶磁器市況　18-9

陶磁器市況（新嘉坡）　19-8

陶磁器市況（蘭領印度）　17-10

陶磁器需要（蘭領東印度）　2-6

陶磁器製品輸入制限（蘭印）　21-9

陶磁器取引状況（蘭領印度市場）　15-10、15-11、15-12、16-1

陶磁器販売組合（新嘉坡）　6-2

陶磁器輸入（英領馬来）　12-1

陶磁器輸入商組合設立（爪哇）　20-7

陶磁器輸入数量（蘭領印度）　16-2、16-4

陶磁器輸入制限（蘭印）　21-8

陶磁器輸入制限（蘭領印度） 20-9
投資国別 13-12
投資事業（暹羅） 4-3
糖収穫高（爪哇） 18-12
動植物（ニウギニア島） 5-1
統制織物及製品輸入割当量 27-3
統制経済（仏印） 29-7
統制形成（蘭印） 22-4
銅生産高 29-5
東大 10-10
東大図書館の復興 10-10
統治 29-2
統治（占領島） 5-4
統治・行政（ジヤワ） 29-3
統治・行政（フイリッピン） 29-2
統治・行政（ビルマ） 29-3
統治・行政（ボルネオ） 29-3
統治・行政（マライ、スマトラ） 29-3
統治史論（北ボルネオ） 29-5、29-6
統治法改正（蘭領印度） 3-11
統治領（ニユーギニイ） 24-6
東部爪哇州庁舎新築 19-1、19-1
同胞殉難者氏名（比島ダバオ） 28-2
糖蜜事情（南部仏印） 28-3
灯明台（爪哇スマラン港） 4-2
島民集会所（ヤツプ島） 20-4
玉蜀黍 28-10
玉蜀黍（比島） 23-8
玉蜀黍（仏印） 28-4
玉蜀黍（蘭領印度） 16-11
玉蜀黍日本輸出（蘭印） 22-5
童謡 10-11
東洋人（蘭領印度） 21-11
東洋博覧会開催計画（比律賓） 6-5

動乱（支那）　12-1
動力事業創設（ソヴイエット聯邦政府）　16-2
答礼使（仏印）　11-1
道路（パラオ南洋庁）　12-5
道路（比島バギオ）　26-6
道路（蘭印）　17-5
道路開通（コタバト）　23-4
道路線路新設（ジヨホール州）　6-9
童話　10-11
毒魚（ヤルート島）　10-11、11-8、11-10
特殊会社　10-11
特殊企業銀行（南洋）　8-10
特殊銀行　10-11
特殊縞綿布類第三次輸入制限（蘭印）　21-2
特殊縞綿布類輸入制限　20-8
独商　8-5、10-2
独人（蘭領印度）　4-5
特設館（蘭領印度）　23-6
独立（比）　26-5
独立（東印度）　30-8
独立（比島）　2-8、5-3、5-3、12-1、22-6、23-11、23-12、24-12、29-8
独立（比律賓）　8-8、10-4、20-8、22-1、23-11
独立運動（比律賓）　5-2
独立再検討論（比律賓）　26-10
独立問題（比島）　26-12
独立略史考（比律賓）　22-9
独領問題　25-1
時計（新嘉坡）　20-12
時計市場（英領印度）　13-9
時計貿易（暹羅）　5-9
土侯の宮殿（スマトラ・ベリ州）　4-3
屠殺家畜数　29-3
土匪　10-9
土壌　19-12、21-5

4. 事　項　227

土壌（爪哇）　13-4、13-5、13-6、13-10、13-11、13-12、14-1、14-4、14-6、14-7

土壌（スマトラ）　13-4、13-5、13-6、13-10、13-11、13-12、14-1、14-4、14-6、14-7

土壌（蘭領印度）　10-3

土壌反応　17-3

土人　7-10、8-3、8-10、23-8

土人（ジヤバ）　23-8

土人（爪哇）　3-12、4-7、5-11、7-12、7-12、11-2、12-1、26-5

土人（スーラバヤ）　6-9

土人（チムール）　15-6

土人（ニユウギニアパプア）　4-5、4-5

土人（ニューギニア）　18-7

土人（パプア）　4-5

土人（比律賓）　4-3、8-2

土人（緬甸）　7-6

土人（婦人）（蘭領ニユーギニヤ）　9-4

土人（ボルネオ）　4-6、4-6、4-7

土人（馬来）　5-4

土人（蘭領ニユーギニア）　9-3

土人女　7-12

土人硝子工場（バタビア）　21-7

土人官吏登用（蘭印）　23-1

土人経済　10-12

土人工業協会（蘭印政府）　22-4

土人護謨栽培（蘭印）　27-1

土人護謨生産統制計画（蘭印）　21-12

土人ゴム調節と生産制限　21-11

土人護謨特別輸出税（蘭領印度）　20-11

土人ゴム輸出許可量（蘭印）　21-7

土人ゴム輸出税（蘭印）　23-3

土人護謨輸出税改正（蘭領印度）　21-1、21-2

土人市場（バンヂヤルマシン）　11-2

土人酋長（サラワク王国）　10-7

土人織布業組合結成（蘭印）　21-6

土人新聞論調（蘭印）　22-12

土人製作品（比律賓マニラ市場）　13-7
土人調査委員（ミンダナオ島）　18-12
土人農業（爪哇）　20-12
土人の槍　25-9
土人風景（バリ島）　17-9
土人婦女（交趾支那）　11-7
土人部落（スラバヤ郊外）　18-7
渡船（ペラ河）　20-6
ドソン土人　3-11
土地権（外領）　28-11
土地権（ジヤワ及マヅラ）　28-11、28-11
土地処分法（比律賓）　5-11、5-12
土地所有法（南洋）　2-5
土地制限問題（馬来半島）　3-4、3-6
土地制限令（馬来）　3-8
土地制限令撤廃（半島）　5-9
土地制度（北ボル子オ）　8-1
土地制度（スマトラ東海岸州）　4-9
土地制度概説（フイリッピン）　30-9、30-10、30-11
土地配分（ジヤワ、マヅラ）　28-10
土地払下禁止（柔仏州）　7-1
土地法（サラワ国）　11-1
土地法案（比島）　6-2
土地法改正（英領北ボルネオ）　10-2
土地法改正（柔仏州）　19-9
土地法規（蘭領東印度）　13-1
土地問題（タイ）　30-1
土着民（ジヤワ、マヅラ）　28-10
土着民協力状況（南方）　28-5
土着民農耕地面積　28-10
特許侵害問題（蘭印）　18-12
特許令適用品目（蘭領印度）　24-2
図南の雄志　30-4
トバ研究　10-9、10-11

トバ栽培　10-10

トバ苗仮施　10-12

トバ根　10-12

トバ根切断　10-12

トバ繁殖　10-12

トバ・ルート　17-4

トブ族の家（英領ニウ・ギニア）　9-7

トマト・サーデイン缶詰（英領馬来）　14-7

トマト漬鰯缶詰需給状況（スマトラ東海岸州）　18-2

土民（セレベス）　7-3

土民（南国）　13-1、13-2

土民（仏領印度支那）　7-1、7-2、7-3、7-4、7-5

土民（フローレス島）　7-4

土民（ボルネオ）　6-7、6-8、6-10、6-11、6-12、7-1

土民（蘭領）　7-12

土民問題（豪州島）　24-4

トラクター耕耙作業（熱帯農園）　10-11

トランプ（日本製）（英領馬来）　21-11

ドリアン　5-11、5-12、23-4

とりいれ　17-10

鳥と獣　21-3

塗料輸入（新嘉坡）　11-8

弗　14-7

ドレヘ船　4-5

ドン・キ・ホーテ　11-1

[な]

内閣（イスメツト）　10-4

内閣官制（暹羅）　8-8

内国収入総額（比律賓）　3-3

内国税（仏領印度支那）　13-11

内地（メレー・スマトラ）　28-11

内地観光団（南洋群島）　11-9、12-9

ナイフ輸入制限（蘭印）　21-6

230　Ⅲ. 索　引

内面観（日本と蘭領印度関係）　23-7

中折帽子（スマトラ東海岸州）　18-4

名古屋南洋巡回見本市　16-1

名古屋汎太平洋平和博覧会　23-6

梨果（本邦産）　14-11

捺染綿布（ロシア）（蘭印市場）　17-6

捺染綿布輸出（蘭領東印度）　14-4、14-5

奈翁（ナポレオン）　9-1

那翁（ナポレオン）（ソロモン島）　8-12、8-12

生果物　13-4

海鼠（なまこ）　11-4

生護謨直取引（じか）　11-4、11-5

生ゴム自給（北米合衆国）　18-1

生護謨消費　16-8、23-7

生護謨消費（ソヴイエツト聯邦政府）　16-2

生護謨輸出入（錫蘭島）　5-8

生野菜（比律賓）　16-4

鉛　28-12

鉛（ビルマ）　28-6

鉛顔料（豪州）　6-6

鉛生産高　29-5、29-5

なめくじ　14-9、14-10

鞣皮、鞣皮製品純輸入額　28-8

成金者　5-5

南海遺存　24-6

南海趣　6-6、6-7

南海開拓　21-10

南海紀聞　6-4、6-5、6-6、6-7、6-8、6-9、6-10

南海周航記　30-8

南海染料考　29-5

ナンカの果実　10-8

南進（支那）　23-10、23-11、23-12

南端（日本）　12-11、12-12

南天酒楼（新嘉坡）　14-5

南部鉄道（暹羅） 3-7
南米談 17-1
南米南洋移民論 9-6
南方医学 28-11
南方医談 29-2、29-3、29-4、29-5、29-6、29-11、30-2、30-3、30-5、30-8、30-9
南方移民 28-3
南方医療 28-4
南方映画工作 29-5
南方海運 26-12
南方海運対策 28-3
南方開発企業担当者指定 28-3
南方開発金庫 28-5
南方軍政 29-2
南方経済圏 25-6
南方健康相談及診療所開所 29-12
南方原住民族 29-3
南方建設 28-10、29-2、29-3、29-6、30-6、30-6
南方建設一周年誌 29-2
南方建設資料 29-1、29-4、29-5、29-6、29-7、29-8、29-9、29-10、29-11、29-12、30-1、30-2、30-3、30-4、30-5、30-6、30-7、30-8、30-9、30-10、30-11
南方交易史話 28-11、28-12、29-1、29-9、29-12、30-1、30-9、30-10
南方交渉史的考察（日本） 29-6、29-7、29-8
南方国策 22-9、24-10
南方再建設 29-4
南方再認識 25-6
南方策統合 28-4
南方産業 28-6
南方資源 27-8、27-9、28-3
南方情勢 26-12
南方諸族 23-6
南方進出 28-8
南方進展 26-9
南方水産事業 27-5
南方随想・随想 29-4、29-6、29-7、29-8、29-9、29-10

南方生活　28-11、28-11

南方生活科学　28-12

南方生活科学研究会　28-10、28-10

南方生活研究所　28-12

南方青年学徒　22-6

南方占領地経営　28-5

南方対策　28-3、28-4

南方対策・軍政（南方一般）　29-6

南方大調査機関設置　27-6

南方認識　22-4

南方熱帯地　29-2

南方農業再編成論　29-7

南方農林業　30-1、30-2

『南方の土』　29-7

南方発展　4-7

南方物資　29-9

南方文化国策　24-7

南方民族　30-4、30-9、30-11

南方民族研究　28-6

南方問題　22-11、26-7、26-8、26-9

難問題　14-5

南遊　13-7、13-7、13-8、15-6

南遊雑感　16-1、16-2、17-4

南遊所感　13-7、15-1、15-2、15-3、26-8

南遊諸感　20-3、20-4

南遊所見　13-6、13-7、13-8

南游余談　25-10

南洋一過　20-3、20-4

南洋移民並渡航調査　4-1

南洋海運会社船　23-3

南洋海運株式会社　21-10

南洋開拓先覚者　19-2

南洋開発　19-2

南洋華僑回国慰労団　26-7

南洋華僑経済　25-6、28-3、28-4

南洋華僑指導対策　30-6

南洋学院　28-7、28-10、29-1、30-4、30-4

南洋歌舞伎団　8-3

南洋関係事業功労者　14-12、14-12、15-1、15-2、15-3

南洋関係者　27-12

南洋関係諸団体　14-1

南洋観光団　7-10、10-9

南洋艦隊　5-2

南洋企業　5-5、11-12、12-8、18-1

南洋企業組織　13-8、13-9

南洋企業熱　4-6

南洋奇聞　4-11、4-12、5-1、5-2、5-3、8-3、8-4、8-5、8-6、8-7、8-8、8-9、8-10、8-11、8-12、9-1、9-2、9-3、9-4、9-5、9-6、9-7、9-8/9、10-8、10-10、10-11、11-1、11-2、11-3、11-4、11-5、11-6、11-7、11-8、11-9、11-10、11-11、11-12、12-1、12-2、12-3、12-4、12-5、12-6、12-7、12-8、12-9、12-10、12-11、12-12、13-1、13-2、13-3、13-4、13-5、13-6、13-7、13-8、13-9、13-10、13-11、13-12、14-1、14-2、14-3、14-4、14-10、14-12、15-1、15-2、15-3、15-4、15-5、15-6、15-7、15-8、15-9、15-11、15-12、16-1、16-2、16-3、16-4、16-5、16-7、16-8、16-9、16-10、16-11、16-12、17-1、17-2、17-3、17-4、17-5、17-6、17-7、17-8、17-9、17-10、17-11、17-12、18-1、18-2、18-3、18-4、18-5、18-6、18-7、18-8、18-9、18-10、18-11、18-12、19-1、19-2、19-3、19-4、19-5、19-6、19-7、19-8、19-9、19-10、19-11、19-12、20-1、20-2、20-3、20-4、20-5、20-6、20-7、20-8、20-9、20-10、20-11、20-12、21-1、21-2、21-3、21-4、21-5、21-6、21-7、21-8、21-9、21-10、21-11、21-12、22-1、22-2、22-3、22-4、22-5、22-6、22-7、22-8、22-9、22-10、22-11、22-12、23-1、23-2、23-3、23-4、23-5、23-6、23-7、23-8、23-9、23-10、23-11、23-12、24-1、24-2、24-3、24-4、24-5、24-6、24-7、24-8、24-9、24-10、24-11、24-12、25-1、25-2、25-3、25-4

南洋協会観　5-6

南洋協会経営　30-6

南洋協会の使命　16-8

南洋協会物産展覧会　6-10、6-10

南洋群島支部　9-5、9-10、10-3、10-4、10-5、10-8、10-10、10-11、11-7、11-10、13-12、14-6、14-8、15-12、16-4、18-1、18-3、18-6、19-6、19-12、21-4、23-2、23-

7、26-3、27-12
南洋群島民内地観光団　17-8
南洋経営　6-12、7-1
南洋経済　27-9、27-10
南洋経済界　7-8
南洋経済懇談会　25-9、25-10
南洋経済時報　10-10
南洋研究　11-6
南洋研究者　7-7
南洋高原地農業　22-4、22-7、22-8
南洋航路（独逸）　8-6
南洋航路株式会社　22-6
南洋航路爪哇線船客運賃表　2-2
南洋航路船　7-4
南洋航路船客並貨物運賃表　2-1
南洋古美術品陳列　13-11
南洋ゴム企業　27-1
南洋材　16-5、16-6、16-7
南洋栽培企業　14-7
南洋策　5-6
南洋雑貨輸出組合（京浜）　21-4、21-7
南洋雑感　25-12
南洋産業史観　7-4、7-5
南洋産業視察団　12-12
南洋資源　26-5
南洋視察　3-12、21-5
南洋視察団　9-6、9-10、9-11/12
南洋視察談　4-1、4-7、4-12、5-1、5-2
南洋視察談（印度）　6-2
南洋視察談（議員）　5-6
南洋視察談（ラウド氏）　3-6
南洋市場　18-5
南洋市場（独逸）　8-5、8-6
南洋事情講演会　12-11

南洋周航会　22-9
南洋巡回見本市（大阪市）　12-11
南洋巡回見本市（名古屋）　16-1
南洋商業実習生　15-5
南洋人士　26-4
南洋新占領地　5-2、5-3
南洋新秩序　27-4
南洋進展　13-5
南洋深林救済論　7-11
南洋深林利用論　8-3
南洋倉庫　5-10
南洋倉庫会社　5-4
南洋倉庫支店開設　6-5
南洋拓殖事業　4-10、4-11
南洋団　4-6
南洋庁　5-7、12-5、23-1
南洋定期航路　14-1
南洋展覧会　13-9、13-9
南洋島勢調査　5-10
南洋統治　5-3
南洋島民観光団　2-7
南洋特産物標本　10-1
南洋渡航　6-7
『南洋渡航案内』　3-6、4-1、4-8
南洋渡航信書　2-8
「南洋の海運」　4-9
南洋派遣学徒研究団　21-8
南洋発展　2-2、2-6、5-1、5-4、5-5、8-2、14-5、14-6、26-11
南洋発展策　5-5
南洋発展策（蘭領）　5-11、5-12、6-1
南洋百果譜　5-11、5-12、6-1、6-2
南洋物産展覧会　6-9
南洋物産展覧会会場　6-11
南洋貿易（独逸）　28-4

南洋貿易会　27-5

南洋貿易企業　14-11、16-6

南洋貿易研究団組織　5-7

南洋貿易振興会派遣南洋旅商団見本市　12-8

南洋貿易発展策　3-12

南洋放送　24-9

南洋向海外放送　25-2、25-3、25-4、25-5、25-6、25-7、25-8、25-9、25-10、25-11、25-12、26-1、26-2、26-3、26-4、26-5、26-6、26-7、26-8、26-9、26-10、26-11、26-12、27-1、27-2、27-3、27-4、27-5、27-6、27-7、27-8、27-9、27-10、27-11、27-12

南洋向配船表　23-1

南洋向放送　24-8、25-1

南洋木材　10-1、10-1

南洋問題　18-7

南洋問題座談会　20-5

南洋郵船　13-11

南洋油坑　6-10

南洋領事会議　12-5

南洋旅行談　13-5、21-8

南洋旅商団　12-8

南洋論　7-1

[に]

肉用家畜純輸入額　28-8

肉類純輸入額　28-8

肉類貯蔵作業　24-3

荷税（土人経済）　10-12

日（人）　14-1

日印軍印度進駐　30-4

日英会談　25-8

日英同盟　7-7

日豪関係　24-11、25-4

日常食糧品物価（馬来聯邦州）　19-12、20-4

日常食糧品物価（馬来聯邦州スレンバン）　20-2、20-3

日常生活（新嘉坡）　19-1

日人　4-2

日大拓殖科新設　23-3

日仏印基本条約　29-1

日・仏印銀行協定調印　27-8

日仏関係総委員会（仏印）　28-4

日仏交渉　7-9

日仏親善　27-7

日米綿布輸入高比較（比律賓）　20-10

日墨関係　25-6

日満支南大ブロック　24-12

日用品市価（蘭印）　22-1

日蘭海運協定　22-7

日蘭海運新協定　22-7

日蘭会商　21-1、21-2、21-3、21-3、24-3、28-6

日蘭会商帝国代表　20-7

日蘭関係者　22-12

日蘭親善　7-1

日蘭通商　25-1

日貨抵制　9-7

日貨排斥　13-10、14-6、14-7、14-8、14-9、17-10、18-9、26-5

日貨排斥（新嘉坡）　14-10、14-11

ニツケル（セレベス）　5-3

ニツケル鉱　28-12

日産護謨移転　21-7

日支事変　23-10、23-11、23-12、24-1、24-2、24-3、24-4、24-5、24-6、24-7、24-8、24-9、24-9、24-10、24-11、24-12、25-1、25-2、25-2、25-3、25-4、25-5、25-6、25-7、25-8、25-9、25-10、25-11、25-12、26-1、26-2、26-2、26-3、26-4、26-6、26-7、26-8、26-9、26-10、26-11、26-12、27-1、27-2、27-3、27-4、27-5、27-6、27-7、27-8

日章旗（南洋群島ソンゾル島）　12-6

日暹修好　23-11

日暹條約　10-5

日暹新條約　10-2、10-5、10-6

Ⅲ. 索　引

　　　日暹親善　22-7
　　　日泰関係　26-12、29-9
　　　日泰定期空路　26-1
　　　日泰定期航空開始　25-12
　　　日泰定期航空機松風号　26-6
　　　日泰定期航空路開設　26-1
　　　日糖事件　25-2
　　　ニッパ・パーム（英領北ボルネオ）　11-6
　　　ニツパ椰子　7-10
　　　ニツパ椰子（比律賓）　18-9
　　　日比関係　22-4、22-5、25-6、26-5
　　　日比綿布協定　26-7
　　　日本案内所（マニラ）　22-12
　　　日本印象記　23-9
　　　日本織物　20-4
　　　日本観　7-2
　　　日本館（スラバヤ年市）　13-2
　　　日本観（比島）　24-5
　　　日本館（マニラ、カーニバル祭商工展覧会）　12-6
　　　日本館（マニラ市）　25-5
　　　日本汽船（爪哇支部）　13-9、20-1
　　　日本汽船会社融資懇請（爪哇支那）　21-12
　　　日本キヤンバス、幌布及帆布（英領馬来）　21-2
　　　日本航路　20-1
　　　日本語学校（西貢）　30-6
　　　日本語学校（シヤム）　25-7
　　　日本語学校（ジヤワ）　30-6
　　　日本語講習所（蘭印）　21-5
　　　日本護謨輸入協会設立　21-12
　　　日本式庭園（柔仏）　22-6、22-6
　　　日本事務局長（蘭領東印度）　7-9
　　　日本趣味（スラバヤ年市余興場）　16-1
　　　日本商業会議所（マニラ）　22-5
　　　日本商業会議所聯合会売店　14-5

日本商品　5-4、11-1、13-6
日本商品（蘭貢市場）　12-8
日本商品輸入概況（英領馬来）　20-5
日本史料（海外）　23-12
日本人　4-6、9-8/9、28-9、29-9
日本人（ダバオ）　17-8、18-5
日本人会（サラワク）　21-8
日本人会（ダバオ）　14-7
日本人会館（スラバヤ）　14-6、23-5
日本人会成立（ガロー）　21-4
日本人漁業組合漁場（マニラ港トンド）　14-4、14-4
日本人局　6-3
日本人健児団（ダヴアオ）　24-8
日本人護謨栽培　1-2
日本人護謨栽培協会　1-2
日本人栽培協会（馬来半島）　3-4
日本人栽培業者協会設立（スマトラ東海岸）　12-12
日本人小学校（スラバヤ）　14-8
日本人小学校（ダバオ）　24-7、24-7
日本人小学校（中央爪哇）　24-8、24-8
日本人小学校（バタビヤ）　14-5、14-8、14-10、15-6
日本人小学校（比島セブ）　24-10
日本人小学校（比島バギオ）　24-9
日本人小学校（マニラ）　13-12、24-3、24-3
日本人小学校児童　15-4
日本人商業会議所設立（マニラ）　20-3
日本人商業協会設立（バタビア）　20-3
日本人商業協会聯合会（蘭印）　21-3
日本人商工会議所設立（暹羅）　22-10
日本人発展　4-9
日本人村址（アユチヤ）　11-4
日本人村遺跡（暹羅）　19-11
日本人問題（比律賓）　18-4
日本人問題（比律賓議会）　19-6

日本人問題（比律賓群島）　17-4

日本製亜鉛鉄板（蘭領東印度）　14-8

日本製亜鉛板（英領馬来）　20-11

日本製飴販路獲得　14-3

日本製玩具（蘭領印度）　23-2

日本製自転車並其部分品（蘭領東印度）　14-1

日本製自転車並部分品（蘭領東印度）　14-1

日本製陶磁器　10-6

日本製品　13-10

日本製品進出（蘭印）　15-2、15-3、15-4、15-5、15-6

日本製布株式会社捺染綿布陳列会　13-10、13-10

日本製ラヂオ受信機（新嘉坡）　19-10

日本石油　7-1

日本セメント輸入税引上（仏領印度支那）　18-11

日本船舶（南洋）　6-2

日本電球（馬来半島）　18-7

日本陶器製電気スタンド（アニーム会社）　14-11

日本品（新嘉坡）　20-6、20-7

日本品（ソロー王宮）　25-6

日本品（南洋）　2-7

日本品（比律賓議会）　19-6

日本品（蘭印）　23-4

日本品（蘭領印度）　17-8

日本品の地位（暹羅）　22-2

日本品の地位（暹羅市場）　18-11、18-12、19-1

日本品輸入額（蘭領印度）　20-7

日本品抑圧　20-4

日本民族　9-6

日本綿布及人絹布（新嘉坡）　18-11、19-1

日本綿布市況（新嘉坡）　19-11

日本綿布輸入減少（比島）　23-4

日本問題（仏領印度支那）　17-1、17-2

日本郵船　7-4

日本蘭領印度協会　16-9

4. 事　項　241

日本力行会　20-1

日本旅行報告　23-10

ニフアス販売組合長　22-3

ニフアス無期延長　22-4

ニューギニア観　23-9

ニューギニア、パプア族　12-4、12-4

乳牛　29-3

入国移民割当数（蘭印）　21-4

入国規則（英領北ボルネオ）　2-7

入国税（サラワク）　20-11

入国税（比島）　19-4

入国制限（英領海峡殖民地）　5-10

入国制限（蘭印）　21-9、22-10

入国令（改正）（蘭領印度）　20-3

入国令施行細則（蘭領印度）　24-4

乳児死亡率　29-3

新西蘭人　23-11

乳製品工業（爪哇）　22-9

認可農業租借地譲受（外領）　28-11

人魚　4-5

人情（南洋）　7-1、7-2

人情（蘭領ボルネオ）　8-1

[ぬ]

[ね]

熱帯　25-1

熱帯医学　1-3

熱帯医学会　11-11

熱帯医学会議　6-6

熱帯医学大会（極東）　11-12

熱帯衛生　14-8、15-4

『熱帯衛生』　14-9

熱帯貴重木輸入計画　8-3

熱帯漁場　5-5

熱帯国　9-3

熱帯産業研究所（南洋庁）　23-1

熱帯産業調査会　21-11

熱帯産業調査会（台湾）　22-1

熱帯事業　9-6、9-7、9-10

熱帯樹　30-9

熱帯植物　5-2

熱帯森林　12-7、12-8

熱帯生活　28-12、29-9

熱帯征服　28-8

熱帯地　3-11

熱帯農園　10-11

熱帯農学校　5-4

熱帯農業　1-9、13-1、21-5

熱帯農業経営論　7-7、7-8

熱帯農産品（蘭領東印度）　20-7

熱帯病　28-11

熱帯病学会議　7-6

熱帯木　5-3、5-4、5-5、5-6、5-7、5-8、5-9、5-10、5-11、5-12、6-1、6-2、6-3、6-4、
　　6-5、6-6、6-7、6-8、6-9、6-10、6-11

NEPA運動（比律賓）　22-7

年市（スラバヤ）　13-2、13-2、14-6

年市共進会（バンドン）　22-9

年市余興場（スラバヤ）　16-1

年記代摘要（蘭印）　27-3

年貢　3-10

年貢租金額　28-11、28-11

年代記（蘭印）　27-3

年中行事　9-4

年中行事化　12-1

燃料飢饉　6-6

年齢別出生率及再出産率表　29-3

年齢別性別死亡率明細表　29-3

年齢別性別人口表　29-3

[の]

農園　22-8
農園（英領馬来）　15-5
農園企業　13-1
農園苦力大減少（スマトラ方面）　19-1
農家（比律賓土人）　8-2
農企業（蘭領東印度）　16-3、16-4
農機具純輸入額　28-9
農業（英領馬来半島）　23-4、23-5、23-6
農業（ジヤワ）　29-3
農業（タイ国）　29-2、30-1
農業（南方）　27-7
農業（フィリッピン）　29-2
農業（仏印）　26-11
農業（仏領印度支那）　29-2
農業（仏領ニューカレドニア）　24-5
農業（馬来）　26-9、26-10、26-11、26-12、28-1
農業（マライ・スマトラ）　29-3
農業（馬来半島）　24-7、24-8、24-9、25-12、26-1、26-7
農業（馬来聯邦州）　2-1
農業（蘭印）　25-9
農業（蘭領東印度）　7-12、10-10
農業界（馬来半島）　25-6、25-7、25-8、25-9
農業概観（蘭領東印度）　13-6
農業概況（英領馬来）　22-4
農業技術導入（マレー、スマトラ）　28-11
農業経済（蘭領印度）　23-1
農業小作制度（馬来半島）　10-4、10-5
農業小作制度（蘭領東印度）　10-4、10-5
農業事情（フイリッピン）　28-5
農業事情（フイリッピン群島）　28-2
農業時報（比律賓）　3-3

農業人口（マレー）　28-6、28-6
農業政策（ソヴイエツト聯邦政府）　16-2
農業組織変更（比律賓）　28-7
農業租借地所有者の国籍　28-11
農業統計（マレー）　28-6、28-7、28-8、28-9
農業繁栄（スール地方）　3-5
農業貿易（馬来）　28-1
農業貿易概観（馬来）　26-12
農業労働者（柔仏州(ジヨホール)）　1-5
農具（暹羅）　8-7
農芸共進会（馬来）　10-12
農芸品展覧会（サラワ）　11-1
農作状態（スマトラ）　22-7
農作地租改正（ジヨホール）　21-2、21-3
農産資源（南洋）　28-2、29-6
農産資源（蘭印）　26-12
農産資源開発　29-6
農産品貿易（馬来）　22-7
農産物　28-9、28-9
農産物（外領）　29-1
農産物（馬来）　26-12
農産物（マレー）　28-6
農産物植付面積及生産量　29-1
農産物栽培面積（比律賓群島）　5-1
農産物市況　26-9
農産物市況（英領馬来）　26-4
農産物市況（馬来）　25-12、26-6、26-6、26-7、26-11、26-12、27-3、27-4、27-5、27-5、27-6、27-7、27-9、27-9、27-10
農産物市況（蘭印）　26-3、26-6
農産物収穫面積　29-1、29-1
農産物生産概況　29-1
農産物統計（英領馬来）　27-5
農産物輸出（英領馬来）　16-12
農産物輸出（外領地）　29-1

農産物輸出（ジヤワ及マヅラ）　29-1
農産物輸出（蘭印）　29-1
農事概要（英領北ボルネオ）　21-11
農場　3-3
農商務省　4-7
農村（暹羅）　8-8
農村（蘭印）　23-1
農村金融事情（仏印）　30-2、30-3、30-4、30-5
農村更生策（スマラン）　22-4
農村振興　10-9
農村問題　11-1
農民　3-2
農民（泰国）　28-4
農民道場（ジヤワ）　28-10
農民の経済生活（暹羅）　18-10
農民の経済的生活（仏領印度支那）　25-3
農務富源部植産局省令（比律賓群島政府）　20-5
農林業概説（英領北ボルネオ）　23-2
野村ゴム工場（バンジヤルマシン）　20-12
野村護謨精製工場（バンジヤルマシン）　20-12
野良仕事（爪哇）　24-2

[は]

排外熱（支那）（南洋）　11-9
拝貨運動（南支）　9-3
排貨運動（南洋）　5-10
排貨事件（南洋）　5-10
俳句　25-2、25-5、26-1
廃校小学校（蘭印）　22-6
排水工事（爪哇）　7-9
廃寺（アユチヤ）　11-4
バイテンゾルフ植物園　4-8
バイテンゾルフ植物園（爪哇[ジヤワ]）　4-4、4-7、4-7、4-9、15-2
配当（仏印）　28-1

パイナツプル総輸出額　28-7

排日　14-9

排日（爪哇）　5-9

排日（南洋）　5-7、8-7

排日（仏領印度支那）　6-6

排日運動　14-6、18-4

排日動向（英領馬来）　25-7

排日法案（米国）　10-6

排日法案通過　10-6

排日暴動事件（新嘉坡）　5-9

排日論　2-8

排日貨（比律賓華僑）　18-10

売薬　13-4

売薬（本邦）（仏領印度支那）　13-10

売薬需給状況（爪哇市場）　19-2

パインアツプル関税引上（仏領印度支那）　21-2

バウ　28-11、28-11、28-11、28-11

ハー・ヴェー・ア事務所　15-10

バカス　15-4

バガス・パルプ工業　15-5

鋼　28-12

鋼（印度）　10-9

鋼生産高　29-6

履物（英領馬来）　18-3、18-4

履物類取引状況（蘭印市場）　18-2

白豪主義　28-7

白人商業会議所百年祭（新嘉坡）　23-5

白象　17-4

白象王国（馬来半島）　17-3

白象王国暹羅　7-2、7-3

白象神秘物語　27-10、27-11

爆弾　7-6

白ニユーギニア主義　7-5

爆発（爪哇メラピー火山）　17-2

4. 事　項　247

瀑布（緬甸サルウイン河）　6-11

博物館（クチン市）　6-6

白鳳丸　15-5

白墨製造業計画（蘭印チエリボン）　21-12

白米輸出高（泰国）　28-1

博覧会（ソロー王宮）　25-6

瀑瀧（比島バギオ）　26-6

刷毛(はけ)（蘭領東印度輸入本邦製）　6-6

刷毛類輸入禁止（豪州）　6-5

パゴダ（マンダレー市）　25-5

パゴタ参詣　7-3、7-4

箱根細工（新嘉坡市場）　10-10

パコボス族（比律賓）　7-6

バゴボ族　13-3

パサル日（バンジヤルマシン）　16-4

破産件数（新嘉坡）　20-3

破産数（中央爪哇）　22-1

破産統計（スマトラ東海岸州）　19-7

覇者（南洋）　4-8

芭蕉　9-11/12、10-1、10-2

芭蕉栽培　7-9

バシラン興業会社椰子園（比律賓群島）　6-10

バス　12-12、13-1

バスター所　4-4

パスツール研究所（牙荘）　29-3

巴豆(ハズ)並木（サマライ）　6-8

旗（日本石油）　7-1

バター　28-12

機織り（暹羅婦人）　11-7

機業（ビルマ）　25-6

バタク人村落　4-1

バタ、人造バタ、牛酪油純輸入額　28-9

バータ製靴工場設立（爪哇）　23-5

バーター取引　26-3

バタビア出張員事務所　20-2、20-3、20-4、20-5、20-6、20-7、20-8、20-9、20-10、20-11、20-12、21-2、21-4、21-5、21-6、21-7、21-8、21-9、21-10、21-11、21-12、22-1、22-2、22-3、22-4、22-5、22-6、22-7、22-8、22-9、22-10、22-11、22-12、23-1、23-2、23-3、23-4、23-5、23-6、23-8、23-9

バタビア美術学芸協会　29-12

バタビヤ出張員事務所　16-9、16-10、16-11、16-12、17-1、17-1、17-2、17-3、17-4、17-5、17-6、17-7、17-8、17-9、17-10、17-11、17-12、18-1、18-2、18-3、18-4、18-5、18-6、18-7、18-8、18-9、18-10、18-11、18-12、19-1、19-2、19-3、19-4、19-5、19-6、19-7、19-8、19-9、19-10、19-11、19-12

バタビヤ日本人小学校長　14-5

パタング鉄道　4-8

パダン停車場（スマトラ島）　4-6

バチツク工業（蘭印）　21-11

鉢巻　4-5

爬虫類皮純輸出額　28-8

パチユリ純輸出額　28-8

パチヨリー油　10-3、10-4

客家物語　25-10

薄荷油工業（アチエ）　22-2

発券機関整備（南方）　28-5

発見と征服（比律賓）　5-1、5-2、5-3

パツサル・ガンビル　25-11

パツサルマラム（爪哇スラバヤ）　25-12

発展（ダバオ）　16-6

発展策（我国）　15-1、15-2、15-3、15-4

発展地（南洋）　2-9/10

発展地（仏領老撾）　16-11

発展地（蘭領印度）　15-1、15-2

発電力総計（蘭印）　29-7

発電力量及需要電力量（仏印）　28-4

バドイス族の生活　24-1

波止場建設（暹羅）　6-4

波止場ストライキ（米国）　23-2

花茣蓙製造計画（インドラマユ）　22-5

バナナ　10-3
バナナ（南洋）　9-11/12
バナナ及柑橘産業概況（蘭領印度）　21-12
花役者　8-12
パパイン　17-1
母と子（サカイ族）　21-5
パパヤ　17-1
パパヤの果実　10-8
パパヤン　5-8
パプア人　25-8
パプア人種　11-1
パプア族家庭（ニユーギニア）　12-4
パプア族教化　22-4
パプア族男子　9-4
パプア族武器姿（ニユーギニア）　12-4
歯刷子輸入制限　22-4
歯刷子輸入制限（蘭印）　21-6
葉巻（マニラ）　26-6
葉巻製造（爪哇土人）　7-12
ハム市場（蘭領東印度）　6-3
パーム油輸出（蘭印）　22-11
刃物（英領馬来市場）　13-2、17-8
パラオ島民　20-3
パラグツタ　17-5
パラフイン蠟輸出（緬甸）　6-7
薔薇木　5-10、5-11
榛名丸　23-12
パルプ工場（ダバオ）　16-11
パルプ材植林計画（蘭印）　23-1
ハルモヘ―ラエ人（ニユウギニア）　4-5
馬鈴薯　28-10
馬鈴薯（英領馬来）　19-7
馬鈴薯需要（英領馬来）　17-1
馬鈴薯掘り（ジヤワ）　24-3

布哇雑感　16-4

パンイスラミズム　24-10

繁栄基金（蘭印）　23-4

反英争議（緬甸）　25-2

バンカ錫（蘭領印度）　20-11

蛮境（南洋）　7-2

盤谷支部（バンコク）　23-7、23-7、23-8、23-9、24-8、24-10、24-11、24-12、25-1、25-3、25-4、25-6、26-3、26-4、26-6、26-7、27-6、27-12

万国無線電信会議　13-10

半熟米乾場（暹羅）　8-10

繁殖法（護謨園）　13-6

蛮人　7-9、7-11

蕃人（比律賓ミンダナオ島）　18-3

帆船　4-5

蛮族実生活（比律賓）　21-10、21-11、21-12

蛮族生活（比律賓）　21-10

汎太平洋科学会議　10-3、10-4

汎太平洋平和博覧会　21-10、23-6

バンダン及竹製帽子販売店　11-2

バンド需給状況（スマトラ東海岸州）　18-7

販売鑑札（新嘉坡ラヂオ商）　19-11

汎米　14-7

反乱（南印）　7-10

パンロン伐採法　29-2

[ひ]

比（人）　14-1

東印度会社々則（和蘭）　28-11

東印度工業統計　29-7

東印度鉱産統計　29-4、29-6

東印度畜産統計　29-3

東印度農業統計　28-10、28-11、29-1

東印度貿易統計　29-9、29-12

東印度林産統計　29-2

4．事　項　251

皮革業（暹羅）　8-1

皮革製品　7-8

皮革製品（爪哇）　24-12

皮革製品（新嘉坡）　19-9

皮革製品需給状況（本邦）（爪哇）　19-10、20-1

皮革製品輸入統計（比律賓）　27-1

皮革輸出数量及価額　29-3

皮革類純輸出額　28-8

挽材木(ひきざい)（新西蘭）　6-4

非基督教(きりすときょう)地域自治制（比島）　22-11

非金属鉱輸出（比島）　27-12

非金属鉱輸出高（比島）　27-11

飛行（タラカン―バタビア）　23-4

飛行機　19-2

飛行機工場設立（爪哇）　22-1

飛行機製作所並飛行学校（スマラン）　21-9

飛行計画（爪哇和蘭間）　6-9

飛行場（スラバヤ）　22-4

飛行場（バタビア）　22-9

飛行場敷地（スマラン）　22-9

飛行郵便拡張（蘭領諸島間）　6-9

ビジネス・センター（スラバヤ）　19-6

美術工芸（南洋）　6-1

美術工芸品輸出　6-8

非常時法令（英領馬来）　25-8

非常時法令（蘭印）　26-1

避暑地（スマトラ）　19-1、23-4

美人（シヤン族）　25-5

美人（ソロモン島）　9-1

ピツクニツク（ペラ州在留邦人）　20-6

羊（馬来）　5-1

羊減少（新西蘭）　6-12

比島会議所組織　6-9

比島観　9-4

比島国営興業会社　25-6
比島人蹶起（世界）　28-3
比島政府　8-6、19-9
比島西印交換問題　9-5
比島売却説　9-8/9
比島民　9-8/9
比島問題研究所　28-10
比島要人　29-10
日之出（バリー島）　22-1
蓖麻子油（爪哇）　12-10
蓖麻子油純輸入額　28-9
百姓生活　16-2、16-3、16-4、16-5、16-6、16-7
白檀樹　7-6、7-7
豹（海南島）　7-11
病院施設（南支南洋）　10-2、10-3
氷河（クツク山）　6-8
評議員議員（蘭領印度）　23-9
評議員死去　4-10
評議員退任　4-12
評議会（蘭領印度）　22-9
病種（印度人）　13-4
苗圃（びょうほ）　14-10
評論之評論誌（米国）　12-4
肥料　17-12
肥料市場（スマトラ）　14-7
肥料純輸入額　28-9
肥料南洋輸出　4-4
肥料輸入制限（蘭印）　22-2
麦酒　5-10
麦酒（新嘉坡市場）　18-8
麦酒会社（暹羅）　20-3
ビール国産税（蘭領印度）　20-1
麦酒需給状況（爪哇）　17-12
ビール醸造業（比島）　19-8

ビール消費税（蘭印）　22-1

麦酒消費税（蘭印）　21-9

麦酒新輸入制限令（蘭領印度）　20-4

ビルマ人　29-6

緬甸人　10-1

ビール輸入情況（スマトラ東海岸州）　19-7

麦酒輸入制限（第五次）（蘭印）　21-7

麦酒輸入制限（蘭印）　22-4

ビール輸入制限令　20-8

麦酒輸入制限令（蘭印）　21-6

ビール輸入税並に国産勢引上げ（蘭印）　19-10

ビール輸入統計（蘭領印度）　27-1

ビール輸入割当（蘭領印度）　20-1

麦酒藁苞(わらづと)生産（蘭印）　22-9

天鵞絨(びろうど)輸入制限（蘭印）　21-9

広島県支部（南洋協会）　28-4

広場（キヤメロン高原）　20-1

広場（メダン市）　6-12

ヒンターランド（英領北ボルネオ）　8-1

ヒンヅー教寺院（バリ島）　11-10

便覧（馬尼刺）　6-7

檳榔子(ビンロウジ)実貿易額　28-7

[ふ]

不安時代（印度財界）　6-12

比律賓学生観光団歓迎茶会　21-6

比律賓画報　22-9

比律賓協会設立　21-10

比律賓群島政府　20-5

比律賓政府　8-1

比律賓独立　10-4

比律賓独立法案　1-2

比律賓農業銀行　1-10

フイルム（バリー島）　23-1

風景（海南島）　25-3

風景（サラマン市）　5-3

風景（ザンボアンガ）　20-10

風景（爪哇）　4-8

風景（スマトラ）　20-9、26-2

風景（ダバオ）　20-12

風景（ニユー・ヂーランド）　24-10

風景（バタビヤ）　4-9

風景（ビルマ）　22-7

風景（比律賓）　18-2

風景（比律賓バギヲ）　22-5

風景（仏領印度支那）　19-9、19-10

風景（フローレス島）　7-4

風景（ボルネオ島バンジヤルマシン）　5-4

風光（パレンバン）　20-10

風光（蘭領東印度）　14-6

風趣（爪哇）　25-3

風習（インドネシア）　28-11

風習（ポナペ島）　3-2

風俗（英領ニユウギニア）　7-5

風俗（爪哇婦人）　4-1、4-7

風俗（南洋）　7-1、7-2

風俗（緬甸土人）　7-6

風俗（モロユ人）　4-4

風俗（蘭領ボルネオ）　8-1

風俗習慣取調概略（トラック諸島）　2-4

風土（南洋）　3-1、3-4、3-5

風土（南洋群島）　12-7、12-11

風物（豪州）　24-11

風力（籾）　8-8

フォルマリン液　12-5、12-6

フォルマリン液応用試験　12-5、12-6

フオレストリー・メソツド　18-6、19-4

武器（パプア土人）　4-5

不況（蘭印） 22-5

不況（蘭領東印度） 18-6

福音 17-3

服装（サラワク王国） 7-10

服装（比律賓イフガオ族） 7-6

服装（比律賓パコボス族） 7-6

不景気 16-7

不景気（英領馬来） 19-3

不景気（世界的） 17-1

不景気（北部スマトラ） 17-2

富源（ヂヤムビ） 10-2

婦人（サカイ族） 7-7

婦人（爪哇） 4-7、5-11

婦人（バタン島） 7-7

婦人（蘭領北ニユーギニヤ） 9-4

婦人機織り（暹羅） 11-7

婦人風俗（暹羅） 5-5

婦人風俗（爪哇） 4-1、6-7

婦人風俗（ミナンカバウ） 5-2

物価（サラワク） 6-1

物価（新嘉坡） 19-1

物価（ビルマ） 29-8

物価（ボルネオ） 29-10

物価高騰（蘭印） 22-12

物価高（日本） 10-7

物価・賃銀（ジヤワ） 29-3

物価・賃銀（フィリッピン） 29-2

物価・賃金（ボルネオ） 29-7

物価騰貴（印度支那） 28-12

物価騰貴対策（印度支那） 29-1

物価・統制（仏領印度支那） 29-9

物価取締規定撤回（蘭印） 23-3

物産（爪哇） 14-11

物産（比島） 26-3

物産（蘭印）　22-4

物産市　16-3

物産及商品見本市船来星（豪州）　19-7

物産市況（爪哇及マドラ）　17-9、18-6

物産商況（爪哇スラバヤ市）　6-6

物産相場（バタビア）　20-7

物産相場（蘭印）　21-11

物産相場表（爪哇泗水）　6-9

物産相場表（新嘉坡）　6-9

物産相場表（マニラ）　6-9

物産宣伝費（蘭印）　23-1

物産展望（蘭印）　25-6

物産展覧会　6-10

物産奔騰（蘭印）　22-12

物産輸出（スマトラ、アチエー州）　18-11

物産輸出税（蘭印）　18-9

物産輸出税（蘭領印度）　18-6

物産輸出税額　29-9、29-9

武装（新嘉坡）　10-1

武装案（新嘉坡）　10-3

武装姿（ニユーギニア、パプア族）　12-4

仏教（泰国）　28-1、28-2

仏教（南方諸国）　27-1、27-2

仏教（仏領印度支那）　27-6

仏教建築物（バリ島）　3-9

仏教宣伝（対南洋）　6-11

仏教美術遺品（爪哇）　5-11

仏国人入国並に居住規則（仏領印度支那）　16-1

物資興隆問題（南洋・支那）　28-7

物資自給策（共栄圏）　28-3

仏人　8-11

仏人（仏印）　28-4

仏人実業家（仏領印度支那）　13-7

仏人勢力及事業（暹羅）　10-7

仏蹟（緬甸）　11-5

仏蹟（仏領印度支那）　23-9

仏塔（暹羅）　17-5

仏間　19-2

仏領印度支那観　7-6、7-7

仏領印度支那銀行　6-1

埠頭（タンジヨンプリオク）　3-12

埠頭（タワオ）　16-9

埠頭（馬来半島彼南）　5-5

葡萄栽培（蘭印）　22-7

ブートン・アスフアルト　15-9

船楫（マライ人）　4-3

船賃　19-4

船（西半球）　23-7

プノンペン公園（カムボヂヤ）　11-7

冬の園（豪州）　26-1

舞踊（マライ人）　29-11

部落（蘭領ボルネオ）　10-2

プラサキ灌漑水路（暹羅）　12-7

ブラシ（日本製髭剃用輸入禁止）　6-8

ブラジル人　11-11

プラナキラ会　29-4、29-7

ブランダ　5-12

プランター規則（蘭領印度）　24-9

ブリ　12-10

不良織物輸入　20-2

武陵桃源　7-2

武陵桃源国民　11-2

武力戦期　28-5

ブレツド、フルーツ　6-1

篩需給状況（円形金網張）（爪哇）　21-7

古金物輸出取引（新嘉坡）　22-7

古新聞紙貿易（スマトラ）　6-11

ブロークンヒル所有会社　6-3

プロパガンダ　5-4

ブロムブナン秘話　17-4、17-5

プロモ火山噴火口（爪哇）　4-9

プロモ噴煙　17-1

ブワラムシ　5-12

文化　5-10

文化（カンボジア）　29-5

文化（ジヤワ）　29-4

文化（タイ）　29-5

文化（タイ国）　29-2、29-12

文化（南方一般）　29-5、29-6、29-7

文化（比律賓）　29-1

文化（仏領印度支那）　29-6、29-9、29-11、29-12

文化（ボルネオ）　29-6

文化・教育（タイ）　29-4

文化・教育（比島）　29-4

文化・教育（ビルマ）　29-4

噴火口（爪哇プロモ火山）　4-9

文化工作論（比島）　29-2

文化交流　25-6

文化・宗教（仏領印度支那）　29-10

文化・宣伝（比島）　29-5

文化提携　27-6

文化的施設（暹羅に於ける仏米の）　9-8/9

文化東漸（印度）　30-10

文化と地誌（旧独領ニウギニア）　25-2、25-4、25-8、25-9、25-10、25-11、26-3、26-4

文教（ジヤワ）　29-6

文教（セレベス）　29-11

文教（南方一般）　29-12

文教（ビルマ）　29-7

文教（ボルネオ）　29-7

文教・言語（フィリッピン）　29-2

分権政策（馬来半島）　19-7

分離問題（緬甸印度）　7-8

[ヘ]

平安丸（シアトル行）　23-7
米価　11-8
米価（補給地）　5-8
平価切下（暹羅）　18-7
平価切下げ（和蘭）　22-8
米価調節（蘭印）　22-12
米貨排斥　10-7
平均余命率表　29-3
米穀（英領馬来）　21-3
米穀（蘭領印度）　20-4
米国政府　10-2
米穀問題（比律賓）　23-4
米作（北ボルネオ）　5-12
米作（暹羅）　8-5
米作（比島）　5-11
米作（比律賓）　6-11、6-12
米作（蘭領）　5-5
米作改良及拡張政策（マライ）　30-6、30-7
米作研究（比島）　28-5
米作産業（英領馬来）　22-5
米作農（仏印）　26-7
米作米穀需給（英領馬来）　19-6
米産（仏領印度支那）　17-8、17-9、17-10
米産額（交趾支那）　15-10
米産額（暹羅）　6-11
米産状況（馬来）　27-9
米人　5-11、5-12、6-1
米人（ダバオ）　14-1
米人（馬尼剌）　6-4
幣制改革（印度）　6-10
幣制改革問題（比律賓）　23-12
米田経営（セレベス島）　4-12
米比共同委員会報告書　24-12

米比共同準備委員会　23-11、23-11、23-12

平和　8-10

平和（世界）　16-6

平和博　8-3

ヘヴエア護謨輸出評定価格（蘭領印度）　18-10、18-12、19-1、19-3、19-4、19-5、19-6、19-7、19-9、19-10

ベニア・チエスト（スマトラ東海岸州）　17-12、18-9

ベニヤ・チエスト（爪哇に輸入）　13-2

ベニヤ輸入状況（海峡植民地）　13-2

ヘベア　17-3

へベヤ樹研究　11-6

ベルガ　21-7

坡西人（ペルシヤ）　6-4、6-4、6-5、6-6、6-7、6-8

ベンゲット移民　25-8

ベンヂン生産高　29-4

ヘンプ　3-7

[ほ]

法　21-7、22-11

邦医（馬来聯邦）　2-6

邦医開業　5-6、6-1

貿易　1-2

貿易（印度支那）　10-3、10-4、11-8、11-9、22-10

貿易（印度と南方圏）　29-7

貿易（英領北ボルネオ）　11-11

貿易（英領馬来）　17-5、17-7、19-11、21-10、24-1

貿易（英領馬来対外）　12-6、12-7、15-7、15-8

貿易（英領馬来対日）　9-10、11-4、13-1、14-11、14-12、15-9

貿易（英領馬来対日主要品）　13-7

貿易（和蘭殖民地）　5-4

貿易（海峡殖民地）　2-9/10、3-8、3-11、4-12、5-4

貿易（海南島）　25-10

貿易（極東）　25-1

貿易（豪州）　6-4

貿易（サンボアンガ港） 21-9

貿易（支那） 25-5

貿易（暹羅） 23-3

貿易（爪哇） 6-1、6-2、6-3、6-8、11-10、11-11、15-3、15-4、21-4

貿易（爪哇及マドラ） 13-6

貿易（爪哇対日） 4-12

貿易（上海） 26-6

貿易（柔仏王国）^{ジヨホール} 11-4

貿易（スマトラ島） 5-8、6-3

貿易（錫蘭対日） 11-12

貿易（錫蘭、比島間） 3-3

貿易（対外） 19-8

貿易（泰国） 27-2

貿易（対東亜） 28-3

貿易（対南） 6-7、6-9、7-5、8-5、17-12

貿易（対日） 7-4

貿易（台湾南洋間） 2-5

貿易（ダバオ港） 16-4、17-5、21-9

貿易（独逸対印度） 8-4

貿易（南支） 8-9

貿易（南洋） 5-4、5-4、5-5、5-8、6-4、6-6、6-6、8-9、15-10、28-4

貿易（日爪） 4-9

貿易（日蘭） 13-9

貿易（日蘭印） 22-9

貿易（日・蘭印） 25-11、26-5

貿易（日新） 26-11

貿易（日暹） 5-3

貿易（日比） 1-3、5-3、19-9

貿易（日本） 23-7、24-6

貿易（日本・仏領印度支那） 24-10

貿易（新西蘭） 6-12、27-5

貿易（新西蘭対外） 26-11

貿易（比島） 3-4、3-7、5-10、6-6、6-6、25-7、27-4、27-7

貿易（ビルマ対外） 27-11

貿易（比律賓）　1-2、3-3、3-3、7-9、19-11、22-12、26-5

貿易（比律賓、対外）　27-9

貿易（仏印）　25-6、28-4、29-5

貿易（仏印対外）　26-11

貿易（仏印対日）　11-12

貿易（仏領印度支那）　4-12、5-3、6-11

貿易（緬甸市場）　12-9

貿易（ホロ港）　21-9

貿易（香港対外）　21-5

貿易（本邦対南洋）　12-5、12-6

貿易（本邦・蘭領印度間）　1-5

貿易（マヅラ）　11-10、11-11

貿易（マドラス）　5-8

貿易（馬来）　26-9

貿易（馬来対英本国及英領）　21-3

貿易（馬来半島）　3-10、6-1、6-3、12-2、12-3、12-4

貿易（馬来聯合国）　4-4

貿易（馬来聯邦）　3-6

貿易（馬来聯邦州）　6-6

貿易（マラヤ）　10-2

貿易（南太平洋）　6-12

貿易（蘭印）　21-7、26-3、27-4、27-5

貿易（蘭印対日）　24-12

貿易（蘭領印度）　17-6、21-8、22-9、23-3、24-7、24-8

貿易（蘭領印度対独逸）　16-8

貿易（蘭領印度、仏領印度支那間）　18-2

貿易（蘭領東印度）　3-3、3-11、6-1、14-4、14-5、14-6

貿易（蘭領東印度豪洲間）　5-6

貿易（蘭領東印度独逸間）　12-1

貿易（蘭領東印度・米国）　4-5

貿易（我国）　17-1、17-2、17-3、18-6、19-4

貿易（我国対蘭印）　16-6、16-7

貿易維持発展策（支那）　6-3、6-3

貿易萎縮（英領馬来）　16-10

貿易界（暹羅）　7-11

貿易会議（第一回）　12-10、12-10

貿易概況（英領馬来）　19-3、20-4、22-10

貿易概況（英領馬来対日）　21-6

貿易概況（爪哇）　1-11、6-7

貿易概況（スマトラ東海岸州）　16-5

貿易概況（ダバオ港）　18-5

貿易概況（日暹）　8-3

貿易概況（新西蘭）　27-9

貿易概況（比島）　8-4

貿易概況（緬甸）　6-11、6-12

貿易概況（比律賓）　21-1

貿易概況（仏領印度支那）　7-9、7-10、7-11、7-12、8-1、8-2、8-3、8-4、8-5、8-6、8-7、8-8、8-9、8-10、8-11、8-12、9-2、9-3、9-4、20-11

貿易概況（馬来聯邦州）　20-2

貿易概況（蘭領東印度）　3-7、7-2、7-3、7-4

貿易会社（ニユーギニア）　22-1

貿易額（英国）　21-2

貿易額（英領馬来）　26-12、27-2

貿易額（仏領印度支那）　16-5、20-11、20-11

貿易企業（南洋）　14-11、16-5、16-6

貿易起源と経過（日比）　19-9

貿易業者（対南）　5-7、7-10

貿易月報（爪哇）　5-7

貿易差額（英国対外）　6-4

貿易産業問題（比島）　22-6

貿易資金案　5-6

貿易事情（爪哇）　6-1、6-2、6-3

貿易事情（蘭領印度）　20-7

貿易事情（蘭領東印度）　2-4

貿易事情（我が国）　19-2

貿易事情（我国対蘭印）　17-3

貿易指数（蘭領印度）　22-2

貿易商況（新嘉坡）　6-4

貿易・商業（仏領印度支那） 29-2
貿易上の根拠地（馬尼剌） 6-3
貿易助長策（南洋） 6-6
貿易助長実務機関 19-1
貿易調（南洋各地国別） 6-5
貿易振興（我国） 24-9
貿易振興策（対南洋） 14-10
貿易賑盛（比律賓） 2-6
貿易趨勢（盤谷港） 28-1
貿易政策（英国） 4-8
貿易促進策（蘭印） 16-6、16-7
貿易大観（英領馬来対日） 11-6
貿易大観（仏領印度支那） 9-8/9
貿易大観（蘭印） 8-11、8-12、9-1、9-2、9-3、9-4、9-5
貿易大観（蘭領印度） 10-4、10-5、10-7、10-8、10-9、10-10、10-11、10-12、11-1、11-2
貿易対策 24-12
貿易体制 27-10
貿易調節 17-7
貿易統計（英領馬来） 22-11、23-3、24-1
貿易統計（サラワク王国） 23-10
貿易統計（サラワツク） 24-7
貿易統計（仕出国別）（暹羅国） 20-1
貿易統計（爪哇） 24-6
貿易統計（主要品別）（暹羅国） 20-1
貿易統計（対外） 17-11
貿易統計（仏領印度支那） 19-12
貿易統計（仏領印度支那対日本） 19-12
貿易統計（蘭印外領対日本） 22-7
貿易統計（蘭領印度） 22-11、23-1、23-3、23-7、23-12
貿易動向（蘭印） 28-3
貿易動向（蘭印と比島） 27-6
貿易統制 27-10
貿易統制会南洋局 28-9
貿易動態（日蘭印） 25-5

貿易動態（蘭印）　26-11
貿易入超　5-10
貿易年報（仏領印度支那）　16-2
貿易博覧会（英国）（新嘉坡）　19-8
貿易バーター制（仏印対満関支）　28-10
貿易発展策（我対南）　14-12
貿易寄言（南洋印度）　12-10、12-11
法規集　25-9
防空演習（和蘭）　23-12
宝庫　7-9
宝庫マレー（英国）　28-2
豊作　3-2、3-2
帽子（海峡植民地市場）　13-7
帽子（新嘉坡）　11-2
帽子取扱商（マニラ）　6-9
帽子貿易（蘭領東印度）　6-7
帽子輸入制限令（蘭印）　23-1
邦商　8-5、11-11
邦商（スラバヤ）　19-4
邦商（比律賓）　18-10
邦商の発展策（蘭領東印度）　4-11
邦商破綻者（南洋）　8-8
紡織会社設立（テガル）　22-8
邦人　9-4、11-2、12-6、12-7、12-8、13-12、14-10、14-10、15-1、15-2、17-1、17-12、22-4、22-7、22-8、26-2
邦人（在暹羅）　7-12
邦人（在南）　29-11
邦人（在南洋）　8-7
邦人（ダバオ）　15-4、28-5
邦人（ニユーカレドニア）　24-5
邦人（蘭印）　22-8、26-2
邦人遺跡　13-12
邦人移民事蹟（比律賓）　26-5
邦人移民数（蘭印）　21-4

邦人開業医試験（蘭印）　22-8

邦人監禁（ダバオ）　28-5

邦人監禁（マニラ）　28-5、28-5

邦人漁業　14-4、14-4

邦人漁業（英領北ボルネオ）　8-1

邦人漁業（マニラ）　14-4

邦人漁業と漁網、漁具（爪哇）　17-8

邦人小売業者（比島）　23-9

邦人胡椒栽培（ランダ州）　10-6

邦人雑貨商（爪哇）　11-3

邦人産業　15-5、15-6、15-7

邦人事業　25-1

邦人事業（南洋）　12-10、12-12

邦人事業（ベンカリス）　10-3

邦人事業概況（ダバオ）　7-11

邦人商社（英領馬来）　24-4

邦人商社並団体名簿（西貢[サイゴン]）　30-6

邦人商社名一覧（西貢[サイゴン]）　27-12

邦人植民（シヤンステート）　11-2

邦人数（馬来）　27-12

邦人送金（南洋）　6-3

邦人蔬菜業者新開墾地（カメロン高原）　23-2

邦人南洋漁業　7-11

邦人排斥　8-9

邦人迫害事件顛末　1-6

邦人発展（南洋）　12-3、12-4

邦人発展（蘭領印度）　18-2、18-3

邦人紡績工場設置（マニラ）　22-8

邦人未踏　14-10

法制（蘭領）　5-1

法政大学　14-11

法政大学南洋見学団　14-11

紡績工業　8-8

紡績工業（蘭印）　21-11

邦船圧迫　8-4

包装（本邦輸出品）　11-7

放送会社広告放送計画非難（英領馬来）　23-2

放送局（新嘉坡）　19-12、21-6、21-8、22-7、23-3、23-4

包装紙輸入統計（蘭領印度）　27-1

包装條令（蘭印）　21-8

放送陣　25-7

包装用米藁使用禁止（比律賓）　20-5

報道（ジヤワ）　29-3、29-5、29-7、29-8

報道（セレベス）　29-7

報道（タイ国）　29-7

報道（南方一般）　29-5

報道（比島）　29-5

報道（ビルマ）　29-3、29-6

報道（ボルネオ）　29-6、29-8、29-9

報道（マライ・スマトラ）　29-8

報道・宣伝　29-2

報道・宣伝（仏領印度支那）　29-2

訪日視察　26-4

放任主義　18-7

豊年　3-2

豊年祭ブランコ（暹羅国）　11-3

防備（グアム島）　25-2

防備問題（爪哇）　7-11

邦品　15-3

邦品市場　28-2

邦品市場（比島）　28-2

邦品の退勢（比島）　25-7

邦品輸出振興策（対蘭印）　25-5

邦品輸入（蘭印）　25-6

報復手段　10-7

邦文図書（印度関係）　28-10

邦文図書（南洋に関する）　2-5

邦文文献目録（ニユーギニア）　28-9

鳳梨缶詰（英領馬来）　15-11

鳳梨缶詰業（新嘉坡）　11-7

鳳梨事業概観（馬来）　26-11、27-6

法律（馬来聯邦州）　3-9

鳳梨の病害（比島）　3-7

紡聯（共栄圏）　28-3

琺瑯器（英領馬来本邦）　13-1

琺瑯鉄器　22-12

琺瑯鉄器（新嘉坡）　10-7、20-9、22-7

琺瑯鉄器（新嘉坡市場）　16-12

琺瑯鉄器（新嘉坡市場、本邦）　15-6

琺瑯鉄器（スラバヤ）　14-10

琺瑯鉄器（蘭領印度）　21-4

琺瑯鉄器市況（新嘉坡）　19-8

琺瑯鉄器需給（爪哇）　12-11

琺瑯鉄器輸入制限令　22-12

捕獲船（比島）　3-7

ボーキサイト　28-12

ボーキサイト採掘（蘭領リオウ島）　22-7

牧場（ボンガボン）　12-4、12-5

牧畜（仏印東京地方）　27-1

牧羊場（ニユー・サウス・ウエールス）　6-7

捕鯨船　25-11

保険（ダバオ在住邦人）　15-4

保健衛生（ダバオ）　15-4

保険事業（海峡殖民地）　6-8

保健上の欠陥（邦人）　15-6、15-7

保健体制（昭南マレー）　28-12

暮色（バタビヤ郊外）　11-6

ボタン製造（スマラン）　22-10

ボタン製造工場（スマラン）　22-2

墓地（サイパン島）　12-6

北海道巡回見本市（マニラ）　20-8

ホツプ　28-10

ホツプ栽培失敗（バンドン）　22-2

ホテル業会議　22-9

ホテル業組合営業制限実施方誓願（蘭印）　21-6

ホテル・デサン　22-12

ホテル・デ・ブール（スマトラ）　9-7

鋪道煉瓦工業（比律賓）　3-4

保養所（東部爪哇）　4-9

ポリネシア人　8-11

ポルトランドセメント（蘭領東印度市場）　12-10

ボルネオ号　7-12、8-1

ボルネオ製鉄会社設立計画（英蘭合併）　10-3

母齢別出生表　29-3

ボロブドール仏蹟　5-11、5-11、20-7

ボロブドール仏蹟釈迦像　5-11

ボロブドール仏蹟廊下階段入口　5-11

ホンゲイ炭田　11-6

ホンゲー・ホテル（仏領印度支那）　22-2

ボントツク族の寝宿（比律賓）　18-9

封度壜輸入制限（蘭領印度）　21-4

磅　崩落　6-2

本邦　12-6

本邦織物及製品市況（英領馬来）　26-5

本邦産梨果　14-11

本邦商品　11-6

本邦商品（新嘉坡）　21-5

本邦商品（ハノイ見本市）　11-8

本邦食料品試食会　14-6

本邦人　1-2

本邦人企業　3-5

本邦人経営事情（蘭領東印度）　3-12

本邦人国別及職業別人口一覧表（在南洋）　24-2

本邦製品（蘭印）　21-5

本邦製品声価（ビルマ）　23-11、24-1

本邦品（仏領印度支那）　10-11

270　Ⅲ. 索　引

本邦品輸入状況（スマトラ）　22-1

本邦品輸入統計（スマトラ東海岸州）　21-12

本邦品輸入統計（仏領印度支那）　21-9

本邦貿易（比律賓）　22-1

本邦防疫医学　28-11

本邦綿布（比島）　21-4、21-5、25-11

本邦輸出品　11-7

［ま］

舞姫（バリ島）　7-2

マーガリン　28-12

マゼラン記念堂（比島）　23-2

町（スマトラ西海岸）　16-3

町（ボルネオ島）　16-3

松島（南洋の）　11-6

燐寸（新嘉坡市場）　12-5

燐寸（耐湿）　8-8

燐寸（日本）　5-8

燐寸（日本製）　11-12、13-9

燐寸（邦産）　8-12

燐寸工業（仏領印度支那）　11-4

燐寸工業の衰兆（日本）　7-11

燐寸事業（馬来半島）　6-2

燐寸需給（新嘉坡）　19-5

燐寸需給状況（爪哇バタビア）　19-2

燐寸商況（馬来半島）　5-6

燐寸消費税改正（馬来聯邦州）　18-10

燐寸製造規定（新嘉坡）　20-3

燐寸貯蔵（新嘉坡）　20-3

燐寸輸入減少（蘭領印度日本製）　13-9

窓硝子輸入制限（蘭領印度）　21-4

マニオカ輸入表（日本）　6-4

マニラ麻　14-1、28-10

馬尼剌麻（マニラ）　4-7、5-3、5-4、5-6、5-7、5-8、5-9、5-10、5-11、5-12、6-2、7-1

マニラ麻（ダバオ）　16-11、17-8

マニラ麻（比律賓）　10-8

マニラ麻界（比島）　17-4

マニラ麻概況　15-12

馬尼剌麻価格協定　4-3

馬尼剌麻下級品生産禁止問題　7-9

馬尼剌麻禁輸問題　4-8

マニラ麻最近相場表　6-9

馬尼剌麻産額減少　6-12

マニラ麻市況　18-9

マニラ麻生産制限委員会　21-1

マニラ麻精製作業（ダバオ）　15-11

マニラ麻総額（比島）　6-10

マニラ麻挽き機械　11-11

マニラ麻挽機械発明者表彰記念　11-11

マニラ麻挽出機械　11-11

マニラ麻輸出額　19-9

マニラ麻輸出表（比島）　6-6

マニラ、カーニバル祭会場夜景　13-6

マニラ、カーニバル祭商工展覧会　12-6、12-6、13-6

マニラ、カーニバル祭商工日本館　13-6、13-6

マニラ支部　10-12、14-6、16-11、17-8、18-4、19-2、19-4、19-12、20-2、20-9、21-6、
　　21-10、23-5、23-11、25-1、25-5、25-12、26-6、27-3、27-4

馬尼剌支部　11-3、12-1、12-11、15-12、16-6、16-7、16-9

マニラ便り　25-1

マニラ日本人小学校　13-12

マネキオン種族（ニユウギニアパプア）　4-5、4-5

マハゴニー　6-9、6-10、6-11

マハラジヤ　5-10

魔法遣（印度人）　8-12

馬来語　3-1、3-1、3-4、8-1、15-9、23-2

馬来産物出品　23-5

馬来縦貫鉄道　4-4

馬来種族の特異性　24-2

馬来諸州協会創立　18-12
マライ人　4-3、29-11
馬来人　3-6、19-7、22-11
馬来農芸共進会　11-1
「馬来半島事情」　18-7
馬来ボルネオ展覧会　8-6
馬来米　26-9、27-9
マラカニアン宮殿（比島マニラ）　25-1
マラヤン・コンマーシヤル・レビユー　20-12
マラリア　29-4、29-5、29-6、29-11
マラリア施設（仏印）　29-10
マラリヤ特効薬プラスモヒン　18-8
独木舟製作　7-2
丸太及角材（比島産）　21-2
マレー語　28-11
マレー人　28-5
満俺鉱　28-12
満俺鉱（比島ブスアンガ島）　28-2
マンゴー　8-4
マンゴステン　5-11
満洲問題　19-4、19-5
マンタビ族奥様方（スマトラ島）　4-8
マンデー（水浴）　23-7
万年筆（爪哇）　19-5
万年筆（スラバヤ）　13-1
満蒙問題　18-7

[み]

未晒綿布（蘭領印度）　20-6
未晒綿布及人造肥料輸入制限　23-2
未晒綿布転売取締　22-3
未晒綿布輸入制限（第二次）（蘭印）　21-8
未晒綿布輸入制限令（蘭印）　21-6
未晒綿布輸入統計（蘭印）　27-3

水（爪哇）　7-8
水城廃墟（爪哇）　5-12
水汲み（チヤングロン）　8-10
水汲女（ジヤワ）　24-9
水屋（ブルナイ）　4-3
味噌輸入制限（蘭印）　20-5
三井物産船舶部　22-6
蜜糖（爪哇）　28-3
蜜蜂飼育（スマラン）　22-4
密輸出護謨（ジヨホール王国）　9-8/9
密林（ボルネオ）　10-1
港（英領北ボルネオ）　8-1
港及町（スマトラ西海岸）　16-3
港別輸出入統計（スマトラ東海岸州）　18-5
南十字星　30-7
ミナハサ遊記　20-8、20-9
ミナンカバウ族　29-5、29-6
ミナンカボウ族の家　16-3
みのり（豪州）　25-12
見本市（西貢〈サイゴン〉）　14-5、14-5、14-7
見本市（ハノイ）　11-8、13-9
見本市正門入口　14-5
見本市博覧会（西貢〈サイゴン〉）　29-4
見本館　5-1
宮田製作所完成自転車（東京）　14-1
ミユーヂアム　5-5、5-5
ミルク輸入税引上げ（柔仏州〈ジヨホール〉）　19-6
民営塩田産塩高　29-4
民営炭坑採炭高　29-4
民間諸会社　10-11
民間特別委員会　10-2
民芸・蠟染更紗（爪哇）　25-2、25-3、25-4
民商法（暹羅）　10-10
民信送金　28-6

274　Ⅲ．索　引

民族　5-5

民族（海南島）　25-3

民族（小スンダ列島）　14-10、14-11、15-1、15-2、15-3

民族（スマトラ）　28-7、28-9、28-10、28-12、29-4、29-5、29-6、29-10、30-3

民族（バリー）　24-3、24-4、24-5、24-6

民族（比律賓）　29-1

民族（福建）　24-5

民族（仏領印度支那）　26-7

民族（蘭領印度）　21-4、21-4

民族結集（南方）　30-11

民族自決（比島）　5-3

民族資料（南洋群島）　19-11、19-12、20-2、20-3、20-4、20-10、20-11、20-12、21-1、21-4、21-5、21-6

民族的教化（東印度）　25-4

民族的構成（泰国）　26-1

民族発展　1-3

民族文化考（インドネシア）　29-9

ミンタル小学校（比律賓ミンダナオ島ダバオ州）　10-11

ミンタル小学校運動会（ダバオ）　14-7

ミンタル病院（ダバオ）　21-9

民法労働契約中従業員休日規定（蘭印）　24-6

[む]

無鉛炭坑（仏領印度支那）　22-11

夢幻の表象　24-6

娘（ダイアン、サワダ族）　7-10

娘（フイジ島）　8-11

娘（馬来）　5-4

無線通信設備　16-11

無線通話（馬来、爪哇間）　20-5

無線電信（印度支那巴里間）　6-5

無線電信（仏領印度支那）　23-4

無線電信施設（比島政府）　8-6

無線電信所（パラオ）　10-7

無線電話開通（西貢(サイゴン)・盤谷間）　22-8
無線電話料（日本・蘭印間）　22-8
無電事業（暹羅）　24-6
無風帯　10-9
ムルト族（北ボルネオ）　30-2、30-3

[め]
名士（比島）　5-9
名士（比律賓）　25-4
明治会（爪哇）　23-7
明治創業精神　16-9
明治南進論　28-7
メダン停車場（スマトラ）　10-2
メダン停車場（スマトラ島）　4-6
芽接　28-6
明礬純輸入額　28-9
莫大小(メリヤス)市況（爪哇）　26-5、26-6、26-7、26-9、26-10、26-12、27-1、27-2、27-3、27-4、
　　27-5、27-6、27-7、27-8、27-9、27-10、27-10、28-1、28-2
莫大小シヤツ（英領馬来）　18-10
メリヤスシヤツ需給状況（新嘉坡）　20-2
メリヤス製品概況（蘭領印度）　19-8、19-10
莫大小製品需給（英領馬来）　23-2
メリヤス製品需要（英領馬来）　16-11
莫大小製品需要（爪哇）　12-11
メリヤス製品取引（蘭印市場）　16-3、16-4、16-5
莫大小取扱商（マニラ）　6-9
莫大小襯衣輸入統計（蘭印）　27-6、27-7、27-8、27-10
莫大小襯衣輸入統計（蘭領印度）　26-7、26-9、26-10、26-12、27-1、27-2、27-3、27-4、
　　27-5、27-9、28-1、28-2
メロン（カメロン高原）　26-2
棉花　7-8、28-10
棉花開発戦士（比島）　28-7
棉花栽培（ジヤワ）　30-2、30-3
棉花栽培（南方）　28-5

276　Ⅲ. 索　引

棉花栽培（比島）　23-1
棉花栽培（比律賓）　21-10
棉花栽培（仏印）　27-7
棉花栽培試験（爪哇）　22-4
棉花栽培状況（仏領印度支那）　21-12
棉花増産計画（豪州）　27-2
棉花増産対策（仏印）　30-8
綿業（仏印）　28-6
綿業保護策　6-5
メンクワン葉製袋の経済的価値　10-10
綿作（イロコス州）　3-4
棉作（ジヤワ）　28-12
棉作（スマトラ）　28-9
棉作（ネグロス島）　28-12
棉作（フイリツピン）　28-5
綿作問題（共栄圏）　28-3
棉実　28-10
綿糸布業（日本）　21-1
綿糸布需給状況（スマトラ東海岸州）　17-11
綿糸布類輸入（蘭領印度）　16-6
棉縮類需給（爪哇）　12-2
棉種実油　14-6
綿製品（ソ聯）　21-8
綿製品輸入制限（蘭印）　21-7
綿製縫糸輸入制限令公布（蘭印）　21-10
面積　29-3
棉増産計画（ビルマ）　28-11
綿タオル（蘭領印度）　21-7
綿タオル市況（新嘉坡）　19-11
綿タオル輸入制限（蘭印）　21-7
綿ネル　11-3
綿布（英領馬来輸入）　12-12
綿布（海峡植民地）　11-11
綿布（新嘉坡市場）　10-11

綿布（ロシア） 17-5

綿布及人絹布商況（日本）（新嘉坡） 18-2

綿布及人絹布輸出入割当制限（馬来及サラワツク） 22-12、23-1

綿布及人絹布輸入割当（馬来及サラワツク） 22-11

綿布及綿製品輸入制限新法令（蘭印） 21-6

綿布国別輸入統計（比律賓） 21-9

綿布市況（新嘉坡） 19-12、20-3

綿布市況（日本）（新嘉坡） 19-8、19-9、19-11

綿布市況（蘭印） 26-4、26-5、26-6、26-7、26-9、26-10、26-10、26-12、27-1、27-2、
　　27-3、27-4、27-5、27-6、27-7、27-8、27-9、27-10、27-11、28-1、28-2

綿布需給状況（蘭領東印度） 18-6

綿布人絹布輸入統計（爪哇及マドラ） 18-2

綿布人絹布輸入割当（海峡植民地） 22-12

綿布人絹布割当制（馬来及英領ボルネオ） 20-10

綿布新輸入制限 21-7

綿布不買同盟（印度） 7-8

綿布貿易（馬来半島） 3-8

綿布綿織物貿易（蘭印） 11-11

綿布輸入（スマトラ東海岸州） 18-11

綿布輸入税改正（ジヨホール州） 19-10

綿布輸入制限（蘭印） 21-7

綿布輸入統計（外領） 26-9、26-10、26-10、26-12、27-1、27-2、27-3、27-4、27-6、
　　27-8、27-10、28-1

綿布輸入統計（爪哇） 26-9、26-10、26-10、26-12、27-1、27-2、27-3、27-4、27-6、
　　27-8、27-10、28-1、28-2

綿布輸入統計（蘭印） 27-5、27-7、27-9

綿布輸入割当問題（蘭領印度） 18-9

綿フランネル（爪哇） 17-1

綿布類（英領馬来） 11-5

綿布類輸入統計（蘭領印度） 18-11

綿ベルト地（英領馬来） 21-4

綿紡織業（印度） 20-4

綿ポプリン 16-8

綿莫大小襯衣輸入制限（蘭印） 21-7

綿毛布（新嘉坡）　17-9
綿毛布需給状況（爪哇）　17-10
綿毛布需給状況（スマトラ島）　17-10
綿毛布輸入制限（蘭印）　21-7

[も]

モイ族灌漑法　7-2
モイ族酋長の妻　7-1
モイ族新郎・新婚　7-1
モイ族水上生活　7-3
モイ族田植（仏領印度支那）　7-5
モイ族男女　7-1
モイ族農耕　7-2
猛虎　24-1
毛布輸入制限（蘭印）　21-9
モウルメェイン石仏（ビルマ）　26-3
木材（英領馬来）　16-3、16-4
木材（南洋）　15-10、15-11、15-12
木材（南洋産）　11-5
木材（比律賓）　11-1、13-4
木材資源（蘭領印度）　21-1
木材租借権問題（比律賓）　22-7
木材筏採（ボルネオ）　7-12
木炭純輸入額　28-9
文字　11-9
モツアン族娘（英領ニウ・ギニア）　9-7
モブラア族反乱（南印）　7-9
籾（船引）　8-9
籾運搬（コラット地方）　8-8
籾運搬（北部ラオス地方）　8-8
籾落（暹羅中央農事試験場）　12-7
モミ及ベニヤ函（英領馬来）　11-5
モミ函輸入状況（海峡植民地）　13-2
籾純輸入額　28-7

籾清浄風力　8-8

森（孤島）　15-1

モリブデン鉱　28-12

守谷商会自転車部分品販売部　14-1

モロ族　18-3、24-4

モロー族　13-3、13-12

モロ族（比律賓）　24-11

モロ族の王　4-4

モロ土人の風俗　4-4

文部大臣（暹羅）　12-11、12-11

[や]

冶金工業営業制限令公布（蘭印）　21-12

薬草調査（南洋）　2-7

薬用植物（蘭領印度）　24-6、24-8

役割（南方）　25-5

夜光貝　4-5

夜行列車（爪哇）　23-1

夜行列車（バタビア、スラバヤ）　22-5

野菜（馬来）　19-7

野菜類需給（英領馬来）　18-11

椰子　8-1、12-1、15-11、16-2

椰子園（比律賓諸島）　6-10

椰子核　28-10

椰子風（カトン）　14-4

椰子がに（サイパン島）　12-5

椰子果皮繊維純輸入額　28-7

椰子果皮繊維縄索　28-7

椰子栽培　1-7、20-9

椰子栽培業（スマトラ）　4-12

椰子猿　6-3

椰子産業（比律賓）　27-2

椰子産出（蘭領東印度）　6-7

椰子生産消費論　18-6

椰子製油業（比律賓群島）　4-11

椰子繊維工業（蘭印）　22-5

椰子繊維工場（チラチヤツプ）　22-2

椰子実の筏　11-1

椰子発芽　8-4

椰子苗圃　8-3

椰子娘　9-1

椰子油　5-8、5-9、28-10

椰子油（米国）　6-2

椰子油（蘭印）　14-8

野獣展覧即売会（仏領印度支那）　14-12、14-12

野獣売買　9-2

椰子油及び油椰子生産額　28-7

椰子油会社設立（パダン）　21-6

椰子油事業（比律賓）　20-8

椰子油生産額　28-7

椰子油製造業（比島）　4-12

椰子油製造工場（マニラ）　11-10

椰子油総輸出額　28-7

椰子油輸出税（蘭領印度）　18-12、19-3、19-6

椰子幼樹　8-4、8-4

野生仙人掌　10-5

やたいみせ　4-6

ヤップ島民　20-4

山（爪哇）　7-8

山口県支部（南洋協会）　28-10

山道（セレベス島）　9-3

山百合（新西蘭）　7-4

槍（パプア土人）　4-5

[ゆ]

有害着色剤（海峡）　21-5

有価証券　29-3

有加利樹皮　5-12

勇士（ソロモン島）　9-1
融資（タイ国）　25-8
融資懇請（和蘭政府）　21-12
郵税改定（馬来聯邦）　2-5
郵船改善（南洋）　2-5
郵貯額（蘭印）　23-5
夕映（海峡植民地マラツカ）　12-10
夕映（スマトラ島）　11-2
夕映（バリー島）　25-7
郵便小包（蘭印）　18-11
郵便電信局（爪哇）　4-7
郵便物禁止令（海峡植民地）　26-11
郵便物電信電話検閲條例（蘭印）　21-5
郵便物料金表（新嘉坡）　21-9
有望商品（セレベス島マカツサ港）　1-4
有望商品（蘭領印度）　18-8
有要植物（印度）　6-10、6-11、6-12、7-1
有要植物（南洋）　6-10、6-11、6-12、7-1
有用植物（馬来半島）　12-7、12-8
有力者（蘭国）　23-10
油頁岩［オイルシェール］　11-8
油坑問題（パレンバン）　6-8
輸出　6-6
輸出（外領）　26-9
輸出（暹羅米）　5-3
輸出（爪哇及マヅラ）　26-10
輸出（爪哇対日）　5-5
輸出（対米）　6-2
輸出（泰米）　26-4、26-5
輸出（ダヴオ麻）　26-5
輸出（パダン）　5-9
輸出概況（蘭領印度）　26-12
輸出解禁（豪州）　6-10
輸出額（マレー）　28-6

輸出業者（盤谷向）　18-4

輸出禁止（暹羅米）　6-2

輸出組合設立（蘭印）　25-7

輸出組合法（自転車）　21-7

輸出椎茸　6-1

輸出状況（爪哇物産）　14-11

輸出商品（比島向）　17-8

輸出振興策（対南洋）　25-9

輸出税改正（馬来聯邦州）　21-1

輸出政策　25-7

輸出税査定額（柔仏国[ジョホール]）　22-10

輸出税査定額改正（馬来聯邦州）　18-4、18-9、18-10、18-11、19-1、19-1、19-5、19-7、19-9、19-11、19-12、20-1、20-2、20-4、20-5、20-6、20-7、20-8、21-8、21-11、22-1、22-2

輸出税率改正（馬来聯邦州）　20-1

輸出総督令案（蘭領印度）　19-10

輸出手続規定（比島）　4-11

輸出統計（スマトラ東海岸州）　22-4

輸出統計（蘭領印度）　23-11

輸出統計税評定価格（蘭印）　18-9

輸出統計税評定価格（蘭領印度）　18-2、19-1、19-5、19-6、19-9、20-1、20-6

輸出統計表（蘭領印度）　24-7、24-8、26-9、27-9

輸出統制（比島）　27-7

輸出入（海峡殖民地）　6-3、6-8

輸出入（外領）　26-4

輸出入（爪哇及マヅラ）　26-4、26-5、26-6、26-7

輸出入（仏領印度支那）　13-3

輸出入（蘭印外領）　26-6、26-7

輸出入額統計表（日本対南洋）　22-7

輸出入関税率表（英領馬来）　21-11

輸出入業者（海峡殖民地）　1-9

輸出入商品評価表（蘭領印度）　21-9

輸出入商品評定価格表（蘭領印度）　18-12、19-5、19-11、20-2、20-9

輸出入申告規定（海峡植民地）　21-11

輸出入申告取締新規定（海峡植民地）　20-7

輸出入調整機関　28-4

輸出入統計（緬甸）　27-5

輸出入統計表（日本対南洋）　22-7

輸出入統計表（蘭領印度）　20-5、22-6

輸出入登録改正法令（海峡植民地）　20-5

輸出入登録規則（海峡植民地）　22-1

輸出入品調（本邦）　28-4

輸出入貿易（印度）　11-7

輸出入貿易（英領馬来）　14-12、15-1、26-4、26-5

輸出入貿易（暹羅）　8-5、8-7、8-8、8-9、8-10、8-11、8-12、9-1、11-4

輸出入貿易（爪哇及マドラ）　20-4

輸出入貿易（スマトラ東海岸州）　15-1、15-2、15-3、15-4

輸出入貿易（馬来）　19-11、26-6、26-11、26-12、27-1、27-2、27-3、27-5、27-6、27-7、27-8、27-9、27-10、27-12

輸出入貿易（蘭領印度）　18-1、20-12、21-6

輸出入貿易額　29-9、29-12、29-12

輸出農業物産生産高（蘭領印度）　21-5

輸出農産物検査（仏印）　28-6

輸出万能論　5-9

輸出品（南洋三大）　20-1

輸出品統計（蘭領印度）　22-7

輸出品輸送計画（マニラ）　1-2

輸出物（蘭領東印度）　10-1、10-3、10-4

輸出物産輸出税額　29-9

輸出貿易　19-12、20-4

輸出貿易（英国）　21-9

輸出貿易（爪哇）　5-6、13-3

輸出貿易（スマトラ）　15-7

輸出貿易（対南）　18-12

輸出貿易（マドラ）　13-3

輸出貿易（蘭印）　25-2

輸出貿易（蘭領東印度）　13-6

輸出貿易金額　29-9

輸出貿易数量　29-9

輸出貿易発展（蘭領印度）　6-8

輸出綿織物検査協議　5-5

癒瘡木　5-12

猶太人（ゆだやじん）の天国（豪州）　25-2

油田（英領印度）　9-11/12

油田（南洋）　6-1

油田（比律賓）　7-2

油田（緬甸）　9-11/12、15-10

油田開発（英領ニユーギニア）　23-5

油田問題（英領ボルネオ）　11-8

油田問題（爪哇）　7-7

輸入　5-3、7-3、13-2

輸入ウイスキー（馬来聯邦州）　23-3

輸入織物（新嘉坡）　27-11

輸入織物製品市況（新嘉坡）　27-6

輸入織物割当制限（英領馬来）　25-5

輸入卸商組合（NIVIG）定款（蘭領東印度）　20-12

輸入卸商組合内部規則（蘭領東印度）　20-12

輸入概況（スマトラ東海岸州）　19-7

輸入概況（蘭領印度）　26-11、27-1

輸入額（マレー）　28-6

輸入貨物強制的蘭船積載規定（蘭印）　21-8

輸入管理（英領馬来）　25-10

輸入許可申請様式改正（蘭印）　21-2

輸入禁止（ブラシ）　6-8

輸入禁止（蘭印）　25-8

輸入禁止品　26-11

輸入禁止品官報（柔仏国）　20-2

輸入組合員名簿（仏印）　27-7

輸入国（比律賓）　6-2

輸入諮問委員会（蘭印）　21-4

輸入商品（蘭印）　22-5

輸入商品評価表（蘭領印度）　22-3、23-4

輸入食糧品原産国名記載規定（海峡植民地）　21-3
輸入税（サラワツク王国）　19-3
輸入税（馬来聯邦州）　18-1
輸入税改正（馬来聯邦州）　19-5
輸入制限（第二次）　20-8
輸入制限（蘭印）　21-3、21-7、21-9
輸入制限（蘭領印度）　20-3、21-5、24-2
輸入制限延長（蘭印）　22-2
輸入制限及禁止　26-2
輸入制限品（蘭領印度）　21-8、23-8
輸入制限要綱（新西蘭）　27-2
輸入制限令（蘭印）　22-7
輸入制限令（蘭領印度）　19-10、20-4
輸入制限令摘用品目（蘭領印度）　24-7
輸入税低下問題（仏領印度支那）　18-6
輸入税引上げ（馬来聯邦州）　18-4
輸入税引上げ（蘭領印度）　19-4
輸入税引下　22-4
輸入税評定価格　14-8
輸入税賦課（馬来聯邦州）　21-8
輸入税付加税（蘭領印度）　18-6
輸入税率改訂令（蘭領印度）　23-1
輸入統計（蘭印）　27-3
輸入統計（蘭領印度）　22-7、24-8
輸入統計税評定価格（蘭領印度）　18-12
輸入統計評定価格（蘭領印度）　19-5
輸入統制局設置（蘭印）　21-12
輸入販売業者（新嘉坡日本商品）　13-6
輸入品（南洋）　4-4
輸入品（比島）　19-6
輸入品（蘭印）　21-9
輸入品倉敷料（馬来聯邦州）　18-9
輸入品検査規定（スラバヤ）　15-6
輸入品取引事情（新嘉坡）　22-1

輸入品評定価格改正（蘭領印度） 17-8
輸入部（蘭印） 27-11
輸入貿易（スマトラ） 6-11
輸入貿易（ニユウギニア） 6-11
輸入貿易（比島） 26-12
輸入貿易額 29-12
輸入貿易金額 29-9
輸入貿易数量 29-9
輸入貿易政策（蘭領印度） 18-12、19-1
輸入包装紙制限令（蘭印） 21-10
輸入本邦織物及製品市況（英領馬来） 26-4
輸入本邦織物及製品市況（シンガポール） 25-12
輸入本邦織物市況（新嘉坡） 27-6、27-9
輸入米（比島） 3-7、4-2
輸入米（馬来聯邦州） 19-12
輸入綿織物（英領馬来） 13-4
輸入綿布人絹割当（英領馬来） 20-8
輸入割当超過量（蘭印） 22-1

[よ]

養魚（馬来半島） 10-10
養蚕業（ベンクーレン） 11-9
洋紙輸入状況（スマトラ東海岸州） 18-8
洋酒輸入状況（スマトラ東海岸州） 18-10
猺族（広東） 25-4、25-5
羊毛 28-12
羊毛資源（南方圏） 29-11
抑留生活報告 29-1
横顔（比島要人） 29-10
横顔（比律賓） 28-1
横顔（ビルマ人） 29-6
予算（印度） 7-5
予算（暹羅国） 23-4
予算（泰国） 28-1、28-4

予算（蘭印） 22-12
予算（蘭領印度） 3-10
予算案（昭南） 29-1
予算案（蘭印） 22-9
予算案（蘭領印度） 21-10
余剰製品 16-1
予防対策（性病） 28-11
嫁盗み（南洋） 16-1
欧羅巴人 5-1
与論（護謨生産制限） 20-10
与論（新西蘭） 24-9

[ら]
らい麦 28-10
ラオス村（仏領印度支那） 7-3
酪農 29-3
落葉病 16-10
ラジャ 5-10
ラヂオ及部分品（新嘉坡） 17-12
ラヂオ界（新嘉坡） 22-4、23-3
ラヂオ海外放送 24-7、24-8、24-9、24-10、24-11、24-12、25-1
ラヂオ事情（新嘉坡） 20-10
ラヂオ商（新嘉坡） 19-11
ラヂオセット（日本製） 21-6
ラヂオ聴取料（蘭印） 22-1
ラヂオ放送局（新嘉坡） 19-3
ラヂヤ王宮（クチン市） 6-6
ラテツクス製造工場（バンドン） 22-2
落花生 28-10
落花生（緬甸） 15-5
落花生・カチヤン油純輸入額 28-8
落花生油 5-6
ラフルス 25-11
ラフレシヤ・アーノルヂー 13-7

288　Ⅲ. 索　引

ラフレシア・アルノルデイ　12-4
ラミ　10-12
ラムボタンの果実　11-2
ララン草（製紙原料）　10-12
蘭（南洋）　8-1
蘭印機　21-8
蘭印輸入組合　25-7
蘭英合弁会社　22-4
蘭科植物（南洋）　8-1
蘭艦スマトラ　13-3
蘭語　23-2
蘭語講習会　4-4
蘭字新聞論調　20-3
蘭女王　5-11
蘭人　4-2、25-10
蘭人（護謨栽培）　14-9
蘭船積載　21-8
ランプ火屋輸入制限（蘭領印度）　21-4
蘭米栽培会社　9-4
ランボタン果実　11-2
蘭々油事業（比律賓）　18-5
蘭領印度鉄道会社（爪哇スマラン）　11-2
蘭領東印度政庁中央農事試験場長　10-10

[り]

利害（比島）　26-5
陸上交通（スマトラ）　29-11
陸稲栽培　14-1、14-2
陸稲収穫量　29-1
俚諺（りげん）　7-10、7-11、7-12
理事官年度報告（ブルネイ）　3-9
理事庁（スマトラ・メダン市）　4-3、5-4
立法議会（比律賓）　7-3
律令発布期（台湾）　2-6

略史（マリアナ群島）　3-1

龍　11-3

硫安施肥　17-2

留学生招致問題（暹羅）　11-2

硫酸　20-8、28-12

硫酸アンモニア及蟻酸輸入制限（蘭印）　23-3

硫酸第一鉄輸入制限令（蘭印）　22-7

漁　25-8

両院議長（比島）　8-5

領海及要塞地帯條例案（蘭印）　21-2

領海警備強化（モルツカ群島）　22-11

領事館移転（横浜の暹羅国）　22-6

領事館設置　4-12

領事分館開設　6-3

領土（英帝国）　19-1、19-2、19-3、19-4

領土（海峡植民地）　20-9

領内南洋事情　16-11、16-12

領内貿易　29-12、29-12

糧米條令　26-11

旅客飛行料金（蘭印）　21-7

旅行　4-11

旅行（暹羅、仏領印度、英領印度）　21-9

旅行（暹羅、仏領印度支那、英領印度）　21-8、21-10

旅行（爪哇）　6-10

旅行記（爪哇内地）　4-9

旅行記（セレベス）　5-5、5-6

旅行記（大南洋）　16-11、16-12、17-1、17-2、17-3

旅行記（日本）　11-5、11-6

旅行規則　26-2

旅行隊（暹羅象）　6-12

旅行談（印度）　5-6、5-7

旅行談（豪州及南業）　4-5

旅行の栞（マニラ）　4-10

旅行表　13-9

旅行免状一般規定（海峡植民地）　20-5

旅情（南太平洋）　25-6

林業（ネグロス島）　28-12

林業（ボルネオ）　21-2

林業（ボルネオ、サンクリラン）　21-8

林業会社（ニユーギニア）　22-1

林業労働者（ボルネオ）　28-4

林檎輸入（比島）　1-3

林産（仏領印度支那）　11-8、11-9

燐酸石灰総輸出額（クリスマス島）　28-9

林産物生産高（ジヤワ及マヅラ）　29-2

林相（蘭領印度）　21-1

林務局（蘭印）　23-1

［る］

流刑地（ニユー・カレドニア）　26-4

『ルゴン』（フィルム）　23-1

盾(ルピア)　22-11

盾(ルピア)　下落　23-2

盾(ルピア)　平価切下げ（和蘭）　24-3

［れ］

令嗣　19-2

冷蔵庫　14-10

冷蔵庫（蘭印製）　23-4

冷蔵庫需要（爪哇）　12-1

霊廟廃墟仁王尊（中部爪哇）　5-12

羚羊　9-10、12-3

レイヨン応用綿布需要　12-3

歴史的回顧（比島）　30-9、30-10

歴訪（南洋各地）　17-7

レコード豊作　3-2

レストハウス（キヤメロン高原）　20-1

列強　7-7

4. 事　項　291

列国　15-1
列国会議（産米政策と小麦）　17-6
列国極東政策　25-11
列国投資概況（蘭領東印度）　18-3
レフナルト塗料工場（バタビア）　21-11
レーヨン織物（爪哇、本邦製）　17-1
煉瓦塩（政府専売）消費高　29-4
煉瓦工業（爪哇）　12-1
煉乳需給（英領馬来）　15-8
聯邦土地管理長官代理調査苦心談（馬来聯邦州）　15-9、15-10
聯盟制裁（伊太利）　22-1
連絡機関南洋団体聯合会　26-9

[ろ]

ロイド船コロンバス号（北独逸）　23-9
蠟（サロン用金巾）　4-2
蠟（爪哇）　6-1
労銀（蘭領印度）　6-7
労資紛糾（馬来半島）　7-3
老大国　11-4
労働（マライ・スマトラ）　29-3
労働階級（馬来半島）　15-3
労働組合賃金値上要求（スーラバヤ）　6-9
労働者　22-4
労働者（クアラ・スランゴルの印度人）　11-5
労働者（スマトラ）　6-6
労働者失業救済　9-1
労働者需給状況（英領馬来）　24-3
労働者問題（比島）　4-12
労働政策史（東インド）　28-4、28-5、28-6、28-7
労働党内閣　10-3
労働法令（英領北ボルネオ）　8-1
労働問題（印度）　6-5
労働問題（独領サモア）　28-7

労働問題（南洋）　6-5
労働問題（蘭領東印度）　12-9
労力需給状況　4-10
労力問題　5-1、7-4
ロゼレ栽培　11-11、11-12
ロタン市況（セレベス、マカツサル）　20-3
ロブスタ珈琲　6-4、6-4
ロブスタ珈琲園　6-3

[わ]
ワイヤ、ロープ市場（暹羅）　6-11
我国民　16-11
我半生　3-9
ワツサケーツ寺院（暹羅）　8-7
ワット・サケー　25-10
ワニ　24-8
鰐（仏領印度支那）　14-12
鰐（陸棲）　15-2
鰐（陸棲）（爪哇）　15-2
鰐狩（邦人、英領ボルネオ）　6-7
鰐狩り（ハルマヘラ）　11-1、11-2

[を]
ヲプシヨナグリメント　12-2

別紙Ⅲ．本誌中

事項索引5回以上　　（＊単独で5回以上）

事項名＼巻／発行年	1 1915年	2 1916年	3 1917年	4 1918年	5 1919年	6 1920年	7 1921年	8 1922年	9 1923年	10 1924年	11 1925年	12 1926年	13 1927年
＊亜鉛板市況（爪哇）													
その他の亜鉛													1
麻			3	1						1	1		
油椰子				1				1	4	3	1		
アフロス													
アラビカ珈琲													
アルミニューム													
アンコールワット													
＊安南物語							11	2					
移植民										1	3		2
移入植物（南洋群島）													
移民	1		1		2	1	2		5	2	2	2	
印刷							1						
印象								3					2
運賃		1		2	2	2		1					
衛生			1	2									
エステート													
オイルパーム								2			1		
欧州大戦など								2	1				
オツタワ経済会議													
和蘭語講習会				2	1							1	
織物						2			1				
海運			1	2	3	1		1	1		1		2
海外移住　海外移民										1	4		1
海外企業									2	1	2		
海外発展					2	1		2		1			1
回教			6	2	2		2	1	1	1			
外国人													
外国貿易（仏領印度支那）										6	3		

出現記事数一覧

14	15	16	17	18	19	20	21	22	23	24	25	26	27	28	29	30	合計
1928	1929	1930	1931	1932	1933	1934	1935	1936	1937	1938	1939	1940	1941	1942	1943	1944	
					12	3											15
1			1								1			3	2		9
		1		1	1		1					1		4			15
1							1		1	1				4			18
		4	1	2													7
		6															6
		2			2									1			5
									3		2				1		6
																	13
																	6
					3	4											7
							1	4	3	1		1					28
			1	1			2	1									6
		1								1		1	1				9
									3								11
1							2						3	3	8	4	24
			1											16	1		18
2			1														6
													8				11
			1	4		1											6
1																	5
			4	7	4	4	5	3	3		2	5	5	1	1		47
1							1				2			2		2	20
		2	2	2	1												13
2																	7
	1			2		1			1								12
								1	1		2				1		20
		1		1	3	1				2		1					9
																	9

事項名 \ 巻 発行年	1 1915年	2 1916	3 1917	4 1918	5 1919	6 1920	7 1921	8 1922	9 1923	10 1924	11 1925	12 1926	13 1927
＊外国貿易統計（英領馬来対日本）													
＊外国貿易統計（爪哇対日本）													
その他の外国貿易	1		1		1	1				2			
開墾				2				2					
会社									1	2			
開発		1								1			
カカオ										10	12		
＊華僑（南洋）				2								1	
その他の華僑				2	1			5			1		
学生				7	1						1		
家畜						1							
画報													
カポック			2	3	2	6	1						
紙						1					1		
貨物													1
硝子						1			1			3	1
為替			1	1	1						1	2	
灌漑事業													
玩具						1			1	1		4	
観光団		3			2								
＊関西支部										6	4	2	2	2
甘蔗													
関税			5		1	2	3	1		2			
缶詰						1							
官有地													
企業					1						4	2	2
企業地												8	
紀行													2
規那						2	4						
絹									1		1	1	1
教育						2							
教育・文化													

4. 事 項 297

| 14 | 15 | 16 | 17 | 18 | 19 | 20 | 21 | 22 | 23 | 24 | 25 | 26 | 27 | 28 | 29 | 30 | 合計 |
1928	1929	1930	1931	1932	1933	1934	1935	1936	1937	1938	1939	1940	1941	1942	1943	1944	
					4	4	4	3	2	1	1						19
					3	4	4	2									13
				9	1	1	3	5	3	1	1						30
1			1														6
					1		1	1	1	1		1					9
	4						1	3					3				13
			4	1						1							28
		1							1	1	4		3				13
1	1		1	2				1		2	10	8	10	6	1	1	53
																	9
														2	5		8
								4	1								5
	2					1	2		1				1				21
		1	1	1	2		1										8
	1			1	1	1											5
2	4	3	1		2	1		7									26
										1	1	1	2	3			14
									3			1	1				5
		3				1			1							1	13
							1										6
	1	1							3		1					2	24
4						1								1	2	1	9
1			1	3	4	6	5		1								35
		1						3						1			6
1														4			5
	1	1	1														12
1																	9
							1	1					5				9
			1			2									4		13
		6					3										13
										1	1				36	1	41
															19		19

298　Ⅲ．索　引

事項名 \ 巻 発行年	1 1915年	2 1916	3 1917	4 1918	5 1919	6 1920	7 1921	8 1922	9 1923	10 1924	11 1925	12 1926	13 1927
行政													
漁業				2	1	1	2	1			2		1
金					1	1							
銀													
銀行					1					2	6		
金融		1		1	4	1			2	3	1		2
苦力						1							1
軍政													
経済										2			
経済界			1										
経済会議													
経済概況													
経済事情						6	1		3	1		1	
経済情勢													
化粧品											1	3	
建設													
交易												1	
公休日													
鉱業					2	1				1			1
工業								1					1
工業化													
航空													
航空路													
鉱産資源													
交通		1		1							1	1	1
交通・通信													
航路	1	2			2	6	1				1		
国民参議会								1					
＊極楽鳥						3							
ココ椰子	3							2	1				
胡椒						2							1
珈琲					1	1	5			2			

14	15	16	17	18	19	20	21	22	23	24	25	26	27	28	29	30	合計
1928	1929	1930	1931	1932	1933	1934	1935	1936	1937	1938	1939	1940	1941	1942	1943	1944	
								1							4		5
1	4	2	2		1		2	1		2		2	1				28
			1	1			1	5	1			1		1	2		15
														2	3		5
														1			10
			1	1				2			2	1		1	29		52
	1	2						1	2					1			9
														3	19		22
1			1			2						4	6	3	2		21
		1		1	2					1	1		1				8
				1	4	1											6
							1		2		2	1					6
			1	2	3		4			2	3	2		2	1		32
					1			3	2	1							7
1													1				6
											1		1	3	3	2	10
															8		9
					1	3	2	3									9
3	1	2	1		1		1	3	1	1		4			5		28
2		1		1	2			7		3	1	3	3	4	4		33
					1	3		2				1	1	1		2	11
			1	1			2	2	4	1				1			12
							2	5	2					1			10
												2	8	2			12
												1	3		8		17
					1										22		23
					2	1	2	1									19
				1		2	1										5
			8	12	1						1						25
														1	5		12
	9		1	2										1			16
								1	2					3			15

事項名 \ 巻 発行年	1 1915年	2 1916	3 1917	4 1918	5 1919	6 1920	7 1921	8 1922	9 1923	10 1924	11 1925	12 1926	13 1927
コプラ	1	1	1	1	1	4						2	
＊護謨			1							2	1	1	5
護謨園	1		2	1						2		1	3
護謨界		1											
小麦						2			1				
護謨栽培			4	3	1	2	1	1			3	8	
＊護謨栽培事業										1			
護謨市価										1			
護謨事業					1		1		2			2	
護謨樹												2	1
護謨制限													
護謨生産			2	1	1	1		2	1	3	1	1	2
護謨輸出					8	1							
護謨輸出制限										1	2		1
護謨輸出税								1					
護謨輸出高					5								
米					1	2		5					
祭祀													
財政						1					2		
財政・金融													
その他「財政」				1				1					
栽培	1			1	1	2		2	3		7	4	5
在留邦人													
サカイ族							1						
サゴ					1		1			2	5		
砂糖		1		1	2	4			1	1			1
更紗					1	2					2	1	1
晒綿布													
サロン					1								
＊産業（ジヤワ）													
＊産業（セレベス）													
＊産業（南方一般）													

14	15	16	17	18	19	20	21	22	23	24	25	26	27	28	29	30	合計
1928	1929	1930	1931	1932	1933	1934	1935	1936	1937	1938	1939	1940	1941	1942	1943	1944	
				1	3		1					1		3			20
		2	1				1							1			15
3	1		2	9	2	1	4	1	3					1			37
1		2	1		2			1									8
6		1	1											1			12
2			2	2			1		1		1		3				35
5					4												10
1		1	2														5
6		1		1		1		3	2				2				22
4	1	2	1		2									3			16
					1	3			1						1		6
4	1			4	4	5	4		2		1		1	2			43
						1											10
3					1												8
						2		3									6
																	5
		1					1		1	2		1	1	1			16
															7		7
								1							2		6
															17		17
					3		1	1					1	6			14
3	1	1	1	1		1		1	2		1	2					40
	2			1	1						1	1					6
			1			2		1									5
														3			12
					2	1	2	1					2	1			20
		2															9
			2	1	4	1	2	1					1				12
			1	11	4												17
															10		10
															5		5
															6		6

事項名 \ 巻 発行年	1 1915年	2 1916	3 1917	4 1918	5 1919	6 1920	7 1921	8 1922	9 1923	10 1924	11 1925	12 1926	13 1927
＊産業（比島）													
＊産業（比律賓）				7									
＊産業（仏領印度支那）													
＊産業（ボルネオ）		1											
＊産業（マライ・スマトラ）													
その他「産業」			4	1		5	1	1			3		
塩						2					1		
事業												1	
資源													
視察			1	4		5		1		2	1	3	
＊市場（英領馬来）													1
＊市場（爪哇）							1	1				2	
＊市場（新嘉坡）						1				9	9	5	1
＊市場（蘭印）													
＊市場（蘭領印度）													1
その他の「市場」		1			1			3			3	4	4
＊事情（海南島）							7						
＊事情（暹羅）					2								
＊事情（ダバオ）													1
＊事情（緬甸）							1						
その他の「事情」						8	3	3	2	1	7	2	2
失業						1							
自転車						1						2	
＊自動車及付属並に部分品（蘭印）													
その他の「自動車」						6							1
シトロネラ												2	
＊支那人	1						3						1
その他の「支那人」				2		1		1	1				
＊支那・南洋向海外放送													
司法				1									
縞サロン													
爪哇銀行							1			1	1		

4. 事　項　303

14	15	16	17	18	19	20	21	22	23	24	25	26	27	28	29	30	合計
1928	1929	1930	1931	1932	1933	1934	1935	1936	1937	1938	1939	1940	1941	1942	1943	1944	
														1	8		9
																	7
															7		7
															5		6
															6		6
		3	1	2				3	3		4			1	26	1	59
									1						2		6
3			1								1						6
	1	1									2	2			1		7
1	3			1	2		1	3				1			3		32
2	1		6														10
			1	3	1					1		1					11
1	4	1	2	2	2	3		2					1				43
		6	1	2	2		1										12
	6	1	4														12
2			3	3	3	2	2	4	3	1	1		1	1			42
																	7
		1	2				1	1									7
	1					1							2				5
3	2										1						7
1	1	1	3	1		1			2	5	2	4		2			51
							1	1	1		1				1		6
1		1	6	1	1	1	6	5			1		1	1			28
	5																5
1			2	2	2	1				1	1		1		1	1	20
1							1						1				5
																	5
				2			2		1		1						11
										3	10	12	12				37
															4		5
				1	1	1	2										5
					1	1											5

事項名 \ 巻 発行年	1 1915年	2 1916	3 1917	4 1918	5 1919	6 1920	7 1921	8 1922	9 1923	10 1924	11 1925	12 1926	13 1927
＊爪哇支部									4	2	2	2	4
爪哇糖					3	1							
宗教				2	2								
私有地				1									
首都	1		1										
主要物産													
シヨウ・ウインドウ											2	1	
＊商況（南洋各地）												11	12
その他の「商況」		2			3	3	2						
商業				1		1	1					1	
商業会議所				2		1	2				1		
商工省													3
商標				1				1			1		1
将来								1					
＊食人島探検記									7	5			
織布													
植民政策			2							1	2		
＊植民地						2	2			3			
その他の「植民地」				1	1								
食糧						2							
＊食料品物価（英領馬来）													
その他の「食料品」				2	1								
食糧問題						1					1	1	3
所得税				1									
＊新嘉坡(シンガポール)学生会館				19	14	5							
＊新嘉坡産業館													
＊新嘉坡支部				3	4	1	2	3	1	1	1		
＊新嘉坡商品陳列館				18	16	12	8	3	4	3	8	4	4
＊新嘉坡商品陳列所													8
＊人絹輸入統計（爪哇）													
その他の「人絹」													
人口		1		1		1			1		1		7

14	15	16	17	18	19	20	21	22	23	24	25	26	27	28	29	30	合計
1928	1929	1930	1931	1932	1933	1934	1935	1936	1937	1938	1939	1940	1941	1942	1943	1944	
8	8	10	4		2	2	4	3		9	7	7	4				82
						2	6	3	4		1	1		3			24
										4	1			17	1		27
														3	1		5
						2			1								5
	1					1	1	3				3			2		11
2																	5
11	12	12	12	12	12	12	12	12	9								139
						1							2				13
1	2				1							1			7		16
																	6
6																	9
2		1	1	1		1											10
			3	3								3	2	2			14
																	12
					1	1	8	1									11
																	5
																	7
							1	4									7
													1	1		1	5
					1	1	2	1	1								6
			2	2	2				1				1				11
.																	7
	4					1				1							7
																	38
										5	5						10
3	2	3	2	2	3		5	4	1	2		1	1				45
																	80
14	11	12	12	12	12	12	12	12	8								125
					8	5											13
1			1	1		1	3	1						2		1	11
1		1				1	3	1			3	1	2	3	1		29

事項名 \ 巻(発行年)	1 (1915年)	2 (1916)	3 (1917)	4 (1918)	5 (1919)	6 (1920)	7 (1921)	8 (1922)	9 (1923)	10 (1924)	11 (1925)	12 (1926)	13 (1927)
人物								1		5			
森林						2			1				
＊神話（豪州）								11	12	5			
水産	1											2	
＊スクラツプ、ブツク							2	5	1				
錫鉱業			2										
その他の「錫」		1	2	1	2	3			4		1		
＊スマトラ支部													
＊スマトラ出張員事務所													
＊スラバヤ商品陳列所										3	2	1	
＊スラバヤ日本商品陳列所											7	2	8
＊生活（ハルマヘラ島）						8	5	10	9				
生産						3				1	2		
政治・外交													
その他の「政治」								1					
＊政体組織（蘭印）										5	2		
製糖			1						1				
政府							1						
＊生物分布状態（馬来半島）													
製帽業							1	6					
石炭						2	2			1	2		
＊赤道													
石油	1			1	4	1	1	3	2	3	1	1	
石鹼													
セメント輸入制限													
その他の「セメント」						1					1		
繊維工業													
送金		1											
造船						1							
＊総督（蘭印）													
その他の「総督」				1		4			2	1			1
＊粗製品供給													

14	15	16	17	18	19	20	21	22	23	24	25	26	27	28	29	30	合計
1928	1929	1930	1931	1932	1933	1934	1935	1936	1937	1938	1939	1940	1941	1942	1943	1944	
																	6
				2	1		1										7
																	28
		1		1										1			6
																	8
			1		1		1		1					1			7
1	5				1	2	1		5		1	1		2	3		36
	1	3	2	2	3	2	1	1		1							16
	1	11	12	12	6	5											47
2	3	12	9	11	12	11	12	12	5								95
8																	25
																	32
		1										1		2			10
															7		7
		1								1					45	1	49
																	7
		1					1	1									5
						2	2		1		1	1	1	2	1		12
					4	1											5
																	7
1														1			9
													5				5
1			1			1	3	6				1	3	3	2	2	41
				1			3							1	2		7
					1	3	2	1									7
1	1		1	1	1	1							1	1			10
				1	5	1		2									9
										2	1		1				5
														5			6
						2		3									5
1	5		1		1		4										21
			5														5

事項名 \ 巻 発行年	1 1915年	2 1916年	3 1917年	4 1918年	5 1919年	6 1920年	7 1921年	8 1922年	9 1923年	10 1924年	11 1925年	12 1926年	13 1927年
＊大観（仏領印度支那）								5					
大豆												1	
大東亜戦													
＊ダイヤ族							2						
その他の「ダイヤ族」					2	5	1	1					
＊台湾支部		2	2	2	8	7	7	8	6	8	1	4	6
＊ダバオ支部													
煙草	1	1	2		2	5	3		1	2	2		
＊旅（北呂宋）													
タピオカ				2	4	2				1			1
＊地位（日本）						2							1
その他の「地位」													
チーク					3	7							1
＊地質鉱産研究													5
地租													
茶		1			6	3		2		5	1		
通貨						1				1	1		
＊通交録													
＊通信（南方一般）													
＊通信（比島）													
その他の「通信」			1	1				4					
＊鉄（南洋）										2			
鉄鉱						2					1		
鉄道			1		2	2	8				1		
電気			1	1							2		1
電球													
＊伝説						5	1						
籐										1			
＊東海支部													
糖業（爪哇）										6			
糖業経済的意義（爪哇）										5			
その他の「糖業」						1				1			

4. 事 項　309

14	15	16	17	18	19	20	21	22	23	24	25	26	27	28	29	30	合計
1928	1929	1930	1931	1932	1933	1934	1935	1936	1937	1938	1939	1940	1941	1942	1943	1944	
																	5
					1	4								1			7
														3	3		6
		1					1				1						5
																	9
8	5	3	3	3	2	2		2	4	4	2	2	3				104
		3	2	3	1		2	1	1	1							14
		1		1	1	1	5	1				1	3				33
				5													5
4									1					4			19
3			1							1							8
	1				1					1		1		2			6
		2						1				1					15
3																	8
			1		2									2			5
		1		1		1	1	1	1	1		1	2	9	1		38
							1	1			1		7				13
													7				7
															7		7
															5		5
							1								9		16
	3																5
			2								2	1		1			9
												1		1			16
1	3		1		1										3		14
		1		1	4	1	2	4	1			1					15
																	6
5		1															7
3	1							1	1		2	4					12
																	6
																	5
1						1	2		1					4	2		13

事項名 \ 巻 発行年	1 (1915年)	2 (1916)	3 (1917)	4 (1918)	5 (1919)	6 (1920)	7 (1921)	8 (1922)	9 (1923)	10 (1924)	11 (1925)	12 (1926)	13 (1927)
統計													
＊踏査記（蘭領西部ボルネオ）													5
陶磁器		1				1						2	
統治			1		1								
玉蜀黍													
道路							1					1	
＊独立（比島）		1			2							1	
＊独立（比律賓）								1		1			
その他の「独立」					1								
＊土壌（爪哇）													6
＊土壌（スマトラ）													6
＊土人（爪哇）			1	1	1		2				1	1	
その他の「土人」				7	1	1	3	3	2	2	2		1
土地制度				1				1					
土地法						1				1	1		1
その他の「土地」		1	3		3		1						
トバ										7			
土民（仏領印度支那）							5						
土民（ボルネオ）						5	1						
その他の「土民」							3						2
生護謨						1					2		
鉛						1							
南海紀聞						7							
＊南方医談													
＊南方建設													
＊南方建設資料													
南方交易史話													
＊南方随想・随想													
南方生活													
南遊												7	
南洋華僑													
＊南洋学院													

4．事　項

14	15	16	17	18	19	20	21	22	23	24	25	26	27	28	29	30	合計
1928	1929	1930	1931	1932	1933	1934	1935	1936	1937	1938	1939	1940	1941	1942	1943	1944	
	1	2	1											2	1		7
6																	11
	4	5	1	1	1	3	2	1									22
										1					8		11
	1							1	1					2			5
			1					1			1						5
								1	2	1					1		9
						1		1	1								5
								1				3				1	6
4																	10
4																	10
												1					8
	1		1	3		2	7	2	4		1		1				44
															3		5
					1												5
														4		1	13
		1															8
																	5
																	6
										1							6
		2	1					1									7
														2	2		5
																	7
														6			6
														1	3	2	6
															10	5	15
														2	3	3	7
															6		6
														6			6
	4	2	1		2					1	1						18
										1	1			2		1	5
														2	1	2	5

事項名 ＼ 巻 / 発行年	1 / 1915年	2 / 1916	3 / 1917	4 / 1918	5 / 1919	6 / 1920	7 / 1921	8 / 1922	9 / 1923	10 / 1924	11 / 1925	12 / 1926	13 / 1927
＊南洋関係事業功労者													
南洋企業				1	1						1	1	2
＊南洋奇聞				2	3			10	8	3	12	12	12
南洋協会					1	2							
＊南洋群島支部										2	6	2	1
南洋経済							1			1			
南洋航路		2					1	1					
南洋視察			2	3	3	1			3				
＊南洋発展		2			3			1					
＊南洋向海外放送													
＊日蘭会商													
＊日貨排斥													1
＊日支事変													
日暹										4			
日泰													
日比													
日本商品					1						1	1	1
日本人小学校													1
その他の「日本人」	2		1	2		1			1		1	1	
＊日本製品進出（蘭印）													
その他の「日本製」										1			3
日本品		1											
＊熱帯木					10	11							
＊農業（馬来）													
＊農業（馬来半島）													
その他の「農業」		1					1			1			
＊農産物市況（馬来）													
その他の「農産物」					1								
農村									1		1	1	
農民			1										
＊バイデンゾルフ植物園(爪哇)				4									
排日		1			3	1		1		2			

14	15	16	17	18	19	20	21	22	23	24	25	26	27	28	29	30	合計
1928	1929	1930	1931	1932	1933	1934	1935	1936	1937	1938	1939	1940	1941	1942	1943	1944	
2	3																5
				1													7
6	11	11	12	12	12	12	12	12	12	12	4					11	201
			1												1		5
2	1	1		3	2		1		2			1	1				25
											2		2				6
								1									5
								1									13
2												1					9
											11	12	12				35
							4		1					1			6
4			1	1								1					8
									3	13	13	12	8				49
								1	1								6
											1	4			1		6
								2			1	2					5
					1												5
4	2								8								15
4			2	2	2	2	3	1	1	1				1	1		29
	5																5
4				1	1		1										11
			1	2	2	4		1	1		1						13
																	21
												4	1				5
										3	1	2					6
									3	1	1	1	1		5	1	16
											1	5	9				15
		1									5	1	3	8			19
						1	1								4		9
				1							1			2			5
	1																5
2				2							1						13

事項名 \ 巻 発行年	1 1915年	2 1916	3 1917	4 1918	5 1919	6 1920	7 1921	8 1922	9 1923	10 1924	11 1925	12 1926	13 1927
白象							2						
＊バタビア出張員事務所													
＊バタビヤ出張員事務所													
パプア人・パプア族									1		1	2	
＊盤谷（バンコク）支部													
皮革製品							1						
＊百姓生活													
肥料				1									
ビール・麦酒					1								
風景				2	2		1						
風俗		1		3			4	1					
婦人				2	3	1	2		1		1		
物価						1				1			
物産						5							
仏教			1		1	1							
＊文化と地誌(旧独領ニウギニア)													
その他の「文化」				1	1				1				
文教													
米作					3	2		1					
米産						1							
米人					2	2							
＊ヘヴエア護謨輸出評定価格(蘭領印度)													
＊波斯人						6							
＊貿易（印度支那）										2	2		
＊貿易（英領馬来）													
＊貿易（英領馬来対日）										1	1		1
＊貿易（海峡殖民地）		1	2	1	1								
＊貿易（爪哇）						4					2		
＊貿易（対南）						2	1	1					
＊貿易（南洋）					4	3		1					
＊貿易（比島）			2		1	2							
＊貿易（比律賓）	1		2				1						

14	15	16	17	18	19	20	21	22	23	24	25	26	27	28	29	30	合計
1928	1929	1930	1931	1932	1933	1934	1935	1936	1937	1938	1939	1940	1941	1942	1943	1944	
			2										2				6
						11	10	12	8								41
		4	13	12	12												41
								1			1						6
									4	4	4	4	2				18
					2	1				1			1				6
		6															6
1			1				1						1				5
			1	1	3	5	3	3					1				18
			1	2	3	2			1	1	1						16
																	9
																	10
					1		1	1					1	7			13
1		1	1	4	1	1	1	2	1		1	1			2		22
												3	2				8
											6	2					8
										1		1		20	1		26
														6			6
				1			1				1		1		2		12
	1		3									1					6
1																	5
				2	8												10
																	6
								1									5
			2	1		1			1								5
2	1																6
																	5
	2				1												9
			1														5
	1													1			9
										1	2						8
				1		1				1							7

事項名 \ 巻 発行年	1 1915年	2 1916	3 1917	4 1918	5 1919	6 1920	7 1921	8 1922	9 1923	10 1924	11 1925	12 1926	13 1927
*貿易（馬来半島）			1			2						3	
*貿易（蘭領印度）													
*貿易（蘭領東印度）			2			1							
*貿易（我国）													
その他の「貿易」	3	1	2	5	7	6	1	2		1	6	6	3
*貿易概況（仏領印度支那）							4	12	3				
その他の「貿易概況」	1		1			3	3	2					
貿易額													
貿易事業		1				3							
*貿易大観（蘭印）								2	5				
*貿易大観（蘭領印度）										8	2		
*貿易統計（蘭領印度）													
その他の「貿易統計」													
帽子							2				1		1
邦商				1				2			1		
*邦人										1	1	3	1
その他の「邦人」							1	1					
邦人漁業								1					
邦人事業								1		1		2	
*放送局（新嘉坡）													
報道													
邦品													
琺瑯鉄器										1		1	1
ボロブドール仏蹟					4								
燐寸					2	1	1	2			2	1	2
*馬尼刺（マニラ）麻				1	9	1	1						
その他の「マニラ麻」				2		4	1			1	3		
マニラ、カーニバル祭												2	4
*マニラ（馬尼刺）支部										1	1	2	
マライ（馬来）人			1	1									
未晒綿布													
見本市											1		1

14	15	16	17	18	19	20	21	22	23	24	25	26	27	28	29	30	合計
1928	1929	1930	1931	1932	1933	1934	1935	1936	1937	1938	1939	1940	1941	1942	1943	1944	
																	6
			1				1	1	1	2							6
3																	6
				3	1	1											5
	2	4	1	1	2		6	1	2	3	5	7	6	2	2		87
						1											20
		1		1	1	2	2	1					1				19
		1				2	1					1	1				6
			1		1	1											7
																	7
																	10
								1	4								5
			1		2	2		2	2	3							12
									1								5
				1	1												6
2	2		2					3				1					16
	1						1		1		1		1	1			8
3			1														5
											1						5
					1		2	1	2								6
															16		16
	1										3			2			6
1	1	1			1	1	1	3									12
						1											5
			1	2	2												16
1														1			13
	2	1	2	1	1		1										19
																	6
1	1	4	1	1	3	2	2		2		3	1	2				27
					1		1								1		5
						1	2	1	1				1				6
4															1		6

事項名 \ 巻 (発行年)	1 (1915年)	2 (1916)	3 (1917)	4 (1918)	5 (1919)	6 (1920)	7 (1921)	8 (1922)	9 (1923)	10 (1924)	11 (1925)	12 (1926)	13 (1927)
＊民族（小スンダ列島）													
＊民族（スマトラ）													
＊民族資料（南洋群島）													
その他の「民族」	1				2								
＊莫大小(メリヤス)市況(爪哇)													
＊莫大小襯衣輸入統計(蘭領印度)													
メリヤス製品												1	
棉花栽培													
綿作				1									
＊綿布市況（蘭印）													
＊綿布輸入統計（外領）													
＊綿布輸入統計（爪哇）													
その他の「綿布」		1					1			1	3	1	
モイ族							7						
木材							1				2		1
モロ族				1									2
椰子	1			2		2		5			1	1	
椰子油				1	2	1					1		
郵便				1									
有用植物						6	2					2	
＊輸出税査定額改正(馬来聯邦州)													
＊輸出統計税評定価格(蘭領印度)													
その他の「輸出」	1			1	6	6				3			3
＊輸出入貿易（暹羅）								7	1		1		
＊輸出入貿易（馬来）													
その他の「輸出入」	1					2					1		1
油田						1	2		2		1		
輸入税													
輸入制限													
輸入品				1									
輸入貿易						2							
輸入統計													

4.事　項　319

14	15	16	17	18	19	20	21	22	23	24	25	26	27	28	29	30	合計
1928	1929	1930	1931	1932	1933	1934	1935	1936	1937	1938	1939	1940	1941	1942	1943	1944	
2	3																5
														4	4	1	9
					2	6	4										12
							2			5	2	2			2	1	17
												6	11	2			19
												4	6	2			12
		4			2			1									8
							2	1	1				1	1		2	8
													5				6
												8	11	2			21
												4	7	1			12
												4	7	2			13
			1	6	5	2	4	3	1			3					32
																	7
	3	2					1	1									11
				1					2								6
1	1	1		1		1		2					1	3			23
1				1	2	1	1							4			15
				1			2					1					5
																	10
				4	6	7	2	2									21
				1	4	2											7
1	1		1	3	2	3	4	3	1	2	4	7	2	2	3		59
																	9
					1							3	10				14
1	5			2	2	7	4	4				9	1	2	3		45
	1							1									8
1				4	3	1	1	1									11
					1	3	5	2	1	2		1	1				16
	1		1	1	1		1	1									7
				1	1							1			3		8
				1	1			1		1			1				5

事項名 \ 巻 発行年	1 1915年	2 1916	3 1917	4 1918	5 1919	6 1920	7 1921	8 1922	9 1923	10 1924	11 1925	12 1926	13 1927
その他の「輸入」			1	1	1	3	1						3
予算			1				1						
ラヂオ													
＊旅行記（大南洋）													
その他の「旅行記」				1	2						2		
その他の「旅行」				3	2	2							1
林業													
労働者				1		1			1		1		
その他の「労働」						3		1		1		1	
鰐						1					2		

14	15	16	17	18	19	20	21	22	23	24	25	26	27	28	29	30	合計
1928	1929	1930	1931	1932	1933	1934	1935	1936	1937	1938	1939	1940	1941	1942	1943	1944	
					2	4	6	3	2		4	3	7	1			32
							1	2	1					2	1		9
			1		2	1	1	2	1	6	1						15
	2	3															5
																	5
							1	3				1					13
							2	1						2			5
								1		1							6
	1													5	1		13
1	2																6

編 者 紹 介

早瀬　晋三（はやせ　しんぞう）
1955年生まれ
早稲田大学大学院アジア太平洋研究科教授
〔主要著作〕
『「ベンゲット移民」の虚像と実像』（同文舘、1989年）、『復刻版　比律賓情報　解説・総目録・索引』（龍渓書舎、2003年）、『「領事報告」掲載フィリピン関係記事目録　1881-1943年』（龍渓書舎、2003年）、『海域イスラーム社会の歴史』（岩波書店、2003年、大平正芳記念賞、英語版：*Mindanao Ethnohistory beyond Nations*. Quezon City: Ateneo de Manila University Press, 2007)、『歴史研究と地域研究のはざまで』（法政大学出版局、2004年）、『戦争の記憶を歩く　東南アジアのいま』（岩波書店、2007年、英語版：*A Walk Through War Memories in Southeast Asia*. Quezon City: New Day Publishers, 2010)、『歴史空間としての海域世界を歩く』（法政大学出版局、2008年）、『未来と対話する歴史』（法政大学出版局、2008年）、『未完のフィリピン革命と植民地化』（山川出版社、2009年）、『フィリピン関係文献目録（戦前・戦中、「戦記もの」）』（龍渓書舎、2009年）、『マンダラ国家から国民国家へ：東南アジア史のなかの第一次世界大戦』（人文書院、2012年）、『フィリピン近現代史のなかの日本人』（東京大学出版会、2012年）、*Japanese in Modern Philippine History* (Waseda University Institute of Asia-Pacific Studies, 2014)、『南方開発金庫調査資料　解説、総目次、索引篇』（龍渓書舎、2012-15年）

解 説 者 紹 介

河原林直人（かわらばやし　なおと）
1970年生まれ
名古屋学院大学経済学部教授
〔主要著作〕
『近代アジアと台湾』*（世界思想社、2003年）、『南洋群島と帝国・国際秩序』（慈学社、2007年）、『昭和・アジア主義の実像』（ミネルヴァ書房、2007年）、『東アジア資本主義史論Ⅱ』（ミネルヴァ書房、2008年）、『日本の朝鮮・台湾支配と植民地官僚』（思文閣出版、2009年）、『日本統治時代台湾の経済と社会』（晃洋書房、2012年）、「一九三九年・「帝国」の辺境から」*（『日本史研究』第600号、2012年）、『内海忠司日記1940-1945』（京都大学学術出版会、2014年）（*は単著）

南方軍政関係史料㊺
南洋協会発行雑誌 〔『会報』・『南洋協会々報』・〕
〔『南洋協会雑誌』・『南洋』 1915〜44年〕
解説・総目録・索引 〔執筆者名〕 第2巻［索引篇］
〔人 名〕
〔地 名〕
〔事 項〕

―――――――――――――――――――――――――――――
2018年1月31日第1刷

編 者	早 瀬 晋 三
解説者	河 原 林 直 人
発行者	北 村 正 光
発行所	株式会社 龍 渓 書 舎

〒179-0085 東京都練馬区早宮2－2－17
電 話 03(5920)5222・振替00130-1-76123
FAX 03(5920)5227

―――――――――――――――――――――――――――――
ISBN978-4-8447-0321-1　　　　印刷・製本　勝美印刷㈱
全2巻分売不可